남북한 유엔 가입

국내 절차 진행 2

남북한 유엔 가입

국내 절차 진행 2

한국학술정보

| 머리말

유엔 가입은 대한민국 정부 수립 이후 중요한 숙제 중 하나였다. 한국은 1949년을 시작으로 여러 차례 유엔 가입을 시도했으나, 상임이사국인 소련의 거부권 행사에 번번이 부결되고 말았다. 북한도 마찬가지로, 1949년부터 유엔 가입을 시도했으나 상임이사국들의 반대에 매번 가로막혔다. 서로가 한반도의 유일한 합법 정부라 주장하는 당시 남북한은 어디까지나 상대측을 배제하고 단독으로 유엔에 가입하려 했으며, 이는 국제적인 냉전 체제와 맞물려 어느 쪽도 원하는 바를 성취하지 못하게 만들었다. 하지만 1980년대를 지나며 냉전 체제가 이완되면서 변화가 생긴다. 한국은 북방 정책을 통해 국제적 여건을 조성하고, 남북한 고위급 회담 등에서 남북한 유엔 동시 가입 등을 강력히 설득한다. 이런 외교적 노력이 1991년 열매를 맺어, 제46차 유엔총회를 통해 한국과 북한은 유엔 회원국이 될 수 있었다.

본 총서는 외교부에서 작성하여 30여 년간 유지한 남북한 유엔 가입 관련 자료를 담고 있다. 한국의 유엔 가입 촉구를 위한 총회결의한 추진 검토, 세계 각국을 대상으로 한 지지 교섭 과정, 국내외 실무 절차 진행, 채택 과정 및 향후 대응, 관련 홍보 및 언론 보도까지 총 16권으로 구성되었다. 전체 분량은 약 8천 쪽에 이른다.

2024년 3월

한국학술정보(주)

| 일러두기

· 본 총서에 실린 자료는 2022년 4월과 2023년 4월에 각각 공개한 외교문서 4,827권, 76만 여 쪽 가운데 일부를 발췌한 것이다.

· 각 권의 제목과 순서는 공개된 원본을 최대한 반영하였으나, 주제에 따라 일부는 적절히 변경하였다.

· 원본 자료는 A4 판형에 맞게 축소하거나 원본 비율을 유지한 채 A4 페이지 안에 삽입하였다. 또한 현재 시점에선 공개되지 않아 '공란'이란 표기만 있는 페이지 역시 그대로 실었다.

· 외교부가 공개한 문서 각 권의 첫 페이지에는 '정리 보존 문서 목록'이란 이름으로 기록물 종류, 일자, 명칭, 간단한 내용 등의 정보가 수록되어 있으며, 이를 기준으로 0001번부터 번호가 매겨져 있다. 이는 삭제하지 않고 총서에 그대로 수록하였다.

· 보고서 내용에 관한 더 자세한 정보가 필요하다면, 외교부가 온라인상에 제공하는 『대한민국 외교사료요약집』 1991년과 1992년 자료를 참조할 수 있다.

| 차례

정 리 보 존 문 서 목 록

기록물종류	일반공문서철	등록번호	2020110101	등록일자	2020-11-20
분류번호	731.12	국가코드		보존기간	영구
명 칭	남북한 유엔가입, 1991.9.17. 전41권				
생 산 과	국제연합1과	생산년도	1990~1991	담당그룹	
권 차 명	V.21 한국의 유엔가입 국내절차 진행 II, 1991.6.16-11월				
내용목차	* 유엔헌장 및 국제사법재판소규정 가입 국내절차 진행 * 1945.6.26 유엔헌장 및 국제사법재판소(ICJ) 규정 채택 * 1945.10.24 발효 * 1991.6.13 국무회의 심의 * 1991.7.13 국회동의 * 1991.8.5 수락서 기탁 * 1991.9.18 한국에 대하여 발효(조약 제1059호)				

0001

국 제 연 합 헌 장

1. 건의사항

   o 第155회 임시국회에 표제헌장 수락동의안 제출

   o 국제연합 가입신청시 사무총장에 수락 선언서 기탁

   o 국제연합 가입확정시 공포조치

2. 수락추진이유

   국제연합헌장은 동 헌장의 수락을 신회원국 가입요건의 하나로 규정

조 약 과

0002

기 안 용 지

분류기호 문서번호	조약20411-	(전화 :)	시 행 상 특별취급	
보존기간	영구·준영구. 10. 5. 3. 1.	차 관	장 관	
수 신 처 보존기간				
시행일자	1991.6.18.			

보조기관		협조기관		문 서 통 제
국 장				
심의관				
과 장				
기안책임자	김 순 규			발 송 인

경 유 수 신 참 조	건 의	발신명의		
제 목	"국제연합헌장" 수락 및 공포			

1991년 6월 13일 제29회 국무회의의 심의를 거친 표제헌장의 수락을 위하여 다음과 같은 조치를 취할 것을 건의합니다.

1. 제155회 임시국회에 수락동의안을 별안과 같이 제출함.

2. 국제연합 가입신청시 사무총장에 수락선언서를 기탁함.

3. 국제연합총회의 결정으로 우리나라의 국제연합가입이 확정되는 때에 "법령등 공포에 관한 법률" 제11조에 따라 공포함.

첨부 : 1. 헌장(국무회의안건) 및 공포안 각 1부.

2. 비준동의안 2부. 끝.

0003

1505-25(2-1) 일(1)갑　　190㎜×268㎜ 인쇄용지 2급 60g/㎡
85. 9. 9. 승인　"내가아낀 종이 한장 늘어나는 나라살림"　가 40-41 1990. 5. 28

(별안)

외조약 20411-

수신 국회의장

제목 조약안 제출

1991.6.13.제29회 국무회의의 심의를 거친 "국제연합헌장" 수락 동의안을 이에 제출합니다.

첨부: 유인물 700부. 끝.

0004

1505-25(2-2) 일(1)을
85. 9. 9.승인 "내가아낀 종이 한장 늘어나는 나라살림" 190mm×268mm 인쇄용지 2급 60g/㎡ 사 40-41 1988. 7. 11.

공　　포　　안

1991년 6월 13일 제29회 국무회의의 심의를 거쳐 1991년 월 일 제 회 임시국회 제 차 본회의의 수락동의를 얻어 1991년 월 일 수락선언서를 국제연합사무총장에 기탁하였으며 국제연합헌장 제4조 제2항에 따라 국제연합총회가 대한민국의 국제연합 가입신청을 승인 결정함으로써 1991년 월 일자로 발효하는 "국제연합헌장"을 이에 공포한다.

대　　통　　령　　노　　태　　우

199 년 월 일

국무총리서리　　정　원　식

국무위원 (외무부장관)　　이　상　옥

조약제 호

"국제연합헌장 및 국제사법재판소규정" (이하 본문별첨)

0005

국 제 연 합 헌 장

수 락 동 의 안

제안부서 : 정 부

0006

1. 提案理由

國際平和와 安全의 維持, 國家間의 友好關係의 發展 및 모든 分野에서의 國際的 協力의 達成을 그 주요 目的으로 하는 國際聯合에 加入함에 있어, 國際聯合 憲章은 新會員國 加入要件의 하나로 그 憲章을 受諾할 것을 規定하고 있으므로 이 憲章상 規定된 義務를 受諾하고자 함. 國際聯合加入을 통하여 우리나라는 國際社會의 責任있는 成員으로서의 正當한 役割과 義務를 다하고자 하며 國際聯合의 目的과 原則을 尊重하는 가운데 모든 分野에서의 交流와 協力關係를 增進시키고 이를 토대로 韓半島를 包含한 東北亞地域과 나아가 世界의 平和와 繁榮에 이바지 하고자 함.

2. 主要骨子(憲章 : 前文 및 本文 111 個條로 構成, 國際司法裁判所規程 : 70 個條로 構成)

가. 國際聯合憲章

(1) 國際聯合은 國際平和와 安全의 維持, 各國間 友好 關係의 促進, 人權 및 基本的 自由의 尊重, 國際的 協力 및 國家間 活動을 調和시키는 中心으로서의

役割을 그 目的으로 함. (前文 및 第1條)

(2) 國際聯合은 主權平等, 會員國의 憲章上 義務의 誠實한 履行, 國際紛爭의 平和的 解決, 領土保全 또는 政治的 獨立의 尊重 및 武力 不使用, 國際聯合措置에 對한 會員國의 援助 및 措置 對象國에 대한 援助삼가義務, 國內管轄權 事項에 대한 不干涉등을 그 行動原則으로 함. (第2條)

(3) 國際聯合은 原會員國(51個國) 및 新會員國으로 構成되며, 新會員國의 경우 憲章상 義務의 受諾, 憲章상 義務의 遵守意思와 能力의 保有 및 平和 愛好國일 것을 그 加入要件으로 規定하고, 그 加入承認은 安全保障理事會의 勸告에 따라 總會가 決定함. (第3條 - 第6條)

(4) 國際聯合은 주요機關으로 總會, 安全保障理事會, 經濟社會理事會, 信託統治理事會, 國際司法裁判所 및 事務局을 設置함. (第7條 - 第32條, 第61條 - 第72條, 第86條 - 第101條)

(5) 國際平和와 安全을 維持하기 위한 目的을 達成하기 위하여 國際的 紛爭의 平和的 解決原則 및 節次를 規定함. (第33條 - 第38條)

(6) 平和에 대한 威脅, 平和의 破壞 및 侵略行爲등이

0008

發生한 경우 國際聯合은 이를 防止 또는 鎭壓하기 위한 措置를 취함.

(가) 安全保障理事會는 上記 事態의 有無와 必要措置를 決定함. (第39條)

(나) 安全保障理事會는 勸告 또는 措置를 決定하기 전에 關係當事國에 대하여 必要한 暫定措置를 要請할 수 있음. (第40條)

(다) 安全保障理事會는 그 決定을 執行하기 위하여 經濟關係의 中斷 및 外交關係의 斷切등을 包含하는 非軍事的 措置를 취할 수 있음. (第41條)

(라) 安全保障理事會는 非軍事的 措置가 不充分한 것으로 認定할 경우, 示威, 封鎖등 軍事作戰을 包含하는 軍事的 措置를 취할 수 있음. (第42條)

(마) 會員國은 安全保障理事會의 要請 또는 安全保障理事會와 會員國間의 特別協定에 의거하여, 兵力, 援助 및 通過權을 包含한 便宜를 安全保障理事會에 利用하게 할 義務를 짐. (第43條)

(바) 會員國은 武力攻擊이 發生한 경우, 安全保障理事會가 必要한 措置를 취할 때까지, 個別的 또는 集團的 自衛權을 行使할 수 있음. (第51條)

(사) 地域的 措置에 適合한 事項을 處理하기 위하여

地域的 約定을 맺고 地域的 機關을 構成함으로써 紛爭의 平和的 解決을 圖謀함. (第52條-第54條)

(7) 國際聯合은 經濟, 社會分野등에서의 國際的 問題의 解決, 人權 및 自由의 尊重 그리고 生活水準의 向上 및 完全雇傭등을 促進함으로써 安定과 福祉를 達成하고 이를 통하여 그 주요目的의 하나인 國際的 協力을 圖謀하도록 함. (第55條-第60條)

(8) 住民이 完全한 自治를 행할 수 없는 地域을 위하여 國際信託統治制度를 樹立함. (第73條-第85條)

(9) 國際司法裁判所規程은 憲章의 不可分의 一部를 構成하며, 會員國은 同 規程의 當然當事國으로 同 裁判所의 決定을 遵守할 義務를 짐. (第92條-第96條)

(10) 會員國은 모든 條約과 國際協定을 事務局에 登錄함. (第102條)

(11) 憲章상의 義務와 他 國際協定상의 義務가 相衝하는 경우 憲章상 義務가 優先함. (第103條)

나. 國際司法裁判所規程

(1) 國際司法裁判所는 國際聯合의 주요한 司法機關임. (第1條)

0010

(2) 裁判所는 9年 任期의 15人의 獨立的 裁判官團으로 構成됨. (第2條 - 第33條)

(3) 國家만이 訴訟의 當事者가 될 수 있음.(第34條)

(4) 裁判所는 當事國이 回附한 모든 事件 또는 條約이나 協定에 規定된 모든 事項에 管轄權을 가지며, 또한 裁判所는 同 規程 第36條 第2項을 受諾한 當事國間에 强制管轄權을 가짐. (第34條-第37條)

(5) 國際協約, 國際慣習, 法의 一般原則, 司法判決 및 學說, 當事者가 合意하는 경우 衡平과 善을 裁判所의 裁判準則으로 함. (第38條)

(6) 裁判所의 判決은 最終的이며, 一定한 경우에 한하여 再審이 許容됨. (第39條 - 第64條)

(7) 國際聯合憲章에 의하여 許可된 機關이 要請할 경우, 裁判所는 法律問題에 관하여 勸告的 意見을 提示함. (第65條 - 第68條)

3. 參考事項

가. 豫算措置 : 國際聯合加入에 따라 所定의 分擔金을 負擔하여야 함.

나. 關係部處 合議 : 經濟企劃院, 統一院, 法務部, 國防部 등 關係部處와 合議하였음.

다. 其 他

(1) 採擇 및 改正

- 1945.6.26. 샌프란시스코에서 採擇
- 1965.8.31. 第1次 改正 發效
- 1968.6.12. 第2次 改正 發效
- 1973.9.24. 第3次 改正 發效
- 現 當事國 : 159個國

(2) 國際聯合憲章 및 國際司法裁判所規程(國文飜譯本 및 英文本) : 別添

0012

국 제 연 합 헌 장

국제연합헌장

우리 연합국 국민들은

우리 일생중에 두번이나 말할 수 없는 슬픔을 인류에 가져온 전쟁의 불행에서 다음 세대를 구하고,

기본적 인권, 인간의 존엄 및 가치, 남녀 및 대소 각국의 평등권에 대한 신념을 재확인하며,

정의와 조약 및 기타 국제법의 연원으로부터 발생하는 의무에 대한 존중이 계속 유지될 수 있는 조건을 확립하며,

더 많은 자유속에서 사회적 진보와 생활수준의 향상을 촉진할 것을 결의하였다.

그리고 이러한 목적을 위하여

관용을 실천하고 선량한 이웃으로서 상호간 평화롭게 같이 생활하며,

국제평화와 안전을 유지하기 위하여 우리들의 힘을 합하며,

공동이익을 위한 경우 이외에는 무력을 사용하지 아니한다는 것을, 원칙의 수락과 방법의 설정에 의하여, 보장하고,

모든 국민의 경제적 및 사회적 발전을 촉진하기 위하여 국제기관을 이용한다는 것을 결의하면서,

이러한 목적을 달성하기 위하여 우리의 노력을 결집할 것을 결정하였다.

따라서, 우리 각자의 정부는, 샌프란시스코에 모인, 유효하고 타당한 것으로 인정된 전권위임장을 제시한 대표를 통하여, 이 국제연합헌장에 동의하고, 국제연합이라는 국제기구를 이에 설립한다.

– 9 –

0014

제 1 장
목적과 원칙

제 1 조

국제연합의 목적은 다음과 같다.

1. 국제평화와 안전을 유지하고, 이를 위하여 평화에 대한 위협의 방지. 제거 그리고 침략행위 또는 기타 평화의 파괴를 진압하기 위한 유효한 집단적 조치를 취하고 평화의 파괴로 이를 우려가 있는 국제적 분쟁이나 사태의 조정. 해결을 평화적 수단에 의하여 또한 정의와 국제법의 원칙에 따라 실현한다.

2. 사람들의 평등권 및 자결의 원칙의 존중에 기초하여 국가간의 우호 관계를 발전시키며, 세계평화를 강화하기 위한 기타 적절한 조치를 취한다.

3. 경제적.사회적.문화적 또는 인도적 성격의 국제문제를 해결하고 또한 인종.성별.언어 또는 종교에 따른 차별없이 모든 사람의 인권 및 기본적 자유에 대한 존중을 촉진하고 장려함에 있어 국제적 협력을 달성한다.

4. 이러한 공동의 목적을 달성함에 있어서 각국의 활동을 조화시키는 중심이 된다.

제 2 조

이 기구 및 그 회원국은 제1조에 명시한 목적을 추구함에 있어서 다음의 원칙에 따라 행동한다.

1. 기구는 모든 회원국의 주권평등 원칙에 기초한다.

2. 모든 회원국은 회원국의 지위에서 발생하는 권리와 이익을 그들 모두에 보장하기 위하여, 이 헌장에 따라 부과되는 의무를 성실히 이행한다.

0015

3. 모든 회원국은 그들의 국제분쟁을 국제평화와 안전 그리고 정의를 위태롭게 하지 아니하는 방식으로 평화적 수단에 의하여 해결한다.

4. 모든 회원국은 그 국제관계에 있어서 다른 국가의 영토보전이나 정치적 독립에 대하여 또는 국제연합의 목적과 양립하지 아니하는 어떠한 기타 방식으로도 무력의 위협이나 무력행사를 삼간다.

5. 모든 회원국은 국제연합이 이 헌장에 따라 취하는 어떠한 조치에 있어서도 모든 원조를 다하며, 국제연합이 방지조치 또는 강제조치를 취하는 대상이 되는 어떠한 국가에 대하여도 원조를 삼간다.

6. 기구는 국제연합의 회원국이 아닌 국가가, 국제평화와 안전을 유지하는데 필요한 한, 이러한 원칙에 따라 행동하도록 확보한다.

7. 이 헌장의 어떠한 규정도 본질상 어떤 국가의 국내 관할권안에 있는 사항에 간섭할 권한을 국제연합에 부여하지 아니하며, 또는 그러한 사항을 이 헌장에 의한 해결에 맡기도록 회원국에 요구하지 아니한다. 다만, 이 원칙은 제7장에 의한 강제조치의 적용을 해하지 아니한다.

제 2 장
회원국의 지위

제 3 조

국제연합의 원회원국은, 샌프란시스코에서 국제기구에 관한 연합국 회의에 참가한 국가 또는 1942년 1월 1일의 연합국 선언에 서명한 국가로서, 이 헌장에 서명하고 제110조에 따라 이를 비준한 국가이다.

제 4 조

1. 국제연합의 회원국 지위는 이 헌장에 규정된 의무를 수락하고, 이러한 의무를 이행할 능력과 의사가 있다고 기구가 판단하는 그밖의 평화애호국 모두에 개방된다.

2. 그러한 국가의 국제연합회원국으로의 승인은 안전보장이사회의 권고에 따라 총회의 결정에 의하여 이루어진다.

제 5 조

안전보장이사회에 의하여 취하여지는 방지조치 또는 강제조치의 대상이 되는 국제연합회원국에 대하여는 총회가 안전보장이사회의 권고에 따라 회원국으로서의 권리와 특권의 행사를 정지시킬 수 있다. 이러한 권리와 특권의 행사는 안전보장이사회에 의하여 회복될 수 있다.

제 6 조

이 헌장에 규정된 원칙을 끈질기게 위반하는 국제연합회원국은 총회가 안전보장이사회의 권고에 따라 기구로부터 제명할 수 있다.

제 3 장
기 관

제 7 조

1. 국제연합의 주요기관으로서 총회. 안전보장이사회. 경제사회이사회. 신탁통치이사회. 국제사법재판소 및 사무국을 설치한다.

2. 필요하다고 인정되는 보조기관은 이 헌장에 따라 설치될 수 있다.

0017

제 8 조

국제연합은 남녀가 어떠한 능력으로서든 그리고 평등의 조건으로 그 주요기관 및 보조기관에 참가할 자격이 있음에 대하여 어떠한 제한도 두어서는 아니된다.

제 4 장 총 회

구성

제 9 조

1. 총회는 모든 국제연합회원국으로 구성된다.

2. 각 회원국은 총회에 5인이하의 대표를 가진다.

임무 및 권한

제 10 조

총회는 이 헌장의 범위안에 있거나 또는 이 헌장에 규정된 어떠한 기관의 권한 및 임무에 관한 어떠한 문제 또는 어떠한 사항도 토의할 수 있으며, 그리고 제12조에 규정된 경우를 제외하고는, 그러한 문제 또는 사항에 관하여 국제연합회원국 또는 안전보장이사회 또는 이 양자에 대하여 권고할 수 있다.

제 11 조

1. 총회는 국제평화와 안전의 유지에 있어서의 협력의 일반원칙을, 군비축소 및 군비규제를 규율하는 원칙을 포함하여 심의하고, 그러한 원칙과 관련하여 회원국이나 안전보장이사회 또는 이 양자에 대하여 권고할 수 있다.

2. 총회는 국제연합회원국이나 안전보장이사회 또는 제35조제2항에 따라 국제연합회원국이 아닌 국가에 의하여 총회에 회부된 국제평화와 안전의

유지에 관한 어떠한 문제도 토의할 수 있으며, 제12조에 규정된 경우를 제외하고는 그러한 문제와 관련하여 1 또는 그 이상의 관계국이나 안전보장이사회 또는 이 양자에 대하여 권고할 수 있다. 그러한 문제로서 조치를 필요로 하는 것은 토의의 전 또는 후에 총회에 의하여 안전보장이사회에 회부된다.

3. 총회는 국제평화와 안전을 위태롭게 할 우려가 있는 사태에 대하여 안전보장이사회의 주의를 환기할 수 있다.

4. 이 조에 규정된 총회의 권한은 제10조의 일반적 범위를 제한하지 아니한다.

제 12 조

1. 안전보장이사회가 어떠한 분쟁 또는 사태와 관련하여 이 헌장에서 부여된 임무를 수행하고 있는 동안에는 총회는 이 분쟁 또는 사태에 관하여 안전보장이사회가 요청하지 아니하는 한 어떠한 권고도 하지 아니한다.

2. 사무총장은 안전보장이사회가 다루고 있는 국제평화와 안전의 유지에 관한 어떠한 사항도 안전보장이사회의 동의를 얻어 매 회기중 총회에 통고하며, 또한 사무총장은, 안전보장이사회가 그러한 사항을 다루는 것을 중지한 경우, 즉시 총회 또는 총회가 회기중이 아닐 경우에는 국제연합회원국에 마찬가지로 통고한다.

제 13 조

1. 총회는 다음의 목적을 위하여 연구를 발의하고 권고한다.
   가. 정치적 분야에 있어서 국제협력을 촉진하고, 국제법의 점진적 발달 및 그 법전화를 장려하는 것

0019

나. 경제.사회.문화.교육 및 보건분야에 있어서 국제협력을 촉진하며 그리고 인종.성별.언어 또는 종교에 관한 차별없이 모든 사람을 위하여 인권 및 기본적 자유를 실현하는데 있어 원조하는 것

2. 전기 제1항나호에 규정된 사항에 관한 총회의 추가적 책임, 임무 및 권한은 제9장과 제10장에 규정된다.

제 14 조

제12조 규정에 따를 것을 조건으로 총회는 그 원인에 관계없이 일반적 복지 또는 국가간의 우호관계를 해할 우려가 있다고 인정되는 어떠한 사태도 이의 평화적 조정을 위한 조치를 권고할 수 있다. 이 사태는 국제연합의 목적 및 원칙을 정한 이 헌장규정의 위반으로부터 발생하는 사태를 포함한다.

제 15 조

1. 총회는 안전보장이사회로부터 연례보고와 특별보고를 받아 심의한다. 이 보고는 안전보장이사회가 국제평화와 안전을 유지하기 위하여 결정하거나 또는 취한 조치의 설명을 포함한다.

2. 총회는 국제연합의 다른 기관으로부터 보고를 받아 심의한다.

제 16 조

총회는 제12장과 제13장에 의하여 부과된 국제신탁통치제도에 관한 임무를 수행한다. 이 임무는 전략지역으로 지정되지 아니한 지역에 관한 신탁통치 협정의 승인을 포함한다.

제 17 조

1. 총회는 기구의 예산을 심의하고 승인한다.

2. 기구의 경비는 총회에서 배정한 바에 따라 회원국이 부담한다.

3. 총회는 제57조에 규정된 전문기구와의 어떠한 재정약정 및 예산약정도 심의하고 승인하며, 당해 전문기구에 권고할 목적으로 그러한 전문기구의 행정적 예산을 검사한다.

표결

제 18 조

1. 총회의 각 구성국은 1개의 투표권을 가진다.

2. 중요문제에 관한 총회의 결정은 출석하여 투표하는 구성국의 3분의 2의 다수로 한다. 이러한 문제는 국제평화와 안전의 유지에 관한 권고, 안전보장이사회의 비상임이사국의 선출, 경제사회이사회의 이사국의 선출, 제86조제1항 다호에 의한 신탁통치이사회의 이사국의 선출, 신회원국의 국제연합 가입의 승인, 회원국으로서의 권리 및 특권의 정지, 회원국의 제명, 신탁통치제도의 운영에 관한 문제 및 예산문제를 포함한다.

3. 기타 문제에 관한 결정은 3분의 2의 다수로 결정될 문제의 추가적 부문의 결정을 포함하여 출석하여 투표하는 구성국의 과반수로 한다.

제 19 조

기구에 대한 재정적 분담금의 지불을 연체한 국제연합회원국은 그 연체금액이 그때까지의 만 2년간 그 나라가 지불하였어야 할 분담금의 금액과 같거나 또는 초과하는 경우 총회에서 투표권을 가지지 못한다. 그럼에도 총회는 지불의 불이행이 그 회원국이 제어할 수 없는 사정에 의한 것임이 인정되는 경우 그 회원국의 투표를 허용할 수 있다.

0021

절차

제 20 조

총회는 연례정기회기 및 필요한 경우에는 특별회기로서 모인다. 특별회기는 안전보장이사회의 요청 또는 국제연합회원국의 과반수의 요청에 따라 사무총장이 소집한다.

제 21 조

총회는 그 자체의 의사규칙을 채택한다. 총회는 매회기마다 의장을 선출한다.

제 22 조

총회는 그 임무의 수행에 필요하다고 인정되는 보조기관을 설치할 수 있다.

제 5 장
안전보장이사회

구성

제 23 조

1. 안전보장이사회는 15개 국제연합회원국으로 구성된다. 중화민국. 불란서. 소비에트사회주의공화국연방. 영국 및 미합중국은 안전보장이사회의 상임이사국이다. 총회는 먼저 국제평화와 안전의 유지 및 기구의 기타 목적에 대한 국제연합회원국의 공헌과 또한 공평한 지리적 배분을 특별히 고려하여 그외 10개의 국제연합회원국을 안전보장이사회의 비상임이사국으로 선출한다.

2. 안전보장이사회의 비상임이사국은 2년의 임기로 선출된다. 안전보장이사회의 이사국이 11개국에서 15개국으로 증가된 후 최초의 비상임이사국 선출에서는, 추가된 4개이사국중 2개이사국은 1년의 임기로 선출된다. 퇴임 이사국은 연이어 재선될 자격을 가지지 아니한다.

3. 안전보장이사회의 각 이사국은 1인의 대표를 가진다.

임무와 권한

제 24 조

1. 국제연합의 신속하고 효과적인 조치를 확보하기 위하여, 국제연합 회원국은 국제평화와 안전의 유지를 위한 일차적 책임을 안전보장이사회에 부여하며, 또한 안전보장이사회가 그 책임하에 의무를 이행함에 있어 회원국을 대신하여 활동하는 것에 동의한다.

2. 이러한 의무를 이행함에 있어 안전보장이사회는 국제연합의 목적과 원칙에 따라 활동한다. 이러한 의무를 이행하기 위하여 안전보장이사회에 부여된 특정한 권한은 제6장, 제7장, 제8장 및 제12장에 규정된다.

3. 안전보장이사회는 연례보고 및 필요한 경우 특별보고를 총회에 심의하도록 제출한다.

제 25 조

국제연합회원국은 안전보장이사회의 결정을 이 헌장에 따라 수락하고 이행할 것을 동의한다.

제 26 조

세계의 인적 및 경제적 자원을 군비를 위하여 최소한으로 전용함으로써 국제평화와 안전의 확립 및 유지를 촉진하기 위하여, 안전보장이사회는 군비

0023

규제체제의 확립을 위하여 국제연합회원국에 제출되는 계획을 제47조에 규정된 군사참모위원회의 원조를 받아 작성할 책임을 진다.

표결

제 27 조

1. 안전보장이사회의 각 이사국은 1개의 투표권을 가진다.

2. 절차사항에 관한 안전보장이사회의 결정은 9개이사국의 찬성투표로써 한다.

3. 그외 모든 사항에 관한 안전보장이사회의 결정은 상임이사국의 동의 투표를 포함한 9개이사국의 찬성투표로써 한다. 다만, 제6장 및 제52조제3항에 의한 결정에 있어서는 분쟁당사국은 투표를 기권한다.

절차

제 28 조

1. 안전보장이사회는 계속적으로 임무를 수행할 수 있도록 조직된다. 이를 위하여 안전보장이사회의 각 이사국은 기구의 소재지에 항상 대표를 둔다.

2. 안전보장이사회는 정기회의를 개최한다. 이 회의에 각 이사국은 희망하는 경우, 각료 또는 특별히 지명된 다른 대표에 의하여 대표될 수 있다.

3. 안전보장이사회는 그 사업을 가장 쉽게 할 수 있다고 판단되는 기구의 소재지외의 장소에서 회의를 개최할 수 있다.

제 29 조

안전보장이사회는 그 입무의 수행에 필요하다고 인정되는 보조기관을 설치할 수 있다.

– 19 –

0024

제 30 조

안전보장이사회는 의장선출방식을 포함한 그 자체의 의사규칙을 채택한다.

제 31 조

안전보장이사회의 이사국이 아닌 어떠한 국제연합회원국도 안전보장이사회가 그 회원국의 이해에 특히 영향이 있다고 인정하는 때에는 언제든지 안전보장이사회에 회부된 어떠한 문제의 토의에도 투표권없이 참가할 수 있다.

제 32 조

안전보장이사회의 이사국이 아닌 국제연합회원국 또는 국제연합회원국이 아닌 어떠한 국가도 안전보장이사회에서 심의중인 분쟁의 당사자인 경우에는 이 분쟁에 관한 토의에 투표권없이 참가하도록 초청된다. 안전보장이사회는 국제연합회원국이 아닌 국가의 참가에 공정하다고 인정되는 조건을 정한다.

제 6 장
분쟁의 평화적 해결

제 33 조

1. 어떠한 분쟁도 그의 계속이 국제평화와 안전의 유지를 위태롭게 할 우려가 있는 것일 경우, 그 분쟁의 당사자는 우선 교섭.심사.중개.조정.중재재판.사법적 해결.지역적 기관 또는 지역적 약정의 이용 또는 당사자가 선택하는 다른 평화적 수단에 의한 해결을 구한다.

2. 안전보장이사회는 필요하다고 인정하는 경우 당사자에 대하여 그 분쟁을 그러한 수단에 의하여 해결하도록 요청한다.

0025

제 34 조

안전보장이사회는 어떠한 분쟁에 관하여도, 또는 국제적 마찰이 되거나 분쟁을 발생하게 할 우려가 있는 어떠한 사태에 관하여도, 그 분쟁 또는 사태의 계속이 국제평화와 안전의 유지를 위태롭게 할 우려가 있는지 여부를 결정하기 위하여 조사할 수 있다.

제 35 조

1. 국제연합회원국은 어떠한 분쟁에 관하여도, 또는 제34조에 규정된 성격의 어떠한 사태에 관하여도, 안전보장이사회 또는 총회의 주의를 환기할 수 있다.

2. 국제연합회원국이 아닌 국가는 자국이 당사자인 어떠한 분쟁에 관하여도, 이 헌장에 규정된 평화적 해결의 의무를 그 분쟁에 관하여 미리 수락하는 경우에는 안전보장이사회 또는 총회의 주의를 환기할 수 있다.

3. 이 조에 의하여 주의가 환기된 사항에 관한 총회의 절차는 제11조 및 제12조의 규정에 따른다.

제 36 조

1. 안전보장이사회는 제33조에 규정된 성격의 분쟁 또는 유사한 성격의 사태의 어떠한 단계에 있어서도 적절한 조정절차 또는 조정방법을 권고할 수 있다.

2. 안전보장이사회는 당사자가 이미 채택한 분쟁해결절차를 고려하여야 한다.

3. 안전보장이사회는, 이 조에 의하여 권고를 함에 있어서, 일반적으로 법률적 분쟁이 국제사법재판소규정의 규정에 따라 당사자에 의하여 동 재판소에 회부되어야 한다는 점도 또한 고려하여야 한다.

제 37 조

1. 제33조에 규정된 성격의 분쟁당사자는, 동조에 규정된 수단에 의하여 분쟁을 해결하지 못하는 경우, 이를 안전보장이사회에 회부한다.

2. 안전보장이사회는 분쟁의 계속이 국제평화와 안전의 유지를 위태롭게 할 우려가 실제로 있다고 인정하는 경우 제36조에 의하여 조치를 취할 것인지 또는 적절하다고 인정되는 해결조건을 권고할 것인지를 결정한다.

제 38 조

제33조 내지 제37조의 규정을 해하지 아니하고, 안전보장이사회는 어떠한 분쟁에 관하여도 분쟁의 모든 당사자가 요청하는 경우 그 분쟁의 평화적 해결을 위하여 그 당사자에게 권고할 수 있다.

제 7 장
평화에 대한 위협, 평화의 파괴 및 침략행위에 관한 조치

제 39 조

안전보장이사회는 평화에 대한 위협, 평화의 파괴 또는 침략행위의 존재를 결정하고, 국제평화와 안전을 유지하거나 이를 회복하기 위하여 권고하거나, 또는 제41조 및 제42조에 따라 어떠한 조치를 취할 것인지를 결정한다.

0027

제 40 조

사태의 악화를 방지하기 위하여 안전보장이사회는 제39조에 규정된 권고를 하거나 조치를 결정하기 전에 필요하거나 바람직하다고 인정되는 잠정조치에 따르도록 관계당사자에게 요청할 수 있다. 이 잠정조치는 관계당사자의 권리, 청구권 또는 지위를 해하지 아니한다. 안전보장이사회는 그러한 잠정조치의 불이행을 적절히 고려한다.

제 41 조

안전보장이사회는 그의 결정을 집행하기 위하여 병력의 사용을 수반하지 아니하는 어떠한 조치를 취하여야 할 것인지를 결정할 수 있으며, 또한 국제연합회원국에 대하여 그러한 조치를 적용하도록 요청할 수 있다. 이 조치는 경제관계 및 철도.항해.항공.우편.전신.무선통신 및 다른 교통통신수단의 전부 또는 일부의 중단과 외교관계의 단절을 포함할 수 있다.

제 42 조

안전보장이사회는 제41조에 규정된 조치가 불충분할 것으로 인정하거나 또는 불충분한 것으로 판명되었다고 인정하는 경우에는, 국제평화와 안전의 유지 또는 회복에 필요한 공군.해군 또는 육군에 의한 조치을 취할 수 있다. 그러한 조치는 국제연합회원국의 공군.해군 또는 육군에 의한 시위.봉쇄 및 다른 작전을 포함할 수 있다.

제 43 조

1. 국제평화와 안전의 유지에 공헌하기 위하여 모든 국제연합회원국은 안전보장이사회의 요청에 의하여 그리고 1 또는 그 이상의 특별협정에 따라, 국제평화와 안전의 유지 목적상 필요한 병력.원조 및 통과권을 포함한 편의를 안전보장이사회에 이용하게 할 것을 약속한다.

2. 그러한 협정은 병력의 수 및 종류, 그 준비정도 및 일반적 배치와 제공될 편의 및 원조의 성격을 규율한다.

3. 그 협정은 안전보장이사회의 발의에 의하여 가능한 한 신속히 교섭되어야 한다. 이 협정은 안전보장이사회와 회원국간에 또는 안전보장이사회와 회원국집단간에 체결되며, 서명국 각자의 헌법상의 절차에 따라 동 서명국에 의하여 비준되어야 한다.

제 44 조

안전보장이사회는 무력을 사용하기로 결정한 경우 이사회에서 대표되지 아니하는 회원국에게 제43조에 따라 부과된 의무의 이행으로서 병력의 제공을 요청하기 전에 그 회원국이 희망한다면 그 회원국 병력중 파견부대의 사용에 관한 안전보장이사회의 결정에 참여하도록 그 회원국을 초청한다.

제 45 조

국제연합이 긴급한 군사조치를 취할 수 있도록 하기 위하여, 회원국은 합동의 국제적 강제조치를 위하여 자국의 공군파견부대를 즉시 이용할 수 있도록 유지한다. 이러한 파견부대의 전력과 준비정도 및 합동조치를 위한 계획은 제43조에 규정된 1 또는 그 이상의 특별협정에 규정된 범위안에서 군사참모위원회의 도움을 얻어 안전보장이사회가 결정한다.

제 46 조

병력사용계획은 군사참모위원회의 도움을 얻어 안전보장이사회가 작성한다.

0029

제 47 조

1. 국제평화와 안전의 유지를 위한 안전보장이사회의 군사적 필요, 안전보장이사회의 재량에 맡기어진 병력의 사용 및 지휘, 군비규제 그리고 가능한 군비축소에 관한 모든 문제에 관하여 안전보장이사회에 조언하고 도움을 주기 위하여 군사참모위원회를 설치한다.

2. 군사참모위원회는 안전보장이사회 상임이사국의 참모총장 또는 그의 대표로 구성된다. 이 위원회에 상임위원으로서 대표되지 아니하는 국제연합 회원국은 위원회의 책임의 효과적인 수행을 위하여 위원회의 사업에 동 회원국의 참여가 필요한 경우에는 위원회에 의하여 그와 제휴하도록 초청된다.

3. 군사참모위원회는 안전보장이사회하에 안전보장이사회의 재량에 맡기어진 병력의 전략적 지도에 대하여 책임을 진다. 그러한 병력의 지휘에 관한 문제는 추후에 해결한다.

4. 군사참모위원회는 안전보장이사회의 허가를 얻어 그리고 적절한 지역기구와 협의한 후 지역소위원회를 설치할 수 있다.

제 48 조

1. 국제평화와 안전의 유지를 위한 안전보장이사회의 결정을 이행하는 데 필요한 조치는 안전보장이사회가 정하는 바에 따라 국제연합회원국의 전부 또는 일부에 의하여 취하여진다.

2. 그러한 결정은 국제연합회원국에 의하여 직접적으로 또한 국제연합 회원국이 그 구성국인 적절한 국제기관에 있어서의 이들 회원국의 조치를 통하여 이행된다.

– 25 –

0030

제 49 조

국제연합회원국은 안전보장이사회가 결정한 조치를 이행함에 있어 상호원조를 제공하는 데에 참여한다.

제 50 조

안전보장이사회가 어느 국가에 대하여 방지조치 또는 강제조치를 취하는 경우, 국제연합회원국인지 아닌지를 불문하고 어떠한 다른 국가도 자국이 이 조치의 이행으로부터 발생하는 특별한 경제문제에 직면한 것으로 인정하는 경우, 동 문제의 해결에 관하여 안전보장이사회와 협의할 권리를 가진다.

제 51 조

이 헌장의 어떠한 규정도 국제연합회원국에 대하여 무력공격이 발생한 경우, 안전보장이사회가 국제평화와 안전을 유지하기 위하여 필요한 조치를 취할 때까지 개별적 또는 집단적 자위의 고유한 권리를 침해하지 아니한다. 자위권을 행사함에 있어 회원국이 취한 조치는 즉시 안전보장이사회에 보고된다. 또한 이 조치는, 안전보장이사회가 국제평화와 안전의 유지 또는 회복을 위하여 필요하다고 인정하는 조치를 언제든지 취한다는, 이 헌장에 의한 안전보장이사회의 권한과 책임에 어떠한 영향도 미치지 아니한다.

제 8 장
지역적 약정

제 52 조

1. 이 헌장의 어떠한 규정도, 국제평화와 안전의 유지에 관한 사항으로서 지역적 조치에 적합한 사항을 처리하기 위하여 지역적 약정 또는 지역적 기관이 존재하는 것을 배제하지 아니한다. 다만, 이 약정 또는 기관 및 그 활동이 국제연합의 목적과 원칙에 일치하는 것을 조건으로 한다.

0031

2. 그러한 약정을 체결하거나 그러한 기관을 구성하는 국제연합회원국은 지역적 분쟁을 안전보장이사회에 회부하기 전에 이 지역적 약정 또는 지역적 기관에 의하여 그 분쟁의 평화적 해결을 성취하기 위하여 모든 노력을 다한다.

3. 안전보장이사회는 관계국의 발의에 의하거나 안전보장이사회의 회부에 의하여 그러한 지역적 약정 또는 지역적 기관에 의한 지역적 분쟁의 평화적 해결의 발달을 장려한다.

4. 이 조는 제34조 및 제35조의 적용을 결코 해하지 아니한다.

제 53 조

1. 안전보장이사회는 그 권위하에 취하여지는 강제조치를 위하여 적절한 경우에는 그러한 지역적 약정 또는 지역적 기관을 이용한다. 다만, 안전보장이사회의 허가없이는 어떠한 강제조치도 지역적 약정 또는 지역적 기관에 의하여 취하여져서는 아니된다. 그러나 이 조 제2항에 규정된 어떠한 적국에 대한 조치이든지 제107조에 따라 규정된 것 또는 적국에 의한 침략정책의 재현에 대비한 지역적 약정에 규정된 것은, 관계정부의 요청에 따라 기구가 그 적국에 의한 새로운 침략을 방지할 책임을 질 때까지는 예외로 한다.

2. 이 조 제1항에서 사용된 적국이라는 용어는 제2차 세계대전중에 이 헌장 서명국의 적국이었던 어떠한 국가에도 적용된다.

제 54 조

안전보장이사회는 국제평화와 안전의 유지를 위하여 지역적 약정 또는 지역적 기관에 의하여 착수되었거나 또는 계획되고 있는 활동에 대하여 항상 충분히 통보받는다.

제 9 장
경제적 및 사회적 국제협력

제 55 조

사람의 평등권 및 자결원칙의 존중에 기초한 국가간의 평화롭고 우호적인 관계에 필요한 안정과 복지의 조건을 창조하기 위하여, 국제연합은 다음을 촉진한다.

가. 보다 높은 생활수준, 완전고용 그리고 경제적 및 사회적 진보와 발전의 조건

나. 경제.사회.보건 및 관련국제문제의 해결 그리고 문화 및 교육상의 국제협력

다. 인종.성별.언어 또는 종교에 관한 차별이 없는 모든 사람을 위한 인권 및 기본적 자유의 보편적 존중과 준수

제 56 조

모든 회원국은 제55조에 규정된 목적의 달성을 위하여 기구와 협력하여 공동의 조치 및 개별적 조치를 취할 것을 약속한다.

제 57 조

1. 정부간 협정에 의하여 설치되고 경제.사회.문화.교육.보건분야 및 관련분야에 있어서 기본적 문서에 정한대로 광범위한 국제적 책임을 지는 각종 전문기구는 제63조의 규정에 따라 국제연합과 제휴관계를 설정한다.

2. 이와 같이 국제연합과 제휴관계를 설정한 기구는 이하 전문기구라 한다.

0033

제 58 조

기구는 전문기구의 정책과 활동을 조정하기 위하여 권고한다.

제 59 조

기구는 적절한 경우 제55조에 규정된 목적의 달성에 필요한 새로운 전문기구를 창설하기 위하여 관계국간의 교섭을 발의한다.

제 60 조

이 장에서 규정된 기구의 임무를 수행할 책임은 총회와 총회의 권위하에 경제사회이사회에 부과된다. 경제사회이사회는 이 목적을 위하여 제10장에 규정된 권한을 가진다.

제 10 장
경제사회이사회

구성

제 61 조

1. 경제사회이사회는 총회에 의하여 선출된 54개 국제연합회원국으로 구성된다.

2. 제3항의 규정에 따를 것을 조건으로, 경제사회이사회의 18개 이사국은 3년의 임기로 매년 선출된다. 퇴임이사국은 연이어 재선될 자격이 있다.

3. 경제사회이사회의 이사국이 27개국에서 54개국으로 증가된 후 최초의 선거에서는, 그 해 말에 임기가 종료되는 9개 이사국을 대신하여 선출되는 이사국에 더하여, 27개 이사국이 추가로 선출된다. 총회가 정한 약정에 따라, 이러한 추가의 27개 이사국중 그렇게 선출된 9개 이사국의 임기는 1년의 말에 종료되고, 다른 9개 이사국의 임기는 2년의 말에 종료된다.

4. 경제사회이사회의 각 이사국은 1인의 대표를 가진다.

임무와 권한

제 62 조

1. 경제사회이사회는 경제.사회.문화.교육.보건 및 관련국제사항에 관한 연구 및 보고를 하거나 또는 발의할 수 있으며, 아울러 그러한 사항에 관하여 총회, 국제연합회원국 및 관계전문기구에 권고할 수 있다.

2. 이사회는 모든 사람을 위한 인권 및 기본적 자유의 존중과 준수를 촉진하기 위하여 권고할 수 있다.

3. 이사회는 그 권한에 속하는 사항에 관하여 총회에 제출하기 위한 협약안을 작성할 수 있다.

4. 이사회는 국제연합이 정한 규칙에 따라 그 권한에 속하는 사항에 관하여 국제회의를 소집할 수 있다.

제 63 조

1. 경제사회이사회는 제57조에 규정된 어떠한 기구와도, 동 기구가 국제연합과 제휴관계를 설정하는 조건을 규정하는 협정을 체결할 수 있다. 그러한 협정은 총회의 승인을 받아야 한다.

2. 이사회는 전문기구와의 협의, 전문기구에 대한 권고 및 총회와 국제연합회원국에 대한 권고를 통하여 전문기구의 활동을 조정할 수 있다.

제 64 조

1. 경제사회이사회는 전문기구로부터 정기보고를 받기 위한 적절한 조치를 취할 수 있다. 이사회는, 이사회의 권고와 이사회의 권한에 속하는 사항에 관한 총회의 권고를 실시하기 위하여 취하여진 조치에 관하여 보고를 받기 위하여, 국제연합회원국 및 전문기구와 약정을 체결할 수 있다.

0035

2. 이사회는 이러한 보고에 관한 의견을 총회에 통보할 수 있다.

제 65 조

경제사회이사회는 안전보장이사회에 정보를 제공할 수 있으며, 안전보장이사회의 요청이 있을 때에는 이를 원조한다.

제 66 조

1. 경제사회이사회는 총회의 권고의 이행과 관련하여 그 권한에 속하는 임무를 수행한다.

2. 이사회는 국제연합회원국의 요청이 있을 때와 전문기구의 요청이 있을 때에는 총회의 승인을 얻어 용역을 제공할 수 있다.

3. 이사회는 이 헌장의 다른 곳에 규정되거나 총회에 의하여 이사회에 부과된 다른 임무를 수행한다.

표결

제 67 조

1. 경제사회이사회의 각 이사국은 1개의 투표권을 가진다.

2. 경제사회이사회의 결정은 출석하여 투표하는 이사국의 과반수에 의한다.

절차

제 68 조

경제사회이사회는 경제적 및 사회적 분야의 위원회, 인권의 신장을 위한 위원회 및 이사회의 임무수행에 필요한 다른 위원회를 설치한다.

제 69 조

경제사회이사회는 어떠한 국제연합회원국에 대하여도, 그 회원국과 특히 관계가 있는 사항에 관한 심의에 투표권없이 참가하도록 초청한다.

제 70 조

경제사회이사회는 전문기구의 대표가 이사회의 심의 및 이사회가 설치한 위원회의 심의에 투표권없이 참가하기 위한 약정과 이사회의 대표가 전문기구의 심의에 참가하기 위한 약정을 체결할 수 있다.

제 71 조

경제사회이사회는 그 권한내에 있는 사항과 관련이 있는 비정부간 기구와의 협의를 위하여 적절한 약정을 체결할 수 있다. 그러한 약정은 국제기구와 체결할 수 있으며 적절한 경우에는 관련 국제연합회원국과의 협의후에 국내 기구와도 체결할 수 있다.

제 72 조

1. 경제사회이사회는 의장의 선정방법을 포함한 그 자체의 의사규칙을 채택한다.

2. 경제사회이사회는 그 규칙에 따라 필요한 때에 회합하며, 동 규칙은 이사국 과반수의 요청에 의한 회의소집의 규정을 포함한다.

0037

제 11 장
비자치지역에 관한 선언

제 73 조

주민이 아직 완전한 자치를 행할 수 있는 상태에 이르지 못한 지역의 시정(施政)의 책임을 지거나 또는 그 책임을 맡는 국제연합회원국은, 그 지역 주민의 이익이 가장 중요하다는 원칙을 승인하고, 그 지역주민의 복지를 이 헌장에 의하여 확립된 국제평화와 안전의 체제안에서 최고도로 증진시킬 의무와 이를 위하여 다음을 행할 의무를 신성한 신탁으로서 수락한다.

가. 관계주민의 문화를 적절히 존중함과 아울러 그들의 정치적.경제적. 사회적 및 교육적 발전, 공정한 대우, 그리고 학대로부터의 보호를 확보한다.

나. 각지역 및 그 주민의 특수사정과 그들의 서로다른 발전단계에 따라 자치를 발달시키고, 주민의 정치적 소망을 적절히 고려하며, 또한 주민의 자유로운 정치제도의 점진적 발달을 위하여 지원한다.

다. 국제평화와 안전을 증진한다.

라. 이 조에 규정된 사회적.경제적 및 과학적 목적을 실제적으로 달성하기 위하여 건설적인 발전조치를 촉진하고 연구를 장려하며 상호간 및 적절한 경우에는 전문적 국제단체와 협력한다.

마. 제12장과 제13장이 적용되는 지역외의 위의 회원국이 각각 책임을 지는 지역에서의 경제적.사회적 및 교육적 조건에 관한 기술적 성격의 통계 및 다른 정보를, 안전보장과 헌법상의 고려에 따라 필요한 제한을 조건으로 하여, 정보용으로 사무총장에 정기적으로 송부한다.

제 74 조

국제연합회원국은 이 장이 적용되는 지역에 관한 정책이, 그 본국지역에 관한 정책과 마찬가지로 세계의 다른 지역의 이익과 복지가 적절히 고려되는 가운데에, 사회적.경제적 및 상업적 사항에 관하여 선린주의의 일반원칙에 기초하여야 한다는 점에 또한 동의한다.

제 12 장
국제신탁통치제도

제 75 조

국제연합은 금후의 개별적 협정에 의하여 이 제도하에 두게 될 수 있는 지역의 시정 및 감독을 위하여 그 권위하에 국제신탁통치제도를 확립한다. 이 지역은 이하 신탁통치지역이라 한다.

제 76 조

신탁통치제도의 기본적 목적은 이 헌장 제1조에 규정된 국제연합의 목적에 따라 다음과 같다.

가. 국제평화와 안전을 증진하는 것.

나. 신탁통치지역 주민의 정치적.경제적.사회적 및 교육적 발전을 촉진하고, 각 지역 및 그 주민의 특수사정과 관계주민이 자유롭게 표명한 소망에 적합하도록, 그리고 각 신탁통치협정의 조항이 규정하는 바에 따라 자치 또는 독립을 향한 주민의 점진적 발달을 촉진하는 것.

다. 인종.성별.언어 또는 종교에 관한 차별없이 모든 사람을 위한 인권과 기본적 자유에 대한 존중을 장려하고, 전세계 사람들의 상호의존의 인식을 장려하는 것.

0039

라. 위의 목적의 달성에 영향을 미치지아니하고 제80조의 규정에 따를 것을 조건으로, 모든 국제연합회원국 및 그 국민을 위하여 사회적.경제적 및 상업적 사항에 대한 평등한 대우 그리고 또한 그 국민을 위한 사법상의 평등한 대우를 확보하는 것.

제 77 조

1. 신탁통치제도는 신탁통치협정에 의하여 이 재도하에 두게 될 수 있는 다음과 같은 범주의 지역에 적용된다.

가. 현재 위임통치하에 있는 지역

나. 제2차 세계대전의 결과로서 적국으로부터 분리될 수 있는 지역

다. 시정에 책임을 지는 국가가 자발적으로 그 제도하에 두는 지역

2. 위의 범주안의 어떠한 지역을 어떠한 조건으로 신탁통치제도하에 두게 될 것인가에 관하여는 금후의 협정에서 정한다.

제 78 조

국제연합회원국간의 관계는 주권평등원칙의 존중에 기초하므로 신탁통치제도는 국제연합회원국이 된 지역에 대하여는 적용하지 아니한다.

제 79 조

신탁통치제도하에 두게 되는 각 지역에 관한 신탁통치의 조항은, 어떤 변경 또는 개정을 포함하여 직접 관계국에 의하여 합의되며, 제83조 및 제85조에 규정된 바에 따라 승인된다. 이 직접 관계국은 국제연합회원국의 위임통치하에 있는 지역의 경우, 수임국을 포함한다.

제 80 조

1. 제77조, 제79조 및 제81조에 의하여 체결되고, 각 지역을 신탁통치 제도하에 두는 개별적인 신탁통치협정에서 합의되는 경우를 제외하고 그리고 그러한 협정이 체결될 때까지, 이 헌장의 어떠한 규정도 어느 국가 또는 국민의 어떠한 권리, 또는 국제연합회원국이 각기 당사국으로 되는 기존의 국제문서의 조항도 어떠한 방법으로도 변경하는 것으로 직접 또는 간접으로 해석되지 아니한다.

2. 이 조 제1항은 제77조에 규정한 바에 따라 위임통치지역 및 기타지역을 신탁통치제도하에 두기 위한 협정의 교섭 및 체결의 지체 또는 연기를 위한 근거를 부여하는 것으로 해석되지 아니한다.

제 81 조

신탁통치협정은 각 경우에 있어 신탁통치지역을 시정하는 조건을 포함하며, 신탁통치지역의 시정을 행할 당국을 지정한다. 그러한 당국은 이하 시정권자라 하며 1 또는 그 이상의 국가, 또는 기구 자체일 수 있다.

제 82 조

어떠한 신탁통치협정에 있어서도 제43조에 의하여 체결되는 특별협정을 해하지 아니하고 협정이 적용되는 신탁통치지역의 일부 또는 전부를 포함하는 1 또는 그 이상의 전략지역을 지정할 수 있다.

제 83 조

1. 전략지역에 관한 국제연합의 모든 임무는 신탁통치협정의 조항과 그 변경 또는 개정의 승인을 포함하여 안전보장이사회가 행한다.

0041

2. 제76조에 규정된 기본목적은 각 전략지역의 주민에 적용된다.

3. 안전보장이사회는, 신탁통치협정의 규정에 따를 것을 조건으로 또한 안전보장에 대한 고려에 영향을 미치시 아니하고, 전략지역에서의 정치적. 경제적.사회적 및 교육적 사항에 관한 신탁통치제도하의 국제연합의 임무를 수행하기 위하여 신탁통치이사회의 원조를 이용한다.

제 84 조

신탁통치지역이 국제평화와 안전유지에 있어 그 역할을 하는 것을 보장하는 것이 시정권자의 의무이다. 이 목적을 위하여, 시정권자는 이점에 관하여 시정권자가 안전보장이사회에 대하여 부담하는 의무를 이행함에 있어서 또한 지역적 방위 및 신탁통치지역안에서의 법과 질서의 유지를 위하여 신탁통치지역의 의용군, 편의 및 원조를 이용할 수 있다.

제 85 조

1. 전략지역으로 지정되지 아니한 모든 지역에 대한 신탁통치협정과 관련하여 국제연합의 임무는, 신탁통치협정의 조항과 그 변경 또는 개정의 승인을 포함하여, 총회가 수행한다.

2. 총회의 권위하에 운영되는 신탁통치이사회는 이러한 입무의 수행에 있어 총회를 원조한다.

제 13 장
신탁통치이사회

구성

제 86 조

1. 신탁통치이사회는 다음의 국제연합회원국으로 구성한다.

가. 신탁통치지역을 시정하는 회원국

나. 신탁통치지역을 시정하지 아니하나 제23조에 국명이 언급된 회원국

다. 총회에 의하여 3년의 임기로 선출된 다른 회원국. 그 수는 신탁통치이사회의 이사국의 총수를 신탁통치지역을 시정하는 국제연합 회원국과 시정하지 아니하는 회원국간에 균분하도록 확보하는 데 필요한 수로 한다.

2. 신탁통치이사회의 각 이사국은 이사회에서 자국을 대표하도록 특별한 자격을 가지는 1인을 지명한다.

임무와 권한

제 87 조

총회와, 그 권위하의 신탁통치이사회는 그 임무를 수행함에 있어 다음을 할 수 있다.

가. 시정권자가 제출하는 보고서를 심의하는 것

나. 청원의 수리 및 시정권자와 협의하여 이를 심사하는 것

다. 시정권자와 합의한 때에 각 신탁통치지역을 정기적으로 방문하는것

라. 신탁통치협정의 조항에 따라 이러한 조치 및 다른 조치를 취하는 것

제 88 조

신탁통치이사회는 각 신탁통치지역 주민의 정치적.경제적.사회적 및 교육적 발전에 관한 질문서를 작성하며, 또한 총회의 권능안에 있는 각 신탁통치지역의 시정권자는 그러한 질문서에 기초하여 총회에 연례보고를 행한다.

표결

제 89 조

1. 신탁통치이사회의 각 이사국은 1개의 투표권을 가진다.

0043

2. 신탁통치이사회의 결정은 출석하여 투표하는 이사국의 과반수로 한다.

절차

제 90 조

1. 신탁통치이사회는 의장 선출방식을 포함한 그 자체의 의사규칙을 채택한다.

2. 신탁통치이사회는 그 규칙에 따라 필요한 경우 회합하며, 그 규칙은 이사국 과반수의 요청에 의한 회의의 소집에 관한 규정을 포함한다.

제 91 조

신탁통치이사회는 적절한 경우 경제사회이사회 그리고 전문기구가 각각 관련된 사항에 관하여 전문기구의 원조를 이용한다.

제 14 장
국제사법재판소

제 92 조

국제사법재판소는 국제연합의 주요한 사법기관이다. 재판소는 부속된 규정에 따라 임무를 수행한다. 이 규정은 상설국제사법재판소 규정에 기초하며, 이 헌장의 불가분의 일부를 이룬다.

제 93 조

1. 모든 국제연합회원국은 국제사법재판소 규정의 당연 당사국이다.

2. 국제연합회원국이 아닌 국가는 안전보장이사회의 권고에 의하여 총회가 각 경우에 결정하는 조건으로 국제사법재판소 규정의 당사국이 될 수 있다.

– 39 –

0044

제 94 조

1. 국제연합의 각 회원국은 자국이 당사자가 되는 어떤 사건에 있어서도 국제사법재판소의 결정에 따를 것을 약속한다.

2. 사건의 당사자가 재판소가 내린 판결에 따라 자국이 부담하는 의무를 이행하지 아니하는 경우에는 타방의 당사자는 안전보장이사회에 제소할 수 있다. 안전보장이사회는 필요하다고 인정하는 경우 판결을 집행하기 위하여 권고하거나 취하여야 할 조치를 결정할 수 있다.

제 95 조

이 헌장의 어떠한 규정도 국제연합회원국이 그들간의 분쟁의 해결을 이미 존재하거나 장래에 체결될 협정에 의하여 다른 법원에 의뢰하는 것을 방해하지 아니한다.

제 96 조

1. 총회 또는 안전보장이사회는 어떠한 법적 문제에 관하여도 권고적 의견을 줄 것을 국제사법재판소에 요청할 수 있다.

2. 총회에 의하여 그러한 권한이 부여될 수 있는 국제연합의 다른 기관 및 전문기구도 언제든지 그 활동범위안에서 발생하는 법적 문제에 관하여 재판소의 권고적 의견을 또한 요청할 수 있다.

제 15 장
사 무 국

제 97 조

사무국은 1인의 사무총장과 기구가 필요로 하는 직원으로 구성한다. 사무총장은 안전보장이사회의 권고로 총회가 임명한다. 사무총장은 기구의 수석행정직원이다.

0045

제 98 조

사무총장은 총회.안전보장이사회.경제사회이사회 및 신탁통치이사회의 모든 회의에 사무총장의 자격으로 활동하며, 이러한 기관에 의하여 그에게 위임된 다른 임무를 수행한다. 사무총장은 기구의 사업에 관하여 총회에 연례보고를 한다.

제 99 조

사무총장은 국제평화와 안전의 유지를 위협한다고 그 자신이 인정하는 어떠한 사항에도 안전보장이사회의 주의를 환기할 수 있다.

제 100 조

1. 사무총장과 직원은 그들의 임무수행에 있어서 어떠한 정부 또는 기구외의 어떠한 다른 당국으로부터도 지시를 구하거나 받지 아니한다. 사무총장과 직원은 기구에 대하여만 책임을 지는 국제공무원으로서의 지위를 손상할 우려가 있는 어떠한 행동도 삼간다.

2. 각 국제연합회원국은 사무총장 및 직원의 책임의 전적으로 국제적인 성격을 존중할 것과 그들의 책임수행에 있어서 그들에게 영향력을 행사하려 하지 아니할 것을 약속한다.

제 101 조

1. 직원은 총회가 정한 규칙에 따라 사무총장에 의하여 임명된다.

2. 경제사회이사회.신탁통치이사회 그리고 필요한 경우에는 국제연합의 다른 기관에 적절한 직원이 상임으로 배속된다. 이 직원은 사무국의 일부를 구성한다.

3. 직원의 고용과 근무조건의 결정에 있어서 가장 중요한 고려사항은 최고수준의 능률, 능력 및 성실성을 확보할 필요성이다. 가능한 한 광범위한 지리적 기초에 근거하여 직원을 채용하는 것의 중요성에 관하여 적절히 고려한다.

제 16 장
잡 칙

제 102 조

1. 이 헌장이 발효한 후 국제연합회원국이 체결하는 모든 조약과 모든 국제협정은 가능한 한 신속히 사무국에 등록되고 사무국에 의하여 공표된다.

2. 이 조 제1항의 규정에 따라 등록되지 아니한 조약 또는 국제협정의 당사국은 국제연합의 어떠한 기관에 대하여도 그 조약 또는 협정을 원용할 수 없다.

제 103 조

국제연합회원국의 헌장상의 의무와 다른 국제협정상의 의무가 상충되는 경우에는 이 헌장상의 의무가 우선한다.

제 104 조

기구는 그 임무의 수행과 그 목적의 달성을 위하여 필요한 법적 능력을 각 회원국의 영역안에서 향유한다.

0047

제 105 조

1. 기구는 그 목적의 달성에 필요한 특권 및 면제를 각 회원국의 영역안에서 향유한다.

2. 국제연합회원국의 대표 및 기구의 직원은 기구와 관련된 그들의 임무를 독립적으로 수행하기 위하여 필요한 특권과 면제를 마찬가지로 향유한다.

3. 총회는 이 조 제1항 및 제2항의 적용세칙을 결정하기 위하여 권고하거나 이 목적을 위하여 국제연합회원국에게 협약을 제안할 수 있다.

제 17 장
과도적 안전보장조치

제 106 조

안전보장이사회가 제42조상의 책임의 수행을 개시할 수 있다고 인정하는 제43조에 규정된 특별협정이 발효할 때까지, 1943년 10월 30일에 모스크바에서 서명된 4개국 선언의 당사국 및 불란서는 그 선언 제5항의 규정에 따라 국제평화와 안전의 유지를 위하여 필요한 공동조치를 기구를 대신하여 취하기 위하여 상호간 및 필요한 경우 다른 국제연합회원국과 협의한다.

제 107 조

이 헌장의 어떠한 규정도 제2차 세계대전중 이 헌장 서명국의 적이었던 국가에 관한 조치로서, 그러한 조치에 대하여 책임을 지는 정부가 그 전쟁의 결과로서 취하였거나 허가한 것을 무효로 하거나 배제하지 아니한다.

제 18 장
개 정

제 108 조

이 헌장의 개정은 총회 구성국의 3분의 2의 투표에 의하여 채택되고, 안전보장이사회의 모든 상임이사국을 포함한 국제연합회원국의 3분의 2에 의하여 각자의 헌법상 절차에 따라 비준되었을 때, 모든 국제연합회원국에 대하여 발효한다.

제 109 조

1. 이 헌장을 재심의하기 위한 국제연합회원국 전체회의는 총회 구성국의 3분의 2의 투표와 안전보장이사회의 9개 이사국의 투표에 의하여 결정되는 일자 및 장소에서 개최될 수 있다. 각 국제연합회원국은 이 회의에서 1개의 투표권을 가진다.

2. 이 회의의 3분의 2의 투표에 의하여 권고된 이 헌장의 어떠한 변경도, 안전보장이사회의 모든 상임이사국을 포함한 국제연합회원국의 3분의 2에 의하여 그들 각자의 헌법상 절차에 따라 비준되었을 때 발효한다.

3. 그러한 회의가 이 헌장의 발효후 총회의 제10차 연례회기까지 개최되지 아니하는 경우에는 그러한 회의를 소집하는 제안이 총회의 동 회기의 의제에 포함되어야 하며, 회의는 총회 구성국의 과반수의 투표와 안전보장이사회의 7개 이사국의 투표에 의하여 결정되는 경우에 개최된다.

제 19 장
비준 및 서명

제 110 조

1. 이 헌장은 서명국에 의하여 그들 각자의 헌법상 절차에 따라 비준된다.

0043

2. 비준서는 미합중국 정부에 기탁되며, 동 정부는 모든 서명국과 기구의 사무총장이 임명된 경우에는 사무총장에게 각 기탁을 통고한다.

3. 이 헌장은 중화민국.불란서.소비에트사회주의공화국연방.영국과 미합중국 및 다른 서명국의 과반수가 비준서를 기탁한 때에 발효한다. 비준서 기탁 의정서는 발효시 미합중국 정부가 작성하여 그 등본을 모든 서명국에 송부한다.

4. 이 헌장이 발효한 후에 이를 비준하는 이 헌장의 서명국은 각자의 비준서 기탁일에 국제연합의 원회원국이 된다.

제 111 조

중국어.불어.러시아어.영어 및 스페인어본이 동등하게 정본인 이 헌장은 미합중국 정부의 문서보관소에 기탁된다. 이 헌장의 인증등본은 동 정부가 다른 서명국 정부에 송부한다.

이상의 증거로서, 연합국 정부의 대표들은 이 헌장에 서명하였다.

일천구백사십오년 유월 이십육일 샌프란시스코시에서 작성하였다.

국제사법재판소규정

국제사법재판소규정

제 1 조

국제연합의 주요한 사법기관으로서 국제연합헌장에 의하여 설립되는 국제사법재판소는 재판소규정의 규정들에 따라 조직되며 임무를 수행한다.

제 1 장
재판소의 조직

제 2 조

재판소는 덕망이 높은 자로서 각국가에서 최고법관으로 임명되는데 필요한 자격을 가진 자 또는 국제법에 정통하다고 인정된 법률가중에서 국적에 관계없이 선출되는 독립적 재판관의 일단으로 구성된다.

제 3 조

1. 재판소는 15인의 재판관으로 구성된다. 다만, 2인이상이 동일국의 국민이어서는 아니된다.

2. 재판소에서 재판관의 자격을 정함에 있어서 2이상의 국가의 국민으로 인정될 수 있는 자는 그가 통상적으로 시민적 및 정치적 권리를 행사하는 국가의 국민으로 본다.

제 4 조

1. 재판소의 재판관은 상설중재재판소의 국별재판관단이 지명한 자의 명부중에서 다음의 규정들에 따라 총회 및 안전보장이사회가 선출한다.

2. 상설중재재판소에서 대표되지 아니하는 국제연합회원국의 경우에는, 재판관후보자는 상설중재재판소 재판관에 관하여 국제분쟁의 평화적 해결을 위한 1907년 헤이그협약 제44조에 규정된 조건과 동일한 조건에 따라 각국 정부가 임명하는 국별재판관단이 지명한다.

3. 재판소규정의 당사국이지만 국제연합의 비회원국인 국가가 재판소의 재판관 선거에 참가할 수 있는 조건은, 특별한 협정이 없는 경우에는, 안전보장 이사회의 권고에 따라 총회가 정한다.

제 5 조

1. 선거일부터 적어도 3월전에 국제연합사무총장은, 재판소규정의 당사국인 국가에 속하는 상설중재재판소 재판관 및 제4조 제2항에 의하여 임명되는 국별재판관단의 구성원에게, 재판소의 재판관의 직무를 수락할 지위에 있는 자의 지명을 일정한 기간내에 각 국별재판관단마다 행할 것을 서면으로 요청한다.

2. 어떠한 국별재판관단도 4인을 초과하여 후보자를 지명할 수 없으며, 그중 3인이상이 자국국적의 소유자이어서도 아니된다. 어떠한 경우에도 하나의 국별재판관단이 지명하는 후보자의 수는 충원할 재판관석 수의 2배를 초과하여서는 아니된다.

제 6 조

이러한 지명을 하기 전에 각 국별재판관단은 자국의 최고법원·법과대학·법률학교 및 법률연구에 종사하는 학술원 및 국제학술원의 자국지부와 협의하도록 권고받는다.

0053

제 7 조

1. 사무총장은 이와 같이 지명된 모든 후보자의 명부를 알파벳순으로 작성한다. 제12조 제2항에 규정된 경우를 제외하고 이 후보자들만이 피선될 자격을 가진다.

2. 사무총장은 이 명부를 총회 및 안전보장이사회에 제출한다.

제 8 조

총회 및 안전보장이사회는 각각 독자적으로 재판소의 재판관을 선출한다.

제 9 조

모든 선거에 있어서 선거인은 피선거인이 개인적으로 필요한 자격을 가져야 할 뿐만 아니라 전체적으로 재판관단이 세계의 주요문명형태 및 주요법체계를 대표하여야 함에 유념한다.

제 10 조

1. 총회 및 안전보장이사회에서 절대다수표를 얻은 후보자는 당선된 것으로 본다.

2. 안전보장이사회의 투표는, 재판관의 선거를 위한 것이든지 또는 제12조에 규정된 협의회의 구성원의 임명을 위한 것이든지, 안전보장이사회의 상임이사국과 비상임이사국간에 구별없이 이루어진다.

3. 2인이상의 동일국가 국민이 총회 및 안전보장이사회의 투표에서 모두 절대다수표를 얻은 경우에는 그중 최연장자만이 당선된 것으로 본다.

제 11 조

선거를 위하여 개최된 제1차 회의후에도 충원되어야 할 1 또는 그 이상의 재판관석이 남는 경우에는 제2차 회의가, 또한 필요한 경우 제3차 회의가 개최된다.

제 12 조

1. 제3차 회의후에도 충원되지 아니한 1 또는 그 이상의 재판관석이 여전히 남는 경우에는, 3인은 총회가, 3인은 안전보장이사회가 임명하는 6명으로 구성되는 합동협의회가 각공석당 1인을 절대다수표로써 선정하여 총회 및 안전보장이사회가 각각 수락하도록 하기 위하여 총회 또는 안전보장이사회중 어느 일방의 요청에 의하여 언제든지 설치될 수 있다.

2. 요구되는 조건을 충족한 자에 대하여 합동협의회가 전원일치로 동의한 경우에는, 제7조에 규정된 지명명부중에 기재되지 아니한 자라도 협의회의 명부에 기재될 수 있다.

3. 합동협의회가 당선자를 확보할 수 없다고 인정하는 경우에는 이미 선출된 재판소의 재판관들은 총회 또는 안전보장이사회중 어느 일방에서라도 득표한 후보자 중에서 안전보장이사회가 정하는 기간내에 선정하여 공석을 충원한다.

4. 재판관간의 투표가 동수인 경우에는 최연장재판관이 결정투표권을 가진다.

제 13 조

1. 재판소의 재판관은 9년의 임기로 선출되며 재선될 수 있다. 다만, 제1회 선거에서 선출된 재판관중 5인의 재판관의 임기는 3년후에 종료되며, 다른 5인의 재판관의 임기는 6년후에 종료된다.

0055

2. 위에 규정된 최초의 3년 및 6년의 기간후에 임기가 종료되는 재판관은 제1회 선거가 완료된 직후 사무총장이 추첨으로 선정한다.

3. 재판소의 재판관은 후임자가 충원될 때까지 계속 직무를 수행한다. 충원후에도 재판관은 이미 착수한 사건을 완결한다.

4. 재판소의 재판관이 사임하는 경우 사표는 재판소장에게 제출되며, 사무총장에게 전달된다. 이러한 최후의 통고에 의하여 공석이 생긴다.

제 14 조

공석은 후단의 규정에 따를 것을 조건으로 제1회 선거에 관하여 정한 방법과 동일한 방법으로 충원된다. 사무총장은 공석이 발생한 후 1월이내에 제5조에 규정된 초청장을 발송하며, 선거일은 안전보장이사회가 정한다.

제 15 조

임기가 종료되지 아니한 재판관을 교체하기 위하여 선출된 재판소의 재판관은 전임자의 잔임기간동안 재직한다.

제 16 조

1. 재판소의 재판관은 정치적 또는 행정적인 어떠한 임무도 수행할 수 없으며, 또는 전문적 성질을 가지는 다른 어떠한 직업에도 종사할 수 없다.

2. 이 점에 관하여 의문이 있는 경우에는 재판소의 결정에 의하여 해결한다.

제 17 조

1. 재판소의 재판관은 어떠한 사건에 있어서도 대리인·법률고문 또는 변호인으로서 행동할 수 없다.

2. 재판소의 재판관은 일방당사자의 대리인·법률고문 또는 변호인으로서, 국내법원 또는 국제법원의 법관으로서, 조사위원회의 위원으로서, 또는 다른 어떠한 자격으로서도, 이전에 그가 관여하였던 사건의 판결에 참여할 수 없다.

3. 이 점에 관하여 의문이 있는 경우에는 재판소의 결정에 의하여 해결한다.

제 18 조

1. 재판소의 재판관은, 다른 재판관들이 전원일치의 의견으로써 그가 요구되는 조건을 충족하지 못하게 되었다고 인정하는 경우를 제외하고는, 해임될 수 없다.

2. 해임의 정식통고는 재판소서기가 사무총장에게 한다.

3. 이러한 통고에 의하여 공석이 생긴다.

제 19 조

재판소의 재판관은 재판소의 업무에 종사하는 동안 외교특권 및 면제를 향유한다.

제 20 조

재판소의 모든 재판관은 직무를 개시하기 전에 자기의 직권을 공평하고 양심적으로 행사할 것을 공개된 법정에서 엄숙히 선언한다.

0057

제 21 조

1. 재판소는 3년 임기로 재판소장 및 재판소부소장을 선출한다. 그들은 재선될 수 있다.

2. 재판소는 재판소서기를 임명하며 필요한 다른 직원의 임명에 관하여 규정할 수 있다.

제 22 조

1. 재판소의 소재지는 헤이그로 한다. 다만, 재판소가 바람직하다고 인정하는 때에는 다른 장소에서 개정하여 그 임무를 수행할 수 있다.

2. 재판소장 및 재판소서기는 재판소의 소재지에 거주한다.

제 23 조

1. 재판소는 재판소가 휴가중인 경우를 제외하고는 항상 개정하며, 휴가의 시기 및 기간은 재판소가 정한다.

2. 재판소의 재판관은 정기휴가의 권리를 가진다. 휴가의 시기 및 기간은 헤이그와 각재판관의 가정간의 거리를 고려하여 재판소가 정한다.

3. 재판소의 재판관은 휴가중에 있는 경우이거나 질병 또는 재판소장에 대하여 정당하게 해명할 수 있는 다른 중대한 사유로 인하여 출석할 수 없는 경우를 제외하고는 항상 재판소의 명에 따라야 할 의무를 진다.

제 24 조

1. 재판소의 재판관은 특별한 사유로 인하여 특정사건의 결정에 자신이 참여하여서는 아니된다고 인정하는 경우에는 재판소장에게 그 점에 관하여 통보한다.

2. 재판소장은 재판소의 재판관중의 한 사람이 특별한 사유로 인하여 특정사건에 참여하여서는 아니된다고 인정하는 경우에는 그에게 그 점에 관하여 통보한다.

3. 그러한 모든 경우에 있어서 재판소의 재판관과 재판소장의 의견이 일치하지 아니하는 때에는 그 문제는 재판소의 결정에 의하여 해결한다.

제 25 조

1. 재판소규정에 달리 명문의 규정이 있는 경우를 제외하고는 재판소는 전원이 출석하여 개정한다.

2. 재판소를 구성하기 위하여 응할 수 있는 재판관의 수가 11인 미만으로 감소되지 아니할 것을 조건으로, 재판소규칙은 상황에 따라서 또한 윤번으로 1인 또는 그 이상의 재판관의 출석을 면제할 수 있음을 규정할 수 있다.

3. 재판소를 구성하는데 충분한 재판관의 정족수는 9인으로 한다.

제 26 조

1. 재판소는 특정한 부류의 사건, 예컨대 노동사건과 통과 및 운수통신에 관한 사건을 처리하기 위하여 재판소가 결정하는 바에 따라 3인 또는 그 이상의 재판관으로 구성되는 1 또는 그 이상의 소재판부를 수시로 설치할 수 있다.

0059

2. 재판소는 특정사건을 처리하기 위한 소재판부를 언제든지 설치할 수 있다. 그러한 소재판부를 구성하는 재판관의 수는 당사자의 승인을 얻어 재판소가 결정한다.

3. 당사자가 요청하는 경우에는 이 조에서 규정된 소재판부가 사건을 심리하고 결정한다.

제 27 조

제26조 및 제29조에 규정된 소재판부가 선고한 판결은 재판소가 선고한 것으로 본다.

제 28 조

제26조 및 제29조에 규정된 소재판부는 당사자의 동의를 얻어 헤이그외의 장소에서 개정하여, 그 임무를 수행할 수 있다.

제 29 조

업무의 신속한 처리를 위하여 재판소는, 당사자의 요청이 있는 경우 간이소송절차로 사건을 심리하고 결정할 수 있는, 5인의 재판관으로 구성되는 소재판부를 매년 설치한다. 또한 출석할 수 없는 재판관을 교체하기 위하여 2인의 재판관을 선정한다.

제 30 조

1. 재판소는 그 임무를 수행하기 위하여 규칙을 정한다. 재판소는 특히 소송절차규칙을 정한다.

2. 재판소규칙은 재판소 또는 그 소재판부에 투표권없이 출석하는 보좌인에 관하여 규정할 수 있다.

제 31 조

1. 각당사자의 국적재판관은 재판소에 제기된 사건에 출석할 권리를 가진다.

2. 재판소가 그 재판관석에 당사자중 1국의 국적재판관을 포함시키는 경우에는 다른 어느 당사자도 재판관으로서 출석할 1인을 선정할 수 있다. 다만, 그러한 자는 되도록이면 제4조 및 제5조에 규정된 바에 따라 후보자로 지명된 자중에서 선정된다.

3. 재판소가 그 재판관석에 당사자의 국적재판관을 포함시키지 아니한 경우에는 각당사자는 제2항에 규정된 바에 따라 재판관을 선정할 수 있다.

4. 이 조의 규정은 제26조 및 제29조의 경우에 적용된다. 그러한 경우에 재판소장은 소재판부를 구성하고 있는 재판관중 1인 또는 필요한 때에는 2인에 대하여, 관계당사자의 국적재판관에게 또한 그러한 국적재판관이 없거나 출석할 수 없는 때에는 당사자가 특별히 선정하는 재판관에게, 재판관석을 양보할 것을 요청한다.

5. 동일한 이해관계를 가진 수개의 당사자가 있는 경우에, 그 수개의 당사자는 위 규정들의 목적상 단일당사자로 본다. 이 점에 관하여 의문이 있는 경우에는 재판소의 결정에 의하여 해결한다.

6. 제2항 · 제3항 및 제4항에 규정된 바에 따라 선정되는 재판관은 재판소 규정의 제2조 · 제17조(제2항) · 제20조 및 제24조가 요구하는 조건을 충족하여야 한다. 그러한 재판관은 자기의 동료와 완전히 평등한 조건으로 결정에 참여한다.

제 32 조

1. 재판소의 각재판관은 연봉을 받는다.

2. 재판소장은 특별년차수당을 받는다.

3. 재판소부소장은 재판소장으로서 활동하는 모든 날자에 대하여 특별수당을 받는다.

4. 제31조에 의하여 선정된 재판관으로서 재판소의 재판관이 아닌 자는 자기의 임무를 수행하는 각 날자에 대하여 보상을 받는다.

5. 이러한 봉급·수당 및 보상은 총회가 정하며 임기중 감액될 수 없다.

6. 재판소서기의 봉급은 재판소의 제의에 따라 총회가 정한다.

7. 재판소의 재판관 및 재판소서기에 대하여 퇴직연금이 지급되는 조건과 재판소의 재판관 및 재판소서기가 그 여비를 상환받는 조건은 총회가 제정하는 규칙에서 정하여진다.

8. 위의 봉급·수당 및 보상은 모든 과세로부터 면제된다.

제 33 조

재판소의 경비는 총회가 정하는 방식에 따라 국제연합이 부담한다.

제 2 장
재판소의 관할

제 34 조

1. 국가만이 재판소에 제기되는 사건의 당사자가 될 수 있다.

2. 재판소는 재판소규칙이 정하는 조건에 따라 공공 국제기구에게 재판소에 제기된 사건과 관련된 정보를 요청할 수 있으며, 또한 그 국제기구가 자발적으로 제공하는 정보를 수령한다.

3. 공공 국제기구의 설립문서 또는 그 문서에 의하여 채택된 국제협약의 해석이 재판소에 제기된 사건에서 문제로 된 때에는 재판소서기는 당해 공공 국제기구에 그 점에 관하여 통고하며, 소송절차상의 모든 서류의 사본을 송부한다.

제 35 조

1. 재판소는 재판소규정의 당사국에 대하여 개방된다.

2. 재판소를 다른 국가에 대하여 개방하기 위한 조건은 현행 제조약의 특별한 규정에 따를 것을 조건으로 안전보장이사회가 정한다. 다만, 어떠한 경우에도 그러한 조건은 당사자들을 재판소에 있어서 불평등한 지위에 두게 하는 것이어서는 아니된다.

3. 국제연합의 회원국이 아닌 국가가 사건의 당사자인 경우에는 재판소는 그 당사자가 재판소의 경비에 대하여 부담할 금액을 정한다. 그러한 국가가 재판소의 경비를 분담하고 있는 경우에는 적용되지 아니한다.

제 36 조

1. 재판소의 관할은 당사자가 재판소에 회부하는 모든 사건과 국제연합헌장 또는 현행의 제조약 및 협약에서 특별히 규정된 모든 사항에 미친다.

2. 재판소규정의 당사국은 다음 사항에 관한 모든 법률적 분쟁에 대하여 재판소의 관할을, 동일한 의무를 수락하는 모든 다른 국가와의 관계에 있어서 당연히 또한 특별한 합의없이도, 강제적인 것으로 인정한다는 것을 언제든지 선언할 수 있다.

0063

가. 조약의 해석

나. 국제법상의 문제

다. 확인되는 경우, 국제의무의 위반에 해당하는 사실의 존재

라. 국제의무의 위반에 대하여 이루어지는 배상의 성질 또는 범위

3. 위에 규정된 선언은 무조건으로, 수개 국가 또는 일정 국가와의 상호주의의 조건으로, 또는 일정한 기간을 정하여 할 수 있다.

4. 그러한 선언서는 국제연합사무총장에게 기탁되며, 사무총장은 그 사본을 재판소규정의 당사국과 국제사법재판소서기에게 송부한다.

5. 상설국제사법재판소규정 제36조에 의하여 이루어진 선언으로서 계속 효력을 가지는 것은, 재판소규정의 당사국사이에서는, 이 선언이 금후 존속하여야 할 기간동안 그리고 이 선언의 조건에 따라 재판소의 강제적 관할을 수락한 것으로 본다.

6. 재판소가 관할권을 가지는지의 여부에 관하여 분쟁이 있는 경우에는, 그 문제는 재판소의 결정에 의하여 해결된다.

제 37 조

현행의 조약 또는 협약이 국제연맹이 설치한 재판소 또는 상설국제사법재판소에 어떤 사항을 회부하는 것을 규정하고 있는 경우에 그 사항은 재판소규정의 당사국사이에서는 국제사법재판소에 회부된다.

제 38 조

1. 재판소는 재판소에 회부된 분쟁을 국제법에 따라 재판하는 것을 임무로 하며, 다음을 적용한다.

가. 분쟁국에 의하여 명백히 인정된 규칙을 확립하고 있는 일반적인 또는 특별한 국제협약

나. 법으로 수락된 일반관행의 증거로서의 국제관습

다. 문명국에 의하여 인정된 법의 일반원칙

라. 법칙결정의 보조수단으로서의 사법판결 및 제국의 가장 우수한 국제법학자의 학설. 다만, 제59조의 규정에 따를 것을 조건으로 한다.

2. 이 규정은 당사자가 합의하는 경우에 재판소가 형평과 선에 따라 재판하는 권한을 해하지 아니한다.

제 3 장
소송절차

제 39 조

1. 재판소의 공용어는 불어 및 영어로 한다. 당사자가 사건을 불어로 처리하는 것에 동의하는 경우 판결은 불어로 한다. 당사자가 사건을 영어로 처리하는 것에 동의하는 경우 판결은 영어로 한다.

2. 어떤 공용어를 사용할 것인지에 대한 합의가 없는 경우에, 각당사자는 자국이 선택하는 공용어를 변론절차에서 사용할 수 있으며, 재판소의 판결은 불어 및 영어로 한다. 이러한 경우에 재판소는 두개의 본문중 어느 것을 정본으로 할 것인가를 아울러 결정한다.

3. 재판소는 당사자의 요청이 있는 경우 그 당사자가 불어 또는 영어외의 언어를 사용하도록 허가한다.

제 40 조

1. 재판소에 대한 사건의 제기는 각경우에 따라 재판소서기에게 하는 특별한 합의의 통고에 의하여 또는 서면신청에 의하여 이루어진다. 어느 경우에도 분쟁의 주제 및 당사자가 표시된다.

2. 재판소서기는 즉시 그 신청을 모든 이해관계자에게 통보한다.

3. 재판소서기는 사무총장을 통하여 국제연합회원국에게도 통고하며, 또한 재판소에 출석할 자격이 있는 어떠한 다른 국가에게도 통고한다.

제 41 조

1. 재판소는 사정에 의하여 필요하다고 인정하는 때에는 각당사자의 각각의 권리를 보전하기 위하여 취하여져야 할 잠정조치를 제시할 권한을 가진다.

2. 종국판결이 있을 때까지, 제시되는 조치는 즉시 당사자 및 안전보장 이사회에 통지된다.

제 42 조

1. 당사자는 대리인에 의하여 대표된다.

2. 당사자는 재판소에서 법률고문 또는 변호인의 조력을 받을 수 있다.

3. 재판소에서 당사자의 대리인·법률고문 및 변호인은 자기의 직무를 독립적으로 수행하는데 필요한 특권 및 면제를 향유한다.

제 43 조

1. 소송절차는 서면소송절차 및 구두소송절차의 두부분으로 구성된다.

2. 서면소송절차는 준비서면·답변서 및 필요한 경우 항변서와 원용할 수 있는 모든 문서 및 서류를 재판소와 당사자에게 송부하는 것으로 이루어진다.

3. 이러한 송부는 재판소가 정하는 순서에 따라 재판소가 정하는 기간내에 재판소서기를 통하여 이루어진다.

4. 일방당사자가 제출한 모든 서류의 인증사본 1통은 타방당사자에게 송부된다.

5. 구두소송절차는 재판소가 증인·감정인·대리인·법률고문 및 변호인에 대하여 심문하는 것으로 이루어진다.

제 44 조

1. 재판소는 대리인·법률고문 및 변호인외의 자에 대한 모든 통지의 송달을, 그 통지가 송달될 지역이 속하는 국가의 정부에게 직접 한다.

2. 위의 규정은 현장에서 증거를 수집하기 위한 조치를 취하여야 할 경우에도 동일하게 적용된다.

제 45 조

심리는 재판소장 또는 재판소장이 주재할 수 없는 경우에는 재판소부소장이 지휘한다. 그들 모두가 주재할 수 없을 때에는 출석한 선임재판관이 주재한다.

0067

제 46 조

재판소에서의 심리는 공개된다. 다만, 재판소가 달리 결정하는 경우 또는 당사자들이 공개하지 아니할 것을 요구하는 경우에는 그러하지 아니하다.

제 47 조

1. 매 심리마다 조서를 작성하고 재판소서기 및 재판소장이 서명한다.

2. 이 조서만이 정본이다.

제 48 조

재판소는 사건을 진행을 위한 명령을 발하고, 각당사자가 각각의 진술을 종결하여야 할 방식 및 시기를 결정하며, 증거조사에 관련되는 모든 조치를 취한다.

제 49 조

재판소는 심리의 개시전에도 서류를 제출하거나 설명을 할 것을 대리인에게 요청할 수 있다. 거절하는 경우에는 정식으로 이를 기록하여 둔다.

제 50 조

재판소는 재판소가 선정하는 개인·단체·관공서·위원회 또는 다른 조직에게 조사의 수행 또는 감정의견의 제출을 언제든지 위탁할 수 있다.

제 51 조

심리중에는 제30조에 규정된 소송절차규칙에서 재판소가 정한 조건에 따라 증인 및 감정인에게 관련된 모든 질문을 한다.

제 52 조

재판소는 그 목적을 위하여 정하여진 기간내에 증거 및 증언을 수령한 후에는, 타방당사자가 동의하지 아니하는 한, 일방당사자가 제출하고자 하는 어떠한 새로운 인증 또는 서증도 그 수리를 거부할 수 있다.

제 53 조

1. 일방당사자가 재판소에 출석하지 아니하거나 또는 그 사건을 방어하지 아니하는 때에는 타방당사자는 자기의 청구에 유리하게 결정할 것을 재판소에 요청할 수 있다.

2. 재판소는, 그렇게 결정하기 전에, 제36조 및 제37조에 따라 재판소가 관할권을 가지고 있을 뿐만 아니라 그 청구가 사실 및 법에 충분히 근거하고 있음을 확인하여야 한다.

제 54 조

1. 재판소의 지휘에 따라 대리인 · 법률고문 및 변호인이 사건에 관한 진술을 완료한 때에는 재판소장은 심리가 종결되었음을 선언한다.

2. 재판소는 판결을 심의하기 위하여 퇴정한다.

3. 재판소의 평의는 비공개로 이루어지며 비밀로 한다.

제 55 조

1. 모든 문제는 출석한 재판관의 과반수로 결정된다.

2. 가부동수인 경우에는 재판소장 또는 재판소장을 대리하는 재판관이 결정투표권을 가진다.

0069

제 56 조

1. 판결에는 판결이 기초하고 있는 이유를 기재한다.

2. 판결에는 결정에 참여한 재판관의 성명이 포함된다.

제 57 조

판결이 전부 또는 부분적으로 재판관 전원일치의 의견을 나타내지 아니한 때에는 어떠한 재판관도 개별의견을 제시할 권리를 가진다.

제 58 조

판결에는 재판소장 및 재판소서기가 서명한다. 판결은 대리인에게 적절히 통지된 후 공개된 법정에서 낭독된다.

제 59 조

재판소의 결정은 당사자사이와 그 특정사건에 관하여서만 구속력을 가진다.

제 60 조

판결은 종국적이며 상소할 수 없다. 판결의 의미 또는 범위에 관하여 분쟁이 있는 경우에는 재판소는 당사자의 요청에 의하여 이를 해석한다.

제 61 조

1. 판결의 재심청구는 재판소 및 재심을 청구하는 당사자가 판결이 선고되었을 당시에는 알지 못하였던 결정적 요소로 될 성질을 가진 어떤 사실의 발견에 근거하는 때에 한하여 할 수 있다. 다만, 그러한 사실을 알지 못한 것이 과실에 의한 것이 아니었어야 한다.

– 67 –

0070

2. 재심의 소송절차는 새로운 사실이 존재함을 명기하고, 그 새로운 사실이 사건을 재심할 성질의 것임을 인정하고, 또한 재심청구가 이러한 이유로 허용될 수 있음을 선언하고 있는 재판소의 판결에 의하여 개시된다.

3. 재판소는 재심의 소송절차를 허가하기 전에 원판결의 내용을 먼저 준수하도록 요청할 수 있다.

4. 재심청구는 새로운 사실을 발견한 때부터 늦어도 6월 이내에 이루어져야 한다.

5. 판결일부터 10년이 지난후에는 재심청구를 할 수 없다.

제 62 조

1. 사건의 결정에 의하여 영향을 받을 수 있는 법률적 성질의 이해관계가 있다고 인정하는 국가는 재판소에 그 소송에 참가하는 것을 허락하여 주도록 요청할 수 있다.

2. 재판소는 이 요청에 대하여 결정한다.

제 63 조

1. 사건에 관련된 국가 이외의 다른 국가가 당사국으로 있는 협약의 해석이 문제가 된 경우에는 재판소서기는 즉시 그러한 모든 국가에게 통고한다.

2. 그렇게 통고를 받은 모든 국가는 그 소송절차에 참가할 권리를 가진다. 다만, 이 권리를 행사한 경우에는 판결에 의하여 부여된 해석은 그 국가에 대하여도 동일한 구속력을 가진다.

0071

제 64 조

재판소가 달리 결정하지 아니하는 한 각당사자는 각자의 비용을 부담한다.

제 4 장
권고적 의견

제 65 조

1. 재판소는 국제연합헌장에 의하여 또는 이 헌장에 따라 권고적 의견을 요청하는 것을 허가받은 기관이 그러한 요청을 하는 경우에 어떠한 법률문제에 관하여도 권고적 의견을 부여할 수 있다.

2. 재판소의 권고적 의견을 구하는 문제는, 그 의견을 구하는 문제에 대하여 정확하게 기술하고 있는 요청서에 의하여 재판소에 제기된다. 이 요청서에는 그 문제를 명확하게 할 수 있는 모든 서류를 첨부한다.

제 66 조

1. 재판소서기는 권고적 의견이 요청된 사실을 재판소에 출석할 자격이 있는 모든 국가에게 즉시 통지한다.

2. 재판소서기는 또한, 재판소에 출석할 자격이 있는 모든 국가에게, 또는 그 문제에 관한 정보를 제공할 수 있다고 재판소 또는 재판소가 개정중이 아닌 때에는 재판소장이 인정하는 국제기구에게, 재판소장이 정하는 기간내에, 재판소가 그 문제에 관한 진술서를 수령하거나 또는 그 목적을 위하여 열리는 공개법정에서 그 문제에 관한 구두진술을 청취할 준비가 되어 있음을 특별하고도 직접적인 통신 수단에 의하여 통고한다.

3. 재판소에 출석할 자격이 있는 그러한 어떠한 국가도 제2항에 규정된 특별통지를 받지 아니하였을 때에는 진술서를 제출하거나 또는 구두로 진술하기를 희망한다는 것을 표명할 수 있다. 재판소는 이에 관하여 결정한다.

4. 서면 또는 구두진술 또는 양자 모두를 제출한 국가 및 기구는, 재판소 또는 재판소가 개정중이 아닌 때에는 재판소장이 각 특정사건에 있어서 정하는 형식·범위 및 기간내에 다른 국가 또는 기구가 한 진술에 관하여 의견을 개진하는 것이 허용된다. 따라서 재판소서기는 그러한 진술서를 이와 유사한 진술서를 제출한 국가 및 기구에게 적절한 시기에 송부한다.

제 67 조

재판소는 사무총장 및 직접 관계가 있는 국제연합회원국·다른 국가 및 국제기구의 대표에게 통지한 후 공개된 법정에서 그 권고적 의견을 발표한다.

제 68 조

권고적 임무를 수행함에 있어서 재판소는 재판소가 적용할 수 있다고 인정하는 범위안에서 쟁송사건에 적용되는 재판소규정의 규정들에 또한 따른다.

제 5 장
개 정

제 69 조

재판소규정의 개정은 국제연합헌장이 그 헌장의 개정에 관하여 규정한 절차와 동일한 절차에 의하여 이루어진다. 다만, 재판소규정의 당사국이면서 국제연합 회원국이 아닌 국가의 참가에 관하여는 안전보장이사회의 권고에 의하여 총회가 채택한 규정에 따른다.

0073

제 70 조

재판소는 제69조의 규정에 따른 심의를 위하여 재판소가 필요하다고 인정하는 재판소규정의 개정을, 사무총장에 대한 서면통보로써, 제안할 권한을 가진다.

CHARTER OF THE UNITED NATIONS

CHARTER OF THE UNITED NATIONS

WE, THE PEOPLES OF THE UNITED NATIONS,

DETERMINED

to save succeeding generations from the scourge of war, which twice in our lifetime has brought untold sorrow to mankind, and

to reaffirm faith in fundamental human rights, in the dignity and worth of the human person, in the equal rights of men and women and of nations large and small, and

to establish conditions under which justice and respect for the obligations arising from treaties and other sources of international law can be maintained, and

to promote social progress and better standards of life in larger freedom,

AND FOR THESE ENDS

to practice tolerance and live together in peace with one another as good neighbours, and

to unite our strength to maintain international peace and security, and

to ensure, by the acceptance of principles and the institution of methods, that armed force shall not be used, save in the common interest, and

to employ international machinery for the promotion of the economic and social advancement of all peoples,

HAVE RESOLVED TO COMBINE OUR EFFORTS

TO ACCOMPLISH THESE AIMS.

Accordingly, our respective Governments, through representatives assembled in the city of San Francisco, who have exhibited their full powers found to be in good and due form, have agreed to the present Charter of the United Nations and do hereby establish an international organization to be known as the United Nations.

CHAPTER I

PURPOSES AND PRINCIPLES

Article 1

The Purposes of the United Nations are:

1. To maintain international peace and security, and to that end: to take effective collective measures for the prevention and removal of threats to the peace, and for the suppression of acts of aggression or other breaches of the peace, and to bring about by peaceful means, and in conformity with the principles of justice and international law, adjustment or settlement of international disputes or situations which might lead to a breach of the peace;
2. To develop friendly relations among nations based on respect for the principle of equal rights and self-determination of peoples, and to take other appropriate measures to strengthen universal peace;
3. To achieve international co-operation in solving international problems of an economic, social, cultural, or humanitarian character, and in promoting and encouraging respect for human rights and for fundamental freedoms for all without distinction as to race, sex, language, or religion; and
4. To be a centre for harmonizing the actions of nations in the attainment of these common ends.

Article 2

The Organization and its Members, in pursuit of the Purposes stated in Article 1, shall act in accordance with the following Principles:

1. The Organization is based on the principle of the sovereign equality of all its Members.
2. All Members, in order to ensure to all of them the rights and benefits resulting from membership, shall fulfil in good faith the obligations assumed by them in accordance with the present Charter.
3. All Members shall settle their international disputes by peaceful means in such a manner that international peace and security, and justice, are not endangered.
4. All Members shall refrain in their international relations from the threat or use of force against the territorial integrity or political independence of any State, or in any other manner inconsistent with the Purposes of the United Nations.
5. All Members shall give the United Nations every assistance in any action it takes in accordance with the present Charter, and shall refrain from giving assistance to any State against which the United Nations is taking preventive or enforcement action.

0077

6. The Organization shall ensure that States which are not Members of the United Nations act in accordance with these Principles so far as may be necessary for the maintenance of international peace and security.

7. Nothing contained in the present Charter shall authorize the United Nations to intervene in matters which are essentially within the domestic jurisdiction of any State or shall require the Members to submit such matters to settlement under the present Charter; but this principle shall not prejudice the application of enforcement measures under Chapter VII.

CHAPTER II

MEMBERSHIP

Article 3

The original Members of the United Nations shall be the States which, having participated in the United Nations Conference on International Organization at San Francisco, or having previously signed the Declaration by United Nations of 1 January 1942, sign the present Charter and ratify it in accordance with Article 110.

Article 4

1. Membership in the United Nations is open to all other peace-loving States which accept the obligations contained in the present Charter and, in the judgment of the Organization, are able and willing to carry out these obligations.

2. The admission of any such State to membership in the United Nations will be effected by a decision of the General Assembly upon the recommendation of the Security Council.

Article 5

A Member of the United Nations against which preventive or enforcement action has been taken by the Security Council may be suspended from the exercise of the rights and privileges of membership by the General Assembly upon the recommendation of the Security Council. The exercise of these rights and privileges may be restored by the Security Council.

Article 6

A Member of the United Nations which has persistently violated the Principles contained in the present Charter may be expelled from the Organization by the General Assembly upon the recommendation of the Security Council.

Chapter III

ORGANS

Article 7

1. There are established as the principal organs of the United Nations: a General Assembly, a Security Council, an Economic and Social Council, a Trusteeship Council, an International Court of Justice, and a Secretariat.

2. Such subsidiary organs as may be found necessary may be established in accordance with the present Charter.

Article 8

The United Nations shall place no restrictions on the eligibility of men and women to participate in any capacity and under conditions of equality in its principal and subsidiary organs.

Chapter IV

THE GENERAL ASSEMBLY

Composition

Article 9

1. The General Assembly shall consist of all the Members of the United Nations.
2. Each Member shall have not more than five representatives in the General Assembly.

Functions and Powers

Article 10

The General Assembly may discuss any questions or any matters within the scope of the present Charter or relating to the powers and functions of any organs provided for in the present Charter, and, except as provided in Article 12, may make recommendations to the Members of the United Nations or to the Security Council or to both on any such questions or matters.

Article 11

1. The General Assembly may consider the general principles of co-operation in the maintenance of international peace and security, including the principles governing disarmament and the regulation of ar-

maments, and may make recommendations with regard to such principles to the Members or to the Security Council or to both.

2. The General Assembly may discuss any questions relating to the maintenance of international peace and security brought before it by any Member of the United Nations, or by the Security Council, or by a State which is not a Member of the United Nations in accordance with Article 35, paragraph 2, and, except as provided in Article 12, may make recommendations with regard to any such questions to the State or States concerned or to the Security Council or to both. Any such question on which action is necessary shall be referred to the Security Council by the General Assembly either before or after discussion.

3. The General Assembly may call the attention of the Security Council to situations which are likely to endanger international peace and security.

4. The powers of the General Assembly set forth in this Article shall not limit the general scope of Article 10.

Article 12

1. While the Security Council is exercising in respect of any dispute or situation the functions assigned to it in the present Charter, the General Assembly shall not make any recommendation with regard to that dispute or situation unless the Security Council so requests.

2. The Secretary-General, with the consent of the Security Council, shall notify the General Assembly at each session of any matters relative to the maintenance of international peace and security which are being dealt with by the Security Council and shall similarly notify the General Assembly, or the Members of the United Nations if the General Assembly is not in session, immediately the Security Council ceases to deal with such matters.

Article 13

1. The General Assembly shall initiate studies and make recommendations for the purpose of:

(a) promoting international co-operation in the political field and encouraging the progressive development of international law and its codification;

(b) promoting international co-operation in the economic, social, cultural, educational, and health fields, and assisting in the realization of human rights and fundamental freedoms for all without distinction as to race, sex, language, or religion.

2. The further responsibilities, functions and powers of the General Assembly with respect to matters mentioned in paragraph 1 *(b)* above are set forth in Chapters IX and X.

Article 14

Subject to the provisions of Article 12, the General Assembly may recommend measures for the peaceful adjustment of any situation, regardless of origin, which it deems likely to impair the general welfare or friendly relations among nations, including situations resulting from a violation of the provisions of the present Charter setting forth the Purposes and Principles of the United Nations.

Article 15

1. The General Assembly shall receive and consider annual and special reports from the Security Council; these reports shall include an account of the measures that the Security Council has decided upon or taken to maintain international peace and security.
2. The General Assembly shall receive and consider reports from the other organs of the United Nations.

Article 16

The General Assembly shall perform such functions with respect to the international trusteeship system as are assigned to it under Chapters XII and XIII, including the approval of the trusteeship agreements for areas not designated as strategic.

Article 17

1. The General Assembly shall consider and approve the budget of the Organization.
2. The expenses of the Organization shall be borne by the Members as apportioned by the General Assembly.
3. The General Assembly shall consider and approve any financial and budgetary arrangements with specialized agencies referred to in Article 57 and shall examine the administrative budgets of such specialized agencies with a view to making recommendations to the agencies concerned.

Voting

Article 18

1. Each member of the General Assembly shall have one vote.
2. Decisions of the General Assembly on important questions shall be made by a two-thirds majority of the members present and voting. These questions shall include: recommendations with respect to the maintenance of international peace and security, the election of the non-permanent members of the Security Council, the election of the members of the Economic and Social Council, the election of members of the Trusteeship Council in accordance with paragraph 1 *(c)* of Article 86, the admission of new Members to the United Nations, the suspension of the rights and

0081

privileges of membership, the expulsion of Members, questions relating to the operation of the trusteeship system, and budgetary questions.

3. Decisions on other questions, including the determination of additional categories of questions to be decided by a two-thirds majority, shall be made by a majority of the members present and voting.

Article 19

A Member of the United Nations which is in arrears in the payment of its financial contributions to the Organization shall have no vote in the General Assembly if the amount of its arrears equals or exceeds the amount of the contributions due from it for the preceding two full years. The General Assembly may, nevertheless, permit such a Member to vote if it is satisfied that the failure to pay is due to conditions beyond the control of the Member.

Procedure

Article 20

The General Assembly shall meet in regular annual sessions and in such special sessions as occasion may require. Special sessions shall be convoked by the Secretary-General at the request of the Security Council or of a majority of the Members of the United Nations.

Article 21

The General Assembly shall adopt its own rules of procedure. It shall elect its President for each session.

Article 22

The General Assembly may establish such subsidiary organs as it deems necessary for the performance of its functions.

CHAPTER V

THE SECURITY COUNCIL

Composition

Article 23

1. The Security Council shall consist of fifteen Members of the United Nations. The Republic of China, France, the Union of Soviet Socialist Republics, the United Kingdom of Great Britain and Northern Ireland, and the United States of America shall be permanent members of the Security Council. The General Assembly shall elect ten other Members of the United Nations to be non-permanent members of the Security Coun-

cil, due regard being specially paid, in the first instance to the contribution of Members of the United Nations to the maintenance of international peace and security and to the other purposes of the Organization, and also to equitable geographical distribution.

2. The non-permanent members of the Security Council shall be elected for a term of two years. In the first election of the non-permanent members after the increase of the membership of the Security Council from eleven to fifteen, two of the four additional members shall be chosen for a term of one year. A retiring member shall not be eligible for immediate re-election.

3. Each member of the Security Council shall have one representative.

Functions and Powers

Article 24

1. In order to ensure prompt and effective action by the United Nations, its Members confer on the Security Council primary responsibility for the maintenance of international peace and security, and agree that in carrying out its duties under this responsibility the Security Council acts on their behalf.

2. In discharging these duties the Security Council shall act in accordance with the Purposes and Principles of the United Nations. The specific powers granted to the Security Council for the discharge of these duties are laid down in Chapters VI, VII, VIII, and XII.

3. The Security Council shall submit annual and, when necessary, special reports to the General Assembly for its consideration.

Article 25

The Members of the United Nations agree to accept and carry out the decisions of the Security Council in accordance with the present Charter.

Article 26

In order to promote the establishment and maintenance of international peace and security with the least diversion for armaments of the world's human and economic resources, the Security Council shall be responsible for formulating, with the assistance of the Military Staff Committee referred to in Article 47, plans to be submitted to the Members of the United Nations for the establishment of a system for the regulation of armaments.

Voting

Article 27

1. Each member of the Security Council shall have one vote.

2. Decisions of the Security Council on procedural matters shall be made by an affirmative vote of nine members.

3. Decisions of the Security Council on all other matters shall be made by an affirmative vote of nine members including the concurring votes of the permanent members; provided that, in decisions under Chapter VI, and under paragraph 3 of Article 52, a party to a dispute shall abstain from voting.

Procedure

Article 28

1. The Security Council shall be so organized as to be able to function continuously. Each member of the Security Council shall for this purpose be represented at all times at the seat of the Organization.

2. The Security Council shall hold periodic meetings at which each of its members may, if it so desires, be represented by a member of the government or by some other specially designated representative.

3. The Security Council may hold meetings at such places other than the seat of the Organization as in its judgment will best facilitate its work.

Article 29

The Security Council may establish such subsidiary organs as it deems necessary for the performance of its functions.

Article 30

The Security Council shall adopt its own rules of procedure, including the method of selecting its President.

Article 31

Any Member of the United Nations which is not a member of the Security Council may participate, without vote, in the discussion of any question brought before the Security Council whenever the latter considers that the interests of that Member are specially affected.

Article 32

Any Member of the United Nations which is not a member of the Security Council or any State which is not a Member of the United Nations, if it is a party to a dispute under consideration by the Security Council, shall be invited to participate, without vote, in the discussion relating to the dispute. The Security Council shall lay down such conditions as it deems just for the participation of a State which is not a Member of the United Nations.

Chapter VI

PACIFIC SETTLEMENT OF DISPUTES

Article 33

1. The parties to any dispute, the continuance of which is likely to endanger the maintenance of international peace and security, shall, first of all, seek a solution by negotiation, enquiry, mediation, conciliation, arbitration, judicial settlement, resort to regional agencies or arrangements, or other peaceful means of their own choice.

2. The Security Council shall, when it deems necessary, call upon the parties to settle their dispute by such means.

Article 34

The Security Council may investigate any dispute, or any situation which might lead to international friction or give rise to a dispute, in order to determine whether the continuance of the dispute or situation is likely to endanger the maintenance of international peace and security.

Article 35

1. Any Member of the United Nations may bring any dispute, or any situation of the nature referred to in Article 34, to the attention of the Security Council or of the General Assembly.
2. A State which is not a Member of the United Nations may bring to the attention of the Security Council or of the General Assembly any dispute to which it is a party if it accepts in advance, for the purposes of the dispute, the obligations of pacific settlement provided in the present Charter.
3. The proceedings of the General Assembly in respect of matters brought to its attention under this Article will be subject to the provisions of Articles 11 and 12.

Article 36

1. The Security Council may, at any stage of a dispute of the nature referred to in Article 33 or of a situation of like nature, recommend appropriate procedures or methods of adjustment.
2. The Security Council should take into consideration any procedures for the settlement of the dispute which have already been adopted by the parties.
3. In making recommendations under this Article the Security Council should also take into consideration that legal disputes should as a general rule be referred by the parties to the International Court of Justice in accordance with the provisions of the Statute of the Court.

Article 37

1. Should the parties to a dispute of the nature referred to in Article 33 fail to settle it by the means indicated in that Article, they shall refer it to the Security Council.

2. If the Security Council deems that the continuance of the dispute is in fact likely to endanger the maintenance of international peace and security, it shall decide whether to take action under Article 36 or to recommend such terms of settlement as it may consider appropriate.

Article 38

Without prejudice to the provisions of Artieles 33 to 37, the Security Council may, if all the parties to any dispute so request, make recommendations to the parties with a view to a pacific settlement of the dispute.

CHAPTER VII

ACTION WITH RESPECT TO THREATS TO THE PEACE, BREACHES OF THE PEACE, AND ACTS OF AGGRESSION

Article 39

The Security Council shall determine the existence of any threat to the peace, breach of the peace, or act of aggression and shall make recommendations, or decide what measures shall be taken in accordance with Articles 41 and 42, to maintain or restore international peace and security.

Article 40

In order to prevent an aggravation of the situation, the Security Council may, before making the recommendations or deciding upon the measures provided for in Article 39, call upon the parties concerned to comply with such provisional measures as it deems necessary or desirable. Such provisional measures shall be without prejudice to the rights, claims, or position of the parties concerned. The Security Council shall duly take account of failure to comply with such provisional measures.

Article 41

The Security Council may decide what measures not involving the use of armed force are to be employed to give effect to its decisions, and it may call upon the Members of the United Nations to apply such measures. These may include complete or partial interruption of economic relations and of rail, sea, air, postal, telegraphic, radio, and other means of communication, and the severance of diplomatic relations.

Article 42

Should the Security Council consider that measures provided for in Article 41 would be inadequate or have proved to be inadequate, it may take such action by air, sea, or land forces as may be necessary to maintain or restore international peace and security. Such action may include demonstrations, blockade, and other operations by air, sea, or land forces of Members of the United Nations.

Article 43

1. All Members of the United Nations, in order to contribute to the maintenance of international peace and security, undertake to make available to the Security Council, on its call and in accordance with a special agreement or agreements, armed forces, assistance, and facilities, including rights of passage, necessary for the purpose of maintaining international peace and security.
2. Such agreement or agreements shall govern the numbers and types of forces, their degree of readiness and general location, and the nature of the facilities and assistance to be provided.
3. The agreement or agreements shall be negotiated as soon as possible on the initiative of the Security Council. They shall be concluded between the Security Council and Members or between the Security Council and groups of Members and shall be subject to ratification by the signatory States in accordance with their respective constitutional processes.

Article 44

When the Security Council has decided to use force it shall, before calling upon a Member not represented on it to provide armed forces in fulfilment of the obligations assumed under Article 43, invite that Member, if the Member so desires, to participate in the decisions of the Security Council concerning the employment of contingents of that Member's armed forces.

Article 45

In order to enable the United Nations to take urgent military measures, Members shall hold immediately available national air-force contingents for combined international enforcement action. The strength and degree of readiness of these contingents and plans for their combined action shall be determined, within the limits laid down in the special agreement or agreements referred to in Article 43, by the Security Council with the assistance of the Military Staff Committee.

Article 46

Plans for the application of armed force shall be made by the Security Council with the assistance of the Military Staff Committee.

Article 47

1. There shall be established a Military Staff Committee to advise and assist the Security Council on all questions relating to the Security Council's military requirements for the maintenance of international peace and security, the employment and command of forces placed at its disposal, the regulation of armaments, and possible disarmament.

2. The Military Staff Committee shall consist of the Chiefs of Staff of the permanent members of the Security Council or their representatives. Any Member of the United Nations not permanently represented on the Committee shall be invited by the Committee to be associated with it when the efficient discharge of the Committee's responsibilities requires the participation of that Member in its work.

3. The Military Staff Committee shall be responsible under the Security Council for the strategic direction of any armed forces placed at the disposal of the Security Council. Questions relating to the command of such forces shall be worked out subsequently.

4. The Military Staff Committee, with the authorization of the Security Council and after consultation with appropriate regional agencies, may establish regional sub-committees.

Article 48

1. The action required to carry out the decisions of the Security Council for the maintenance of international peace and security shall be taken by all the Members of the United Nations or by some of them, as the Security Council may determine.

2. Such decisions shall be carried out by the Members of the United Nations directly and through their action in the appropriate international agencies of which they are members.

Article 49

The Members of the United Nations shall join in affording mutual assistance in carrying out the measures decided upon by the Security Council.

Article 50

If preventive or enforcement measures against any State are taken by the Security Council, any other State, whether a Member of the United Nations or not, which finds itself confronted with special economic problems arising from the carrying out of those measures shall have the right to consult the Security Council with regard to a solution of those problems.

Article 51

Nothing in the present Charter shall impair the inherent right of individual or collective self-defence if an armed attack occurs against a Member of the United Nations, until the Security Council has taken measures necessary to maintain international peace and security. Measures taken by Members in the exercise of this right of self-defence shall be immediately reported to the Security Council and shall not in any way affect the authority and responsibility of the Security Council under the present Charter to take at any time such action as it deems necessary in order to maintain or restore international peace and security.

CHAPTER VIII

REGIONAL ARRANGEMENTS

Article 52

1. Nothing in the present Charter precludes the existence of regional arrangements or agencies for dealing with such matters relating to the maintenance of international peace and security as are appropriate for regional action, provided that such arrangements or agencies and their activities are consistent with the Purposes and Principles of the United Nations.
2. The Members of the United Nations entering into such arrangements or constituting such agencies shall make every effort to achieve pacific settlement of local disputes through such regional arrangements or by such regional agencies before referring them to the Security Council.
3. The Security Council shall encourage the development of pacific settlement of local disputes through such regional arrangements or by such regional agencies either on the initiative of the States concerned or by reference from the Security Council.
4. This Article in no way impairs the application of Articles 34 and 35.

Article 53

1. The Security Council shall, where appropriate, utilize such regional arrangements or agencies for enforcement action under its authority. But no enforcement action shall be taken under regional arrangements or by regional agencies without the authorization of the Security Council, with the exception of measures against any enemy State, as defined in paragraph 2 of this Article, provided for pursuant to Article 107 or in regional arrangements directed against renewal of aggressive policy on the part of any such State, until such time as the Organization may, on request of the

Governments concerned, be charged with the responsibility for preventing further aggression by such a State.

2. The term "enemy State" as used in paragraph 1 of this Article applies to any State which during the Second World War has been an enemy of any signatory of the present Charter.

Article 54

The Security Council shall at all times be kept fully informed of activities undertaken or in contemplation under regional arrangements or by regional agencies for the maintenance of international peace and security.

CHAPTER IX

INTERNATIONAL ECONOMIC AND SOCIAL CO-OPERATION

Article 55

With a view to the creation of conditions of stability and well-being which are necessary for peaceful and friendly relations among nations based on respect for the principle of equal rights and self-determination of peoples, the United Nations shall promote:

(a) higher standards of living, full employment, and conditions of economic and social progress and development;
(b) solutions of international economic, social, health, and related problems; and international cultural and educational co-operation; and

(c) universal respect for, and observance of, human rights and fundamental freedoms for all without distinction as to race, sex, language, or religion.

Article 56

All Members pledge themselves to take joint and separate action in co-operation with the Organization for the achievement of the purposes set forth in Article 55.

Article 57

1. The various specialized agencies, established by intergovernmental agreement and having wide international responsibilities, as defined in their basic instruments, in economic, social, cultural, educational, health,

and related fields, shall be brought into relationship with the United Nations in accordance with the provisions of Article 63.

2. Such agencies thus brought into relationship with the United Nations are hereinafter referred to as "specialized agencies".

Article 58

The Organization shall make recommendations for the co-ordination of the policies and activities of the specialized agencies.

Article 59

The Organization shall, where appropriate, initiate negotiations among the States concerned for the creation of any new specialized agencies required for the accomplishment of the purposes set forth in Article 55.

Article 60

Responsibility for the discharge of the functions of the Organization set forth in this Chapter shall be vested in the General Assembly and, under the authority of the General Assembly, in the Economic and Social Council, which shall have for this purpose the powers set forth in Chapter X.

CHAPTER X

THE ECONOMIC AND SOCIAL COUNCIL

Composition

Article 61

1. The Economic and Social Council shall consist of fifty-four Members of the United Nations elected by the General Assembly.

2. Subject to the provisions of paragraph 3, eighteen members of the Economic and Social Council shall be elected each year for a term of three years. A retiring member shall be eligible for immediate re-election.

3. At the first election after the increase in the membership of the Economic and Social Council from twenty-seven to fifty-four members, in addition to the members elected in place of the nine members whose term of office expires at the end of that year, twenty-seven additional members shall be elected. Of these twenty-seven additional members, the term of office of nine members so elected shall expire at the end of one year, and of nine other members at the end of two years, in accordance with arrangements made by the General Assembly.

4. Each member of the Economic and Social Council shall have one representative.

0091

Functions and Powers

Article 62

1. The Economic and Social Council may make or initiate studies and reports with respect to international economic, social, cultural, educational, health, and related matters and may make recommendations with respect to any such matters to the General Assembly, to the Members of the United Nations, and to the specialized agencies concerned.

2. It may make recommendations for the purpose of promoting respect for, and observance of, human rights and fundamental freedoms for all.
3. It may prepare draft conventions for submission to the General Assembly, with respect to matters falling within its competence.
4. It may call, in accordance with the rules prescribed by the United Nations, international conferences on matters falling within its competence.

Article 63

1. The Economic and Social Council may enter into agreements with any of the agencies referred to in Article 57, defining the terms on which the agency concerned shall be brought into relationship with the United Nations. Such agreements shall be subject to approval by the General Assembly.
2. It may co-ordinate the activities of the specialized agencies through consultation with and recommendations to such agencies and through recommendations to the General Assembly and to the Members of the United Nations.

Article 64

1. The Economic and Social Council may take appropriate steps to obtain regular reports from the specialized agencies. It may make arrangements with the Members of the United Nations and with the specialized agencies to obtain reports on the steps taken to give effect to its own recommendations and to recommendations on matters falling within its competence made by the General Assembly.
2. It may communicate its observations on these reports to the General Assembly.

Article 65

The Economic and Social Council may furnish information to the Security Council and shall assist the Security Council upon its request.

Article 66

1. The Economic and Social Council shall perform such functions as fall within its competence in connexion with the carrying out of the recommendations of the General Assembly.

2. It may, with the approval of the General Assembly, perform services at the request of Members of the United Nations and at the request of specialized agencies.

3. It shall perform such other functions as are specified elsewhere in the present Charter or as may be assigned to it by the General Assembly.

Voting

Article 67

1. Each member of the Economic and Social Council shall have one vote.

2. Decisions of the Economic and Social Council shall be made by a majority of the members present and voting.

Procedure

Article 68

The Economic and Social Council shall set up commissions in economic and social fields and for the promotion of human rights, and such other commissions as may be required for the performance of its functions.

Article 69

The Economic and Social Council shall invite any Member of the United Nations to participate, without vote, in its deliberations on any matter of particular concern to that Member.

Article 70

The Economic and Social Council may make arrangements for representatives of the specialized agencies to participate, without vote, in its deliberations and in those of the commissions established by it, and for its representatives to participate in the deliberations of the specialized agencies.

Article 71

The Economic and Social Council may make suitable arrangements for consultation with non-governmental organizations which are concerned with matters within its competence. Such arrangements may be made with international organizations and, where appropriate, with national organizations after consultation with the Member of the United Nations concerned.

Article 72

1. The Economic and Social Council shall adopt its own rules of procedure, including the method of selecting its President.

0093

2. The Economic and Social Council shall meet as required in accordance with its rules, which shall include provision for the convening of meetings on the request of a majority of its members.

CHAPTER XI

DECLARATION REGARDING NON-SELF-GOVERNING TERRITORIES

Article 73

Members of the United Nations which have or assume responsibilities for the administration of territories whose peoples have not yet attained a full measure of self-government recognize the principle that the interests of the inhabitants of these territories are paramount, and accept as a sacred trust the obligation to promote to the utmost, within the system of international peace and security established by the present Charter, the well-being of the inhabitants of these territories, and, to this end:

(a) to ensure, with due respect for the culture of the peoples concerned, their political, economic, social, and educational advancement, their just treatment, and their protection against abuses;

(b) to develop self-government, to take due account of the political aspirations of the peoples, and to assist them in the progressive development of their free political institutions, according to the particular circumstances of each territory and its peoples and their varying stages of advancement;

(c) to further international peace and security;

(d) to promote constructive measures of development, to encourage research, and to co-operate with one another and, when and where appropriate, with specialized international bodies with a view to the practical achievement of the social, economic, and scientific purposes set forth in this Article; and

(e) to transmit regularly to the Secretary-General for information purposes, subject to such limitation as security and constitutional considerations may require, statistical and other information of a technical nature relating to economic, social, and educational conditions in the territories for which they are respectively responsible other than those territories to which Chapters XII and XIII apply.

Article 74

Members of the United Nations also agree that their policy in respect of the territories to which this Chapter applies, no less than in respect of their metropolitan areas, must be based on the general principle of good-neighbourliness, due account being taken of the interests and well-being of the rest of the world, in social, economic, and commercial matters.

CHAPTER XII

INTERNATIONAL TRUSTEESHIP SYSTEM

Article 75

The United Nations shall establish under its authority an international trusteeship system for the administration and supervision of such territories as may be placed thereunder by subsequent individual agreements. These territories are hereinafter referred to as "trust territories".

Article 76

The basic objectives of the trusteeship system, in accordance with the Purposes of the United Nations laid down in Article 1 of the present Charter, shall be:

(a) to further international peace and security;

(b) to promote the political, economic, social, and educational advancement of the inhabitants of the trust territories, and their progressive development towards self-government or independence as may be appropriate to the particular circumstances of each territory and its peoples and the freely expressed wishes of the peoples concerned, and as may be provided by the terms of each trusteeship agreement;

(c) to encourage respect for human rights and for fundamental freedoms for all without distinction as to race, sex, language, or religion, and to encourage recognition of the interdependence of the peoples of the world; and

(d) to ensure equal treatment in social, economic, and commercial matters for all Members of the United Nations and their nationals, and also equal treatment for the latter in the administration of justice, without prejudice to the attainment of the foregoing objectives and subject to the provisions of Article 80.

Article 77

1. The trusteeship system shall apply to such territories in the following categories as may be placed thereunder by means of trusteeship agreements:

(a) territories now held under mandate;

(b) territories which may be detached from enemy States as a result of the Second World War; and

(c) territories voluntarily placed under the system by States responsible for their administration.

2. It will be a matter for subsequent agreement as to which territories in the foregoing categories will be brought under the trusteeship system and upon what terms.

Article 78

The trusteeship system shall not apply to territories which have become Members of the United Nations, relationship among which shall be based on respect for the principle of sovereign equality.

Article 79

The terms of trusteeship for each territory to be placed under the trusteeship system, including any alteration or amendment, shall be agreed upon by the States directly concerned, including the mandatory power in the case of territories held under mandate by a Member of the United Nations, and shall be approved as provided for in Articles 83 and 85.

Article 80

1. Except as may be agreed upon in individual trusteeship agreements, made under Articles 77, 79, and 81, placing each territory under the trusteeship system, and until such agreements have been concluded, nothing in this Chapter shall be construed in or of itself to alter in any manner the rights whatsoever of any States or any peoples or the terms of existing international instruments to which Members of the United Nations may respectively be parties.

2. Paragraph 1 of this Article shall not be interpreted as giving grounds for delay or postponement of the negotiation and conclusion of agreements for placing mandated and other territories under the trusteeship system as provided for in Article 77.

Article 81

The trusteeship agreement shall in each case include the terms under which the trust territory will be administered and designate the authority which will exercise the administration of the trust territory. Such authority, hereinafter called the "administering authority", may be one or more States or the Organization itself.

Article 82

There may be designated, in any trusteeship agreement, a strategic area or areas which may include part or all of the trust territory to which the agreement applies, without prejudice to any special agreement or agreements made under Article 43.

Article 83

1. All functions of the United Nations relating to strategic areas, including the approval of the terms of the trusteeship agreements and of their alteration or amendment, shall be exercised by the Security Council.

2. The basic objectives set forth in Article 76 shall be applicable to the people of each strategic area.

3. The Security Council shall, subject to the provisions of the trusteeship agreements and without prejudice to security considerations, avail itself of the assistance of the Trusteeship Council to perform those functions of the United Nations under the trusteeship system relating to political, economic, social, and educational matters in the strategic areas.

Article 84

It shall be the duty of the administering authority to ensure that the trust territory shall play its part in the maintenance of international peace and security. To this end the administering authority may make use of volunteer forces, facilities, and assistance from the trust territory in carrying out the obligations towards the Security Council undertaken in this regard by the administering authority, as well as for local defence and the maintenance of law and order within the trust territory.

Article 85

1. The functions of the United Nations with regard to trusteeship agreements for all areas not designated as strategic, including the approval of the terms of the trusteeship agreements and of their alteration or amendment, shall be exercised by the General Assembly.

2. The Trusteeship Council, operating under the authority of the General Assembly, shall assist the General Assembly in carrying out these functions.

CHAPTER XIII

THE TRUSTEESHIP COUNCIL

Composition

Article 86

1. The Trusteeship Council shall consist of the following Members of the United Nations:

(a) those Members administering trust territories;
(b) such of those Members mentioned by name in Article 23 as are not administering trust territories; and
(c) as many other Members elected for three-year terms by the General Assembly as may be necessary to ensure that the total number of members of the Trusteeship Council is equally divided between those Members of the United Nations which administer trust territories and those which do not.

2. Each member of the Trusteeship Council shall designate one specially qualified person to represent it therein.

Functions and Powers

Article 87

The General Assembly and, under its authority, the Trusteeship Council, in carrying out their functions, may:

(a) consider reports submitted by the administering authority;

(b) accept petitions and examine them in consultation with the administering authority;

(c) provide for periodic visits to the respective trust territories at times agreed upon with the administering authority; and

(d) take these and other actions in conformity with the terms of the trusteeship agreements.

Article 88

The Trusteeship Council shall formulate a questionnaire on the political, economic, social, and educational advancement of the inhabitants of each trust territory, and the administering authority for each trust territory within the competence of the General Assembly shall make an annual report to the General Assembly upon the basis of such questionnaire.

Voting

Article 89

1. Each member of the Trusteeship Council shall have one vote.
2. Decisions of the Trusteeship Council shall be made by a majority of the members present and voting.

Procedure

Article 90

1. The Trusteeship Council shall adopt its own rules of procedure, including the method of selecting its President.
2. The Trusteeship Council shall meet as required in accordance with its rules, which shall include provision for the convening of meetings on the request of a majority of its members.

Article 91

The Trusteeship Council shall, when appropriate, avail itself of the assistance of the Economic and Social Council and of the specialized agencies in regard to matters with which they are respectively concerned.

CHAPTER XIV

THE INTERNATIONAL COURT OF JUSTICE

Article 92

The International Court of Justice shall be the principal judicial organ of the United Nations. It shall function in accordance with the annexed Statute, which is based upon the Statute of the Permanent Court of International Justice and forms an integral part of the present Charter.

Article 93

1. All Members of the United Nations are *ipso facto* parties to the Statute of the International Court of Justice.
2. A State which is not a Member of the United Nations may become a party to the Statute of the International Court of Justice on conditions to be determined in each case by the General Assembly upon the recommendation of the Security Council.

Article 94

1. Each Member of the United Nations undertakes to comply with the decision of the International Court of Justice in any case to which it is a party.
2. If any party to a case fails to perform the obligations incumbent upon it under a judgment rendered by the Court, the other party may have recourse to the Security Council, which may, if it deems necessary, make recommendations or decide upon measures to be taken to give effect to the judgment.

Article 95

Nothing in the present Charter shall prevent Members of the United Nations from entrusting the solution of their differences to other tribunals by virtue of agreements already in existence or which may be concluded in the future.

Article 96

1. The General Assembly or the Security Council may request the International Court of Justice to give an advisory opinion on any legal question.
2. Other organs of the United Nations and specialized agencies, which may at any time be so authorized by the General Assembly, may also request advisory opinions of the Court on legal questions arising within the scope of their activities.

CHAPTER XV

THE SECRETARIAT

Article 97

The Secretariat shall comprise a Secretary-General and such staff as the Organization may require. The Secretary-General shall be appointed by the General Assembly upon the recommendation of the Security Council. He shall be the chief administrative officer of the Organization.

Article 98

The Secretary-General shall act in that capacity in all meetings of the General Assembly, of the Security Council, of the Economic and Social Council, and of the Trusteeship Council, and shall perform such other functions as are entrusted to him by these organs. The Secretary-General shall make an annual report to the General Assembly on the work of the Organization.

Article 99

The Secretary-General may bring to the attention of the Security Council any matter which in his opinion may threaten the maintenance of international peace and security.

Article 100

1. In the performance of their duties the Secretary-General and the staff shall not seek or receive instructions from any government or from any other authority external to the Organization. They shall refrain from any action which might reflect on their position as international officials responsible only to the Organization.
2. Each Member of the United Nations undertakes to respect the exclusively international character of the responsibilities of the Secretary-General and the staff and not to seek to influence them in the discharge of their responsibilities.

Article 101

1. The staff shall be appointed by the Secretary-General under regulations established by the General Assembly.
2. Appropriate staffs shall be permanently assigned to the Economic and Social Council, the Trusteeship Council, and, as required, to other organs of the United Nations. These staffs shall form a part of the Secretariat.
3. The paramount consideration in the employment of the staff and in the determination of the conditions of service shall be the necessity of securing the highest standards of efficiency, competence, and integrity. Due regard shall be paid to the importance of recruiting the staff on as wide a geographical basis as possible.

CHAPTER XVI

MISCELLANEOUS PROVISIONS

Article 102

1. Every treaty and every international agreement entered into by any Member of the United Nations after the present Charter comes into force shall as soon as possible be registered with the Secretariat and published by it.

2. No party to any such treaty or international agreement which has not been registered in accordance with the provisions of paragraph 1 of this Article may invoke that treaty or agreement before any organ of the United Nations.

Article 103

In the event of a conflict between the obligations of the Members of the United Nations under the present Charter and their obligations under any other international agreement, their obligations under the present Charter shall prevail.

Article 104

The Organization shall enjoy in the territory of each of its Members such legal capacity as may be necessary for the exercise of its functions and the fulfilment of its purposes.

Article 105

1. The Organization shall enjoy in the territory of each of its Members such privileges and immunities as are necessary for the fulfilment of its purposes.

2. Representatives of the Members of the United Nations and officials of the Organization shall similarly enjoy such privileges and immunities as are necessary for the independent exercise of their functions in connexion with the Organization.

3. The General Assembly may make recommendations with a view to determining the details of the application of paragraphs 1 and 2 of this Article or may propose conventions to the Members of the United Nations for this purpose.

CHAPTER XVII

TRANSITIONAL SECURITY ARRANGEMENTS

Article 106

Pending the coming into force of such special agreements referred to in Article 43 as in the opinion of the Security Council enable it to begin the exercise of its responsibilities under Article 42, the parties to the Four-Nation Declaration, signed at Moscow, 30 October 1943, and France, shall, in accordance with the provisions of paragraph 5 of that Declaration, consult with one another and as occasion requires with other Members of the United Nations with a view to such joint action on behalf of the Organization as may be necessary for the purpose of maintaining international peace and security.

Article 107

Nothing in the present Charter shall invalidate or preclude action, in relation to any State which during the Second World War has been an enemy of any signatory to the present Charter, taken or authorized as a result of that war by the Governments having responsibility for such action.

CHAPTER XVIII

AMENDMENTS

Article 108

Amendments to the present Charter shall come into force for all Members of the United Nations when they have been adopted by a vote of two-thirds of the members of the General Assembly and ratified in accordance with their respective constitutional processes by two-thirds of the Members of the United Nations, including all the permanent members of the Security Council.

Article 109

1. A General Conference of the Members of the United Nations for the purpose of reviewing the present Charter may be held at a date and place to be fixed by a two-thirds vote of the members of the General Assembly and by a vote of any nine members of the Security Council. Each Member of the United Nations shall have one vote in the conference.

2. Any alteration of the present Charter recommended by a two-thirds vote of the conference shall take effect when ratified in accordance with their respective constitutional processes by two-thirds of the Members of the United Nations including all the permanent members of the Security Council.

3. If such a conference has not been held before the tenth annual session of the General Assembly following the coming into force of the present Charter, the proposal to call such a conference shall be placed on the agenda of that session of the General Assembly, and the conference shall be held if so decided by a majority vote of the members of the General Assembly and by a vote of any seven members of the Security Council.

CHAPTER XIX

RATIFICATION AND SIGNATURE

Article 110

1. The present Charter shall be ratified by the signatory States in accordance with their respective constitutional processes.

2. The ratifications shall be deposited with the Government of the United States of America, which shall notify all the signatory States of each deposit as well as the Secretary-General of the Organization when he has been appointed.

3. The present Charter shall come into force upon the deposit of ratifications by the Republic of China, France, the Union of Soviet Socialist Republics, the United Kingdom of Great Britain and Northern Ireland, and the United States of America, and by a majority of the other signatory States. A protocol of the ratifications deposited shall thereupon be drawn up by the Government of the United States of America which shall communicate copies thereof to all the signatory States.

4. The States signatory to the present Charter which ratify it after it has come into force will become original Members of the United Nations on the date of the deposit of their respective ratifications.

Article 111

The present Charter, of which the Chinese, French, Russian, English, and Spanish texts are equally authentic, shall remain deposited in the archives of the Government of the United States of America. Duly certified copies thereof shall be transmitted by that Government to the Governments of the other signatory States.

IN FAITH WHEREOF the representatives of the Governments of the United Nations have signed the present Charter.

DONE at the city of San Francisco the twenty-sixth day of June, one thousand nine hundred and forty-five.

STATUTE OF THE INTERNATIONAL COURT OF JUSTICE

STATUTE OF THE INTERNATIONAL COURT OF JUSTICE

Article 1

The International Court of Justice established by the Charter of the United Nations as the principal judicial organ of the United Nations shall be constituted and shall function in accordance with the provisions of the present Statute.

CHAPTER I

ORGANIZATION OF THE COURT

Article 2

The Court shall be composed of a body of independent judges, elected regardless of their nationality from among persons of high moral character, who possess the qualifications required in their respective countries for appointment to the highest judicial offices, or are jurisconsults of recognized competence in international law.

Article 3

1. The Court shall consist of fifteen members, no two of whom may be nationals of the same State.

2. A person who for the purposes of membership in the Court could be regarded as a national of more than one State shall be deemed to be a national of the one in which he ordinarily exercises civil and political rights.

Article 4

1. The Members of the Court shall be elected by the General Assembly and by the Security Council from a list of persons nominated by the national groups in the Permanent Court of Arbitration, in accordance with the following provisions.

2. In the case of Members of the United Nations not represented in the Permanent Court of Arbitration, candidates shall be nominated by national groups appointed for this purpose by their governments under the

same conditions as those prescribed for members of the Permanent Court of Arbitration by Article 44 of the Convention of The Hague of 1907 for the pacific settlement of international disputes.

3. The conditions under which a State which is a party to the present Statute but is not a Member of the United Nations may participate in electing the Members of the Court shall, in the absence of a special agreement, be laid down by the General Assembly upon recommendation of the Security Council.

Article 5

1. At least three months before the date of the election, the Secretary-General of the United Nations shall address a written request to the members of the Permanent Court of Arbitration belonging to the States which are parties to the present Statute, and to the members of the national groups appointed under Article 4, paragraph 2, inviting them to undertake, within a given time, by national groups, the nomination of persons in a position to accept the duties of a Member of the Court.

2. No group may nominate more than four persons, not more than two of whom shall be of their own nationality. In no case may the number of candidates nominated by a group be more than double the number of seats to be filled.

Article 6

Before making these nominations, each national group is recommended to consult its highest court of justice, its legal faculties and schools of law, and its national academies and national sections of international academies devoted to the study of law.

Article 7

1. The Secretary-General shall prepare a list in alphabetical order of all the persons thus nominated. Save as provided in Article 12, paragraph 2, these shall be the only persons eligible.

2. The Secretary-General shall submit this list to the General Assembly and to the Security Council.

Article 8

The General Assembly and the Security Council shall proceed independently of one another to elect the Members of the Court.

Article 9

At every election, the electors shall bear in mind not only that the persons to be elected should individually possess the qualifications required, but also that in the body as a whole the representation of the main forms of civilization and of the principal legal systems of the world should be assured.

Article 10

1. Those candidates who obtain an absolute majority of votes in the General Assembly and in the Security Council shall be considered as elected.

2. Any vote of the Security Council, whether for the election of judges or for the appointment of members of the conference envisaged in Article 12, shall be taken without any distinction between permanent and non-permanent members of the Security Council.

3. In the event of more than one national of the same State obtaining an absolute majority of the votes both of the General Assembly and of the Security Council, the eldest of these only shall be considered as elected.

Article 11

If, after the first meeting held for the purpose of the election, one or more seats remain to be filled, a second and, if necessary, a third meeting shall take place.

Article 12

1. If, after the third meeting, one or more seats still remain unfilled, a joint conference consisting of six members, three appointed by the General Assembly and three by the Security Council, may be formed at any time at the request of either the General Assembly or the Security Council, for the purpose of choosing by the vote of an absolute majority one name for each seat still vacant, to submit to the General Assembly and the Security Council for their respective acceptance.

2. If the joint conference is unanimously agreed upon any person who fulfils the required conditions, he may be included in its list, even though he was not included in the list of nominations referred to in Article 7.

3. If the joint conference is satisfied that it will not be successful in procuring an election, those Members of the Court who have already been elected shall, within a period to be fixed by the Security Council, proceed to fill the vacant seats by selection from among those candidates who have obtained votes either in the General Assembly or in the Security Council.

4. In the event of an equality of votes among the judges, the eldest judge shall have a casting vote.

Article 13

1. The Members of the Court shall be elected for nine years and may be re-elected; provided, however, that of the judges elected at the first

election, the terms of five judges shall expire at the end of three years and the terms of five more judges shall expire at the end of six years.

2. The judges whose terms are to expire at the end of the above-mentioned initial periods of three and six years shall be chosen by lot to be drawn by the Secretary-General immediately after the first election has been completed.

3. The Members of the Court shall continue to discharge their duties until their places have been filled. Though replaced, they shall finish any cases which they may have begun.

4. In the case of the resignation of a Member of the Court, the resignation shall be addressed to the President of the Court for transmission to the Secretary-General. This last notification makes the place vacant.

Article 14

Vacancies shall be filled by the same method as that laid down for the first election, subject to the following provision: the Secretary-General shall, within one month of the occurrence of the vacancy, proceed to issue the invitations provided for in Article 5, and the date of the election shall be fixed by the Security Council.

Article 15

A Member of the Court elected to replace a member whose term of office has not expired shall hold office for the remainder of his predecessor's term.

Article 16

1. No Member of the Court may exercise any political or administrative function, or engage in any other occupation of a professional nature.

2. Any doubt on this point shall be settled by the decision of the Court.

Article 17

1. No Member of the Court may act as agent, counsel, or advocate in any case.

2. No Member may participate in the decision of any case in which he has previously taken part as agent, counsel, or advocate for one of the parties, or as a member of a national or international court, or of a commission of enquiry, or in any other capacity.

3. Any doubt on this point shall be settled by the decision of the Court.

Article 18

1. No Member of the Court can be dismissed unless, in the unanimous opinion of the other Members, he has ceased to fulfil the required conditions.

2. Formal notification thereof shall be made to the Secretary-General by the Registrar.

3. This notification makes the place vacant.

Article 19

The Members of the Court, when engaged on the business of the Court, shall enjoy diplomatic privileges and immunities.

Article 20

Every Member of the Court shall, before taking up his duties, make a solemn declaration in open court that he will exercise his powers impartially and conscientiously.

Article 21

1. The Court shall elect its President and Vice-President for three years; they may be re-elected.

2. The Court shall appoint its Registrar and may provide for the appointment of such other officers as may be necessary.

Article 22

1. The seat of the Court shall be established at The Hague. This, however, shall not prevent the Court from sitting and exercising its functions elsewhere whenever the Court considers it desirable.

2. The President and the Registrar shall reside at the seat of the Court.

Article 23

1. The Court shall remain permanently in session, except during the judicial vacations, the dates and duration of which shall be fixed by the Court.

2. Members of the Court are entitled to periodic leave, the dates and duration of which shall be fixed by the Court, having in mind the distance between The Hague and the home of each judge.

3. Members of the Court shall be bound, unless they are on leave or prevented from attending by illness or other serious reasons duly explained to the President, to hold themselves permanently at the disposal of the Court.

Article 24

1. If, for some special reason, a Member of the Court considers that he should not take part in the decision of a particular case, he shall so inform the President.

2. If the President considers that for some special reason one of the Members of the Court should not sit in a particular case, he shall give him notice accordingly.

3. If in any such case the Member of the Court and the President disagree, the matter shall be settled by the decision of the Court.

Article 25

1. The full Court shall sit except when it is expressly provided otherwise in the present Statute.
2. Subject to the condition that the number of judges available to constitute the Court is not thereby reduced below eleven, the Rules of the Court may provide for allowing one or more judges, according to circumstances and in rotation, to be dispensed from sitting.
3. A quorum of nine judges shall suffice to constitute the Court.

Article 26

1. The Court may from time to time form one or more chambers, composed of three or more judges as the Court may determine, for dealing with particular categories of cases; for example, labour cases and cases relating to transit and communications.
2. The Court may at any time form a chamber for dealing with a particular case. The number of judges to constitute such a chamber shall be determined by the Court with the approval of the parties.
3. Cases shall be heard and determined by the chambers provided for in this article if the parties so request.

Article 27

A judgment given by any of the chambers provided for in Articles 26 and 29 shall be considered as rendered by the Court.

Article 28

The chambers provided for in Articles 26 and 29 may, with the consent of the parties, sit and exercise their functions elsewhere than at The Hague.

Article 29

With a view to the speedy dispatch of business, the Court shall form annually a chamber composed of five judges which, at the request of the parties, may hear and determine cases by summary procedure. In addition, two judges shall be selected for the purpose of replacing judges who find it impossible to sit.

Article 30

1. The Court shall frame rules for carrying out its functions. In particular, it shall lay down rules of procedure.
2. The Rules of the Court may provide for assessors to sit with the Court or with any of its chambers, without the right to vote.

0110

Article 31

1. Judges of the nationality of each of the parties shall retain their right to sit in the case before the Court.

2. If the Court includes upon the Bench a judge of the nationality of one of the parties, any other party may choose a person to sit as judge. Such person shall be chosen preferably from among those persons who have been nominated as candidates as provided in Articles 4 and 5.

3. If the Court includes upon the Bench no judge of the nationality of the parties, each of these parties may proceed to choose a judge as provided in paragraph 2 of this Article.

4. The provisions of this Article shall apply to the case of Articles 26 and 29. In such cases, the President shall request one or, if necessary, two of the Members of the Court forming the chamber to give place to the Members of the Court of the nationality of the parties concerned, and, failing such, or if they are unable to be present, to the judges specially chosen by the parties.

5. Should there be several parties in the same interest, they shall, for the purpose of the preceding provisions, be reckoned as one party only. Any doubt upon this point shall be settled by the decision of the Court.

6. Judges chosen as laid down in paragraphs 2, 3, and 4 of this Article shall fulfil the conditions required by Articles 2, 17 (paragraph 2), 20, and 24 of the present Statute. They shall take part in the decision on terms of complete equality with their colleagues.

Article 32

1. Each member of the Court shall receive an annual salary.

2. The President shall receive a special annual allowance.

3. The Vice-President shall receive a special allowance for every day on which he acts as President.

4. The judges chosen under Article 31, other than Members of the Court, shall receive compensation for each day on which they exercise their functions.

5. These salaries, allowances, and compensation shall be fixed by the General Assembly. They may not be decreased during the term of office.

6. The salary of the Registrar shall be fixed by the General Assembly on the proposal of the Court.

7. Regulations made by the General Assembly shall fix the conditions under which retirement pensions may be given to Members of the Court and to the Registrar, and the conditions under which Members of the Court and the Registrar shall have their travelling expenses refunded.

8. The above salaries, allowances, and compensation shall be free of all taxation.

Article 33

The expenses of the Court shall be borne by the United Nations in such a manner as shall be decided by the General Assembly.

CHAPTER II

COMPETENCE OF THE COURT

Article 34

1. Only States may be parties in cases before the Court.
2. The Court, subject to and in conformity with its Rules, may request of public international organizations information relevant to cases before it, and shall receive such information presented by such organizations on their own initiative.

3. Whenever the construction of the constituent instrument of a public international organization or of an international convention adopted thereunder is in question in a case before the Court, the Registrar shall so notify the public international organization concerned and shall communicate to it copies of all the written proceedings.

Article 35

1. The Court shall be open to the States parties to the present Statute.
2. The conditions under which the Court shall be open to other States shall, subject to the special provisions contained in treaties in force, be laid down by the Security Council, but in no case shall such conditions place the parties in a position of inequality before the Court.
3. When a State which is not a Member of the United Nations is a party to a case, the Court shall fix the amount which that party is to contribute towards the expenses of the Court. This provision shall not apply if such State is bearing a share of the expenses of the Court.

Article 36

1. The jurisdiction of the Court comprises all cases which the parties refer to it and all matters specially provided for in the Charter of the United Nations or in treaties and conventions in force.
2. The States parties to the present Statute may at any time declare that they recognize as compulsory *ipso facto* and without special agreement, in relation to any other State accepting the same obligation, the jurisdiction of the Court in all legal disputes concerning:

(a) the interpretation of a treaty;
(b) any question of international law;
(c) the existence of any fact which, if established, would constitute a breach of an international obligation;
(d) the nature or extent of the reparation to be made for the breach of an international obligation.

3. The declarations referred to above may be made unconditionally or on condition of reciprocity on the part of several or certain States, or for a certain time.

0112

4. Such declarations shall be deposited with the Secretary-General of the United Nations, who shall transmit copies thereof to the parties to the Statute and to the Registrar of the Court.

5. Declarations made under Article 36 of the Statute of the Permanent Court of International Justice and which are still in force shall be deemed, as between the parties to the present Statute, to be acceptances of the compulsory jurisdiction of the International Court of Justice for the period which they still have to run and in accordance with their terms.

6. In the event of a dispute as to whether the Court has jurisdiction, the matter shall be settled by the decision of the Court.

Article 37

Whenever a treaty or convention in force provides for reference of a matter to a tribunal to have been instituted by the League of Nations, or to the Permanent Court of International Justice, the matter shall, as between the parties to the present Statute, be referred to the International Court of Justice.

Article 38

1. The Court, whose function is to decide in accordance with international law such disputes as are submitted to it, shall apply:

(a) international conventions, whether general or particular, establishing rules expressly recognized by the contesting States;
(b) international custom, as evidence of a general practice accepted as law;
(c) the general principles of law recognized by civilized nations;
(d) subject to the provisions of Article 59, judicial decisions and the teachings of the most highly qualified publicists of the various nations, as subsidiary means for the determination of rules of law.

2. This provision shall not prejudice the power of the Court to decide a case *ex aequo et bono*, if the parties agree thereto.

CHAPTER III

PROCEDURE

Article 39

1. The official languages of the Court shall be French and English. If the parties agree that the case shall be conducted in French, the judgment shall be delivered in French. If the parties agree that the case shall be conducted in English, the judgment shall be delivered in English.

2. In the absence of an agreement as to which language shall be employed, each party may, in the pleadings, use the language which it

prefers; the decision of the Court shall be given in French and English. In this case the Court shall at the same time determine which of the two texts shall be considered as authoritative.

3. The Court shall, at the request of any party, authorize a language other than French or English to be used by that party.

Article 40

1. Cases are brought before the Court, as the case may be, either by the notification of the special agreement or by a written application addressed to the Registrar. In either case the subject of the dispute and the parties shall be indicated.

2. The Registrar shall forthwith communicate the application to all concerned.

3. He shall also notify the Members of the United Nations through the Secretary-General, and also any other States entitled to appear before the Court.

Article 41

1. The Court shall have the power to indicate, if it considers that circumstances so require, any provisional measures which ought to be taken to preserve the respective rights of either party.

2. Pending the final decision, notice of the measures suggested shall forthwith be given to the parties and to the Security Council.

Article 42

1. The parties shall be represented by agents.

2. They may have the assistance of counsel or advocates before the Court.

3. The agents, counsel, and advocates of parties before the Court shall enjoy the privileges and immunities necessary to the independent exercise of their duties.

Article 43

1. The procedure shall consist of two parts: written and oral.

2. The written proceedings shall consist of the communication to the Court and to the parties of memorials, counter-memorials and, if necessary, replies; also all papers and documents in support.

3. These communications shall be made through the Registrar, in the order and within the time fixed by the Court.

4. A certified copy of every document produced by one party shall be communicated to the other party.

5. The oral proceedings shall consist of the hearing by the Court of witnesses, experts, agents, counsel, and advocates.

Article 44

1. For the service of all notices upon persons other than the agents, counsel, and advocates, the Court shall apply direct to the government of the State upon whose territory the notice has to be served.

2. The same provision shall apply whenever steps are to be taken to procure evidence on the spot.

Article 45

The hearing shall be under the control of the President, or, if he is unable to preside, of the Vice-President; if neither is able to preside, the senior judge present shall preside.

Article 46

The hearing in Court shall be public, unless the Court shall decide otherwise, or unless the parties demand that the public be not admitted.

Article 47

1. Minutes shall be made at each hearing and signed by the Registrar and the President.
2. These minutes alone shall be authentic.

Article 48

The Court shall make orders for the conduct of the case, shall decide the form and time in which each party must conclude its arguments, and make all arrangements connected with the taking of evidence.

Article 49

The Court may, even before the hearing begins, call upon the agents to produce any document or to supply any explanations. Formal note shall be taken of any refusal.

Article 50

The Court may, at any time, entrust any individual, body, bureau, commission, or other organization that it may select, with the task of carrying out an enquiry or giving an expert opinion.

Article 51

During the hearing any relevant questions are to be put to the witnesses and experts under the conditions laid down by the Court in the rules of procedure referred to in Article 30.

Article 52

After the Court has received the proofs and evidence within the time specified for the purpose, it may refuse to accept any further oral or written evidence that one party may desire to present unless the other side consents.

Article 53

1. Whenever one of the parties does not appear before the Court, or fails to defend its case, the other party may call upon the Court to decide in favour of its claim.

2. The Court must, before doing so, satisfy itself, not only that it has jurisdiction in accordance with Articles 36 and 37, but also that the claim is well founded in fact and law.

Article 54

1. When, subject to the control of the Court, the agents, counsel, and advocates have completed their presentation of the case, the President shall declare the hearing closed.

2. The Court shall withdraw to consider the judgment.

3. The deliberations of the Court shall take place in private and remain secret.

Article 55

1. All questions shall be decided by a majority of the judges present.

2. In the event of an equality of votes, the President or the judge who acts in his place shall have a casting vote.

Article 56

1. The judgment shall state the reasons on which it is based.

2. It shall contain the names of the judges who have taken part in the decision.

Article 57

If the judgment does not represent in whole or in part the unanimous opinion of the judges, any judge shall be entitled to deliver a separate opinion.

Article 58

The judgment shall be signed by the President and by the Registrar. It shall be read in open court, due notice having been given to the agents.

Article 59

The decision of the Court has no binding force except between the parties and in respect of that particular case.

Article 60

The judgment is final and without appeal. In the event of dispute as to the meaning or scope of the judgment, the Court shall construe it upon the request of any party.

Article 61

1. An application for revision of a judgment may be made only when it is based upon the discovery of some fact of such a nature as to be a decisive factor, which fact was, when the judgment was given, unknown to the Court and also to the party claiming revision, always provided that such ignorance was not due to negligence.

2. The proceedings for revision shall be opened by a judgment of the Court expressly recording the existence of the new fact, recognizing that it has such a character as to lay the case open to revision, and declaring the application admissible on this ground.

3. The Court may require previous compliance with the terms of the judgment before it admits proceedings in revision.

4. The application for revision must be made at latest within six months of the discovery of the new fact.

5. No application for revision may be made after the lapse of ten years from the date of the judgment.

Article 62

1. Should a State consider that it has an interest of a legal nature which may be affected by the decision in the case, it may submit a request to the Court to be permitted to intervene.

2. It shall be for the Court to decide upon this request.

Article 63

1. Whenever the construction of a convention to which States other than those concerned in the case are parties is in question, the Registrar shall notify all such States forthwith.

2. Every State so notified has the right to intervene in the proceedings; but if it uses this right, the construction given by the judgment will be equally binding upon it.

Article 64

Unless otherwise decided by the Court, each party shall bear its own costs.

CHAPTER IV

ADVISORY OPINIONS

Article 65

1. The Court may give an advisory opinion on any legal question at the request of whatever body may be authorized by or in accordance with the Charter of the United Nations to make such a request.

2. Questions upon which the advisory opinion of the Court is asked shall be laid before the Court by means of a written request containing an exact statement of the question upon which an opinion is required, and accompanied by all documents likely to throw light upon the question.

Article 66

1. The Registrar shall forthwith give notice of the request for an advisory opinion to all States entitled to appear before the Court.

2. The Registrar shall also, by means of a special and direct communication, notify any State entitled to appear before the Court or international organization considered by the Court, or, should it not be sitting, by the President, as likely to be able to furnish information on the question, that the Court will be prepared to receive, within a time-limit to be fixed by the President, written statements, or to hear, at a public sitting to be held for the purpose, oral statements relating to the question.

3. Should any such State entitled to appear before the Court have failed to receive the special communication referred to in paragraph 2 of this Article, such State may express a desire to submit a written statement or to be heard; and the Court will decide.

4. States and organizations having presented written or oral statements or both shall be permitted to comment on the statements made by other States or organizations in the form, to the extent, and within the time-limits which the Court, or, should it not be sitting, the President, shall decide in each particular case. Accordingly, the Registrar shall in due time communicate any such written statements to States and organizations having submitted similar statements.

Article 67

The Court shall deliver its advisory opinions in open court, notice having been given to the Secretary-General and to the representatives of Members of the United Nations, of other States and of international organizations immediately concerned.

Article 68

In the exercise of its advisory functions the Court shall further be guided by the provisions of the present Statute which apply in contentious cases to the extent to which it recognizes them to be applicable.

CHAPTER V

AMENDMENT

Article 69

Amendments to the present Statute shall be effected by the same procedure as is provided by the Charter of the United Nations for amendments to that Charter, subject however to any provisions which the

0118

General Assembly upon recommendation of the Security Council may adopt concerning the participation of States which are parties to the present Statute but are not Members of the United Nations.

Article 70

The Court shall have power to propose such amendments to the present Statute as it may deem necessary, through written communications to the Secretary-General, for consideration in conformity with the provisions of Article 69.

30054

분류기호 문서번호	조약20411-	(전화번호 :)		대 통 령
처리기한		외무부장관	국무총리	
시행일자	1991.6.18.			
보존연한				
관련기관 협조여부				
협조기관				

수 신	내부결재	발 신		통 제	
제 목	"국제연합헌장" 수락 및 공포				

1991년 6월 13일 제29회 국무회의의 심의를 거친 표제헌장의 수락을 위하여 다음과 같은 조치를 취할 것을 건의합니다.

1. 제155회 임시국회에 수락동의안을 별안과 같이 제출함.

2. 국제연합 가입신청시 사무총장에 수락선언서를 기탁함.

3. 국제연합총회의 결정으로 우리나라의 국제연합가입이 확정되는 때에 "법령등 공포에 관한 법률" 제11조에 따라 공포함.

첨부 : 1. 헌장(국무회의안건) 및 공포안 각 1부.

2. 비준동의안 2부. 끝.

0120

정서 | 관인 | 발송

1205-27(2-1) 일(2)
1984. 3. 21. 승인

190mm×268mm 인쇄용지(특급) 70g/m²
가 33 - 41 1985. 6. 10.

(별 안)

외조약 20411-

수신 국회의장

제목 조약안 제출

1991.6.13.제29회 국무회의의 심의를 거친 "국제연합헌장" 수락 동의안을 이에 제출합니다.

첨부: 유인물 700부. 끝.

0121

1205-27(2-2) A(1)
1982. 7. 30.승인

190mm×268mm인쇄용지특급70g/㎡

공 포 안

1991년 6월 13일 제29회 국무회의의 심의를 거쳐 1991년 월 일 제 회 임시국회 제 차 본회의의 수락동의를 얻어 1991년 월 일 수락선언서를 국제연합사무총장에 기탁하였으며 국제연합헌장 제4조 제2항에 따라 국제연합총회가 대한민국의 국제연합 가입신청을 승인 결정함으로써 1991년 월 일자로 발효하는 "국제연합헌장"을 이에 공포한다.

대 통 령 노 태 우

199 년 월 일

국무총리서리 정 원 식

국 무 위 원 이 상 옥
(외무부장관)

조약제 호

"국제연합헌장 및 국제사법재판소규정" (이하 본문별첨)

0122

國際聯合憲章
受諾同意案에 대한
提案說明書

1991. 7.

外　　務　　部

안 고 제	조 약 과	기 안 자	담 당	과 장	심의관	국 장	차 관	장 관

0123

尊敬하는 委員長님,
그리고 委員여러분,

政府는 우리나라의 國際聯合加入 推進에 따라 그 加入要件중의 하나인 國際聯合憲章上 規定된 義務를 受諾하기 위하여 國際聯合憲章에 대한 國會의 受諾同意를 要請하고자 합니다.

國際聯合 加入節次와 관련, 加入申請國은 安全保障理事會 議事規則 第58條 및 總會 議事規則 第134條에 따라, 國際聯合 事務總長에게 加入申請書와 함께 憲章상의 義務를 受諾한다는 內容의 宣言書를 提出하도록 되어있으며, 憲章 受諾이라 함은 憲章뿐만 아니라 同 憲章의 不可分의 一部를 構成하는 國際司法裁判所 規程의 受諾도 아울러 意味합니다.

國際聯合 憲章은 前文 및 本文 111個條로, 그리고 國際司法裁判所 規程은 本文 70個條로 各各 構成되어 있으며 그 주요內容을 말씀드리면,

첫째, 國際聯合은 國際平和와 安全의 維持 및 各國間의 國際的 協力을 그 주요目的으로 하고 있습니다.

둘째, 國際聯合은 그 주요機關으로 總會, 安全保障理事會, 經濟社會理事會, 信託統治理事會, 國際司法裁判所 및 事務局을 設置하고 있습니다.

0124

셋째, 國際平和와 安全을 維持하기 위하여 國際的 紛爭의 平和的 解決 原則 및 節次를 規定하고 있으며, 平和에 대한 威脅, 破壞 및 侵略行爲등이 發生한 경우 이를 防止 또는 鎭壓하기 위한 措置를 취하도록 하되 安全保障理事會가 그 一次的 責任을 負擔하도록 規定하고 있습니다.

넷째, 國際司法裁判所 規程은 憲章의 一部를 構成하며 國際聯合 會員國은 그 規程의 當然當事國으로서 裁判所의 決定을 遵守할 義務를 지게 됩니다.

우리나라는 國際聯合에 加入함으로써 國際社會의 責任있는 構成員으로서 正當한 役割과 義務를 다하고자 하며 國際聯合의 目的과 原則을 尊重하는 가운데 國際社會의 모든 國家와 友好關係를 發展시키고 經濟·社會·文化協力을 增進하여 이를 토대로 韓半島를 포함한 東北亞地域과 나아가 世界의 平和와 繁榮에 이바지하고자 합니다.

政府는 國會의 受諾同意를 받은 후 國際聯合 加入申請書와 함께 憲章受諾 宣言書를 國際聯合 事務總長에게 提出할 豫定이며 安全保障理事會의 勸告에 따라 總會가 加入을 결정하는 그 날로부터 우리나라는 國際聯合 會員國으로서의 權利와 義務를 갖게 됩니다.

以上으로 提案說明을 마치고자 하오니 審議 議決하여 주시기 바랍니다.

감사합니다. 끝.

0125

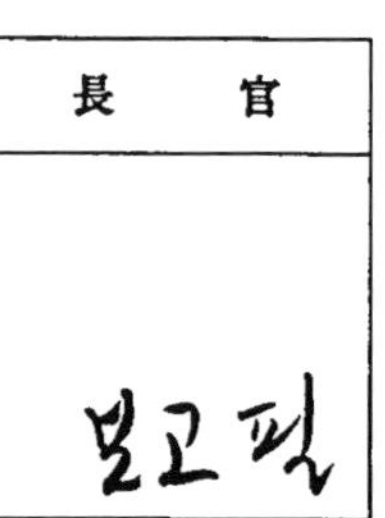

國際聯合憲章
受諾同意案에 대한
提案說明書

1991. 7.

外 務 部

0126

尊敬하는 委員長님,

그리고 委員여러분,

政府는 우리나라의 國際聯合加入 推進에 따라 그 加入要件중의 하나인 國際聯合憲章上 規定된 義務를 受諾하기 위하여 國際聯合憲章에 대한 國會의 受諾同意를 要請하고자 합니다.

國際聯合 加入節次와 관련, 加入申請國은 安全保障理事會 議事規則 第58條 및 總會 議事規則 第134條에 따라, 國際聯合 事務總長에게 加入申請書와 함께 憲章상의 義務를 受諾한다는 內容의 宣言書를 提出하도록 되어있으며, 憲章受諾이라 함은 憲章뿐만 아니라 同 憲章의 不可分의 一部를 構成하는 國際司法裁判所 規程의 受諾도 아울러 意味합니다.

國際聯合 憲章은 前文 및 本文 111個條로, 그리고 國際司法裁判所 規程은 本文 70個條로 各各 構成되어 있으며 그 주요內容을 말씀드리면,

첫째, 國際聯合은 國際平和와 安全의 維持 및 各國間의 國際的 協力을 그 주요目的으로 하고 있습니다.

둘째, 國際聯合은 그 주요機關으로 總會, 安全保障理事會, 經濟社會理事會, 信託統治理事會, 國際司法裁判所 및 事務局을 設置하고 있습니다.

0127

셋째, 國際平和와 安全을 維持하기 위하여 國際的 紛爭의 平和的 解決 原則 및 節次를 規定하고 있으며, 平和에 대한 威脅, 破壞 및 侵略行爲등이 發生한 경우 이를 防止 또는 鎭壓하기 위한 措置를 취하도록 하되 安全保障 理事會가 그 一次的 責任을 負擔하도록 規定하고 있습니다.

넷째, 國際司法裁判所 規程은 憲章의 一部를 構成하며 國際聯合 會員國은 그 規程의 當然當事國으로서 裁判所의 決定을 遵守할 義務를 지게 됩니다.

우리나라는 國際聯合에 加入함으로써 國際社會의 責任있는 構成員으로서 正當한 役割과 義務를 다하고자 하며 國際聯合의 目的과 原則을 尊重하는 가운데 全世界의 모든 國家와 友好關係를 發展시키고 經濟.社會.文化協力을 增進하여 이를 토대로 韓半島를 포함한 東北亞地域과 나아가 世界의 平和와 繁榮에 이바지하고자 합니다.

政府는 國會의 受諾同意를 받은 후 國際聯合 加入申請書와 함께 憲章受諾 宣言書를 國際聯合 事務總長에게 提出할 豫定이며, 安全保障理事會의 勸告에 따라 總會가 加入을 결정하는 그 날로부터 우리나라는 國際聯合 會員國으로서의 權利와 義務를 갖게 됩니다.

以上으로 提案說明을 마치고자 하오니 審議 議決하여 주시기 바랍니다.

감사합니다. 끝.

0128

30161 기 안 용 지

분류기호 문서번호	조약20411-	(전화: 720-2337)	시 행 상 특별취급	
보존기간	영구·준영구. 10. 5. 3. 1.	차 관	장 관	
수 신 처 보존기간		전결		
시행일자	1991. 6. 24.			

보조기관	국 장		협조기관	제1차관보 기획관리실장	문서통제
	심의관				1991. 6. 27
	과 장				
기안책임자	민경호				발 송 인

경 유		발신명의	발송 1991. 6. 27 외무부
수 신	정무장관(제1)		
참 조	제1정무조정관		

제 목	국제연합헌장 수락동의안 당정협조의뢰

국제연합헌장 수락에 대한 국회의 동의를 얻기 위하여 당정 협조를 의뢰하오니 필요한 조치를 취하여 주시기 바랍니다.

첨 부: 국제연합헌장 수락동의안 및 참고자료 각20부. 끝.

0129

國際聯合憲章 受諾同意案에 대한

說明 및 參考資料

1991. 6.

外 務 部
國 際 機 構 條 約 局

0130

목 차

1. 우리나라의 유엔加入 推進經緯

가. 槪 要

o 우리나라는 1948년 政府樹立이래 유엔加入을 推進

- 冷戰體制에 따른 蘇聯의 拒否權行使로 加入 未實現

o 東.西 和解潮流에 따른, 90.9. 韓.蘇간 外交關係樹立, 90.10. 韓.中간 貿易代表部 設置합의등 우리나라의 유엔加入實現에 有利한 國際的 與件造成으로 금년 9월중 유엔加入 現實化

- 北韓, 유엔加入申請意思 公式發表(91.5.27.)

나. 우리나라의 유엔加入 申請事例

(1) 우리나라의 獨自加入申請(5회)

o 49.1월(蘇聯의 拒否權행사), 51.12월(미처리), 61.4월(미처리), 75.7월(安保理議題採擇 부결), 75.9월(安保理議題採擇 부결)

(2) 美國등 友邦國에 의한 加入決議案 제출(3회)

o 55.12월(票決없었음), 57.9월(蘇聯 拒否權행사), 58.12월(蘇聯 拒否權행사)

(참고) 北韓의 유엔加入 申請사례

(1) 北韓의 獨自的 申請(2회)

- 49.2월(安保理 부결), 52.1월(미처리)

(2) 소련등 北韓友邦國에 의한 加入決議案 제출(2회)

- 57.9월(安保理 부결), 58.12월(安保理 부결)

2. 유엔憲章 採擇經緯 및 改正內容

가. 採擇經緯

o 1943.10. 모스크바宣言

- 美國, 英國, 蘇聯, 中國등 4개국은 제2차 世界大戰후 國際平和機構 創設의사 闡明

o 1944.10. 덤버튼 오크스(Dumbarton Oaks) 會議

- 동 4개국은 유엔憲章의 모체인 「一般國際機構의 設立에 관한 提案」 發表

o 1945. 2. 얄타會談

- 美國, 英國, 蘇聯 3개국은 安保理의 票決方式과 信託統治制度에 관하여 합의

o 1945.4.-6. 샌프란시스코會議 開催

- 유엔憲章 採擇(45.6.26.) 및 51개국 署名

나. 改正內容

o 제1차 改正內容(1965년)

- 제23조: 安保理 理事國數를 11개국에서 15개국으로 확대
- 제61조: 經濟社會理事會의 理事國數를 18개국에서 27개국으로 擴大

o 제2차 改正內容(1968년)

- 제109조: 憲章 再審議를 위한 유엔會員國 全體會議 召集에 必要한 安保理에서의 贊成投票數를 7표에서 9표로 强化

o 제3차 改正內容(1973년)

- 제61조: 經濟社會理事會의 理事國數를 27개국에서 54개국으로 擴大

3. 유엔憲章상 加入要件

가. 유엔憲章 및 安全保障理事會 議事規則 關聯規定

(1) 유엔憲章(제4조)

o 加入資格

- 國家 (State)

- 平和愛好國

- 유엔憲章義務受諾

- 憲章義務履行 能力 및 意思保有

o 加入節次

- 安保理勸告

. 총회결정전의 선행조건

. 상임이사국 5개국을 포함한 9개국이상의 찬성투표

- 總會의 決定

. 出席.投票國의 2/3이상의 贊成投票

(2) 安全保障理事會 議事規則(제58조)

- 유엔事務總長에 유엔加入申請書 提出시 유엔憲章上의 義務를 受諾한다는 내용의 宣言書(Declaration) 提出

나. 유엔憲章受諾을 위한 國內法的 要件

(1) 유엔憲章 受諾은 多者條約 加入에 해당되므로, 우리 憲法規定상 國務會議審議(憲法 제89조) 및 國會의 憲章受諾同意(憲法 제60조 1항) 節次必要

(2) 유엔總會가 우리나라의 加入을 決定하는 時點부터 유엔憲章 遵守義務가 發生하므로, 유엔加入申請 以前 國內節次 完了必要

4. 유엔憲章 및 國際司法裁判所規程의 主要內容

가. 유엔憲章

(1) 目的(前文 및 제1조)

國際平和와 安全의 維持, 各國간 友好關係의 促進, 人權 및 基本的 自由의 尊重, 國際協力의 中心으로서의 役割遂行등

(2) 行動原則(제2조)

主權平等, 憲章義務의 성실한 履行, 國際紛爭의 平和的解決, 領土保全 및 무력不使用, 유엔의 조치에 대한 會員國의 援助, 國內管轄權事項에 대한 不干涉등

(3) 主要機關(제7-32조, 제61-72조, 제86-101조)

總會, 安全保障理事會, 經濟社會理事會, 信託統治理事會, 國際司法裁判所 및 事務局

(4) 紛爭의 平和的 解決(제33-38조)

國際平和와 安全의 維持를 위한 國際的 紛爭의 평화적 해결원칙 및 절차를 규정

(5) 平和에 대한 威脅, 平和의 破壞 및 侵略行爲에 관한 조치 (제39-55조)

- 安保理는 상기사태 發生시 暫定조치, 勸告조치, 非軍事的 强制조치, 軍事的 强制조치 가능
- 會員國의 個別的 및 集團的 自衛權 인정 및 地域的 約定, 地域的 機關構成 허용

(6) 經濟 및 社會分野에서의 국제협력(제55-60조)

유엔은 經濟.社會分野 國際問題解決, 人權존중, 生活수준의 向上 및 完全雇傭을 促進함으로써 안정과 복지를 달성

(7) 信託統治制度(제73-85조)

자치능력이 없는 지역에 대한 國際信託統治제도 수립

(8) 國際司法裁判所(제92-86조)

國際司法裁判所規程은 헌장의 불가분의 일부이며, 회원국은 동 규정의 當然當事國이 됨.

(9) 條約의 유엔事務局 登錄義務(제102조)

(10) 憲章상의 義務는 他國際協定상의 義務에 우선함.(제103조)

나. 國際司法裁判所(ICJ) 規程

(1) ICJ 는 유엔의 主要司法機關임.(제1조)

(2) 構 成: 9년임기의 15인의 독립적 裁判官團(제2-33조)

(3) 訴訟당사자: 國家에 限定(제34조)

(4) 管轄權(제34조-37조)

o 任意관할권: ICJ는 當事國이 裁判所에 回附하는 모든 事件과 유엔憲章 또는 條約이나 協約에서 특별히 규정된 모든 사항에 대하여 管轄權 行使

o 强制管轄權: ICJ規程 제36조 2항(選擇條項) 受諾國에 대하여 管轄權 行使

(5) 裁判準則(제38조)

- 國際協約, 國際慣習, 法의 一般原則, 司法判決 및 學說, 當事者가 합의하는 경우 衡平과 善

(6) 判決의 效力(제39-64조)

- 當事者간 그 特定事件에 관해 拘束力을 가짐.

- 最終的이며, 一定한 경우에는 再審許容

(7) 憲章상 許可된 機關의 要請시 勸告的意見 제시(제65-68조)

5. 우리나라의 유엔加入 意義와 期待效果

가. 加入意義

유엔加入을 통하여 우리나라는 國際社會의 책임있는 成員으로서의 正當한 役割과 義務를 다할 수 있게 됨으로써 國際的 地位가 크게 향상될 것이며 韓半島를 포함한 東北亞지역과 世界의 平和와 繁榮에 기여

나. 期待效果

(1) 유엔활동에의 能動的 參與를 통한 國際的 地位向上

- 유엔내 각종회의에서 發言權, 投票權, 決議案 提出權, 被選擧權 등 모든 權利를 完全히 향유
- 安全保障理事會, 經濟社會理事會 등 유엔의 주요機關에 理事國으로 進出, 우리의 국익에 관련된 주요國際問題에 대한 意思決定에 積極的인 참여가능
- 國際勞動機構(ILO) 加入이 가능케 됨으로써 유엔산하 16개 專門機構에 모두 가입하게 됨.
  - 현재 15개 機構에 가입(專門機構加入 現況 별첨자료 참조)

(2) 南北韓 關係 正常化 및 東北亞 平和定着을 위한 環境造成

- 南北韓은 유엔會員國으로서 紛爭의 平和的 解決과 무력 不使用의 義務를 지게 되므로, 韓半島에서의 緊張緩和와 平和維持에 유리한 환경조성
- 이를 토대로 南北韓이 상호 交流와 協力을 축적, 상호신뢰를 증대함으로써 積極的인 평화통일 촉진
- 남북한간의 소모적 對決外交를 청산, 보다 정상적인 外交活動을 遂行케함으로써, 國益을 더욱 增進시키는 계기마련

(3) 我國人의 유엔事務局등 유엔機構 進出 增大

- 90.12월 현재 9개 유엔專門機構에 31명, 8개 유엔산하기구에 20명의 아국인 근무중(機構別 勤務現況 별첨자료 참조)

6. 유엔加入시 우리나라의 法的義務

가. 武力不使用 및 紛爭의 平和的 解決義務 (헌장 제33-38조)

나. 國際平和와 安全의 維持.回復을 위한 유엔의 措置에 協力義務

(1) 安保理의 非軍事的 및 軍事的 强制措置 履行義務(헌장 제25, 41, 42조)

o 軍事的 强制조치의 경우, 安保理와의 特別協定 締結이 先行되어야 함. (憲章 제43조)

(2) 安保理의 勸告 및 暫定조치에 대한 協力(憲章 제39, 40조)

o 非拘束的 성격

(3) 總會의 勸告에 대한 協力(憲章 제10조)

o 非拘束的 성격

다. 유엔運營經費에 대한 一定比率의 會員國 分擔金 納付義務 (憲章 제17조)

o 推定 분담률: 0.24%(약 370만불)

o 유엔專門機構 分擔金額: 320만불(90년)

라. 유엔機構 및 職員에 대한 特權.免除부여 의무(憲章 제105조)

o 我國은 유엔과 兩者條約締結(51년 및 78년)

- 77.5월 유엔전문기구 특권면제협약(49.2.발효)에 가입

o 我國內 유엔機構現況: 유엔事務所, 유엔兒童基金(UNICEF), 世界保健機構(WHO), 유엔工業開發機構(UNIDO), UNMCK

o 유엔特權.免除協約(46.9.發效, 125개국 가입) 加入必要

마. 我國이 締結한 條約.協定의 유엔事務局 登錄義務(헌장 제102조)

- 91.5월현재 兩者條約 989건, 多者條約 286 건(총 1,275건) 締結
- 我國이 유엔會員國인 제3국과 締結한 兩者條約은 相對國이 登錄
- 多者條約의 경우, 受託國 또는 關聯國際機構가 登錄

바. 國際司法裁判所(ICJ)에 回附된 紛爭에 대한 ICJ의 判決 履行義務 (憲章 제94조)

- 我國을 포함한 當事者간 합의 또는 條約.協定에 의거한 紛爭回附시
- 我國이 加入한 31개 多者條約, 條約상 紛爭을 ICJ에 回附토록 規定

7. 유엔憲章 受諾관련 法的 關聯事項

가. 南北韓 유엔加入과 國家承認問題

o 유엔가입의 國家承認效果 발생여부

- 加入時 유엔에 의한 國家資格認定 효과만 발생

- 會員國間 國家承認과는 無關

· 會員國間 國家承認에는 일반국제법상 個別的 承認意思表示가 필요

o 國家承認에 관한 유엔의 慣行

- 憲章 起草당시 신규회원국 가입시 集團的 承認效果를 부여하자는 제안(노르웨이)이 있었으나 채택되지 않음.

- 50.3.8. 유엔事務總長은 각서로 유엔가입이 會員國間 國家承認 效果發生과 無關함을 闡明

* 회원국간 국가승인의 효과가 발생하지 않은 例: 이스라엘과 아랍諸國

o 南·北韓 유엔加入의 相互 國家承認 效果 발생여부

- 유엔회원자격이 國家에 한정되어 있으므로 유엔과의 관계에서는 韓半島內 2개國家 존재

- 일반국제법상의 個別承認原則 및 유엔慣行에 비추어 南·北韓 相互間 국가승인 효과는 미발생

- 유엔가입후 南·北韓 關係: 國家間의 관계가 아닌 民族共同體 內部의 特殊關係로 계속 존속

* 統獨前 서독의 입장: 兩獨關係를 內部的 關係로 간주

나. 休戰協定 및 유엔司문제

(1) 休戰協定 存廢問題

- 休戰協定의 法的 性格

· 敵對狀態 중지를 위한 過度的·暫定的 協定

· 最終的 終戰처리에는 休戰協定의 實質的 當事者인
남·북한간에 한반도의 항구적 평화를 보장하는 平和條約,
基本關係條約등의 체결과 같은 別途의 合意 필요

- 憲章上 義務受諾과 平和保障問題

· 加入時 헌장상 의무(무력불사용, 분쟁의 평화적 해결등)
수락은 規範的·抽象的인 法的 當爲의 受諾에 해당하며
平和保障裝置로는 미흡

· 휴전협정을 대체할 恒久的인 平和體制 構築을 위하여는
헌장상 의무수락과는 別途로 남북한간 합의에 의한 具體的
保障裝置 필요

- 남·북한 유엔가입의 休戰協定에 대한 法的 影響

· 유엔가입과 휴전협정과는 法的으로는 直接的 關聯無

· 다만 憲章上 義務受諾으로 남·북한에 공히 休戰狀態 終熄을
위한 合意導出義務 負擔은 가중

(2) 유엔司 存廢問題

- 유엔司 설치근거: 50.7.7.자 안보리 결의 제84호
- 설치목적: 北韓 侵略의 沮止, 한반도에서의 平和狀態 回復
- 현재의 기능: 休戰協定體制의 運營·維持를 監視·保障
- 남·북한 유엔加入시 後法優先의 原則에 따라 유엔사가 해체
되어야 한다는 주장은 아래에 비추어, 부적절

· 後法優先의 原則은 前後法사이에 內容的 相衝이 있는
경우에만 적용될수 있으나, 유엔사 설치근거인 안보리결의
제84호가 한반도내 國際平和와 安全의 回復을 목표로 하고
있는 반면, 북한의 유엔가입시 분쟁의 평화적 해결이라는
헌장상의 抽象的·規範的 義務受諾은 이러한 목표실현의
한 과정에 지나지 않음에 비추어, 兩者間에 內容的 相衝이
있다고 보기는 어려움.

- 북한의 憲章義務 受諾과 유엔司 存續에 대한 영향
  · 북한의 헌장 義務受諾이 유엔司 設置의 주목적인 한반도 에서의 平和狀態 回復에 직접 연결되는 것은 아님.
  · 유엔司는 남북한 유엔가입에도 불구, 代替機構가 설치되지 않는 한, 새로운 平和體制 構築時까지 계속 存續 必要

다. 국제사법재판소의 强制管轄權 受諾問題

(1) 强制管轄權의 취지 및 내용

- 국제사법재판소의 任意管轄(合意管轄)原則의 短點을 補完
- 제36조 2항(選擇條項) 受諾國사이의 분쟁에는 强制管轄權 성립

(2) 受諾時期 및 方法

- ICJ規程當事國이 됨과 同時에 또는 당사국이 된 以後에 언제라도 수락가능
- 無條件付로 또는 留保를 달거나 一定期間을 設定하여 수락가능

(3) 수락 현황

- 162개 ICJ規程當事國중 51개국만 수락
- 수락한 국가도 대부분 自國에 不利한 事項에 대하여는 留保
  · 재판소 설립이후 强制管轄權에 기해 提訴된 사건수는 15건

(4) 受諾與否에 관한 政府의 입장

- 수락에 따른 實益은 別無하나 紛爭의 平和的解決에 관한 積極的 意志闡明 차원에서 留保付 受諾方案 검토 推進
- 수락시기에 관한 수락국들의 一般的 慣行(통상 유엔가입 1-2년후 수락),수락시 留保할 內容에 대한 면밀한 事前檢討 필요성등을 감안, 유엔가입과 동시에 수락할 필요는 없음.
- 유엔가입후 隣接國家와의 潛在的 紛爭事件(독도영유권 문제등)의 提訴可能性 등에 관하여 關聯部處 및 學界와 충분한 협의를 거친 후 受諾與否·受諾時期·受諾時 留保內容등 결정계획

라. 유엔機構 및 職員에 대한 特權.免除부여문제

(1) 憲章상 유엔機構, 同 職員 및 會員國代表는 그 目的達成 또는 任務遂行에 필요한 特權.免除향유

憲章 제105조 規定

o 유엔機構는 그 目的達成에 필요한 特權 및 免除를 회원국 領域안에서 향유

o 유엔會員國代表 및 유엔機構職員은 그 任務遂行에 필요한 特權 및 免除를 향유

(2) 상기 規定에 따라 「유엔 特權.免除協約」이 46.2월 유엔 總會에서 採擇(46.9월 발효)

o 유엔機構, 同 職員 및 會員國 代表에 대한 特權.免除부여 내용

o 유엔會員國만 加入可能(현재 125개국 가입)

(3) 우리나라는 유엔 非會員國으로서 유엔과 兩者條約 締結 (51. 9월 및 78.6월)

- 我國內 유엔機構 및 職員, 會員國代表에 대한 特權.免除 부여

(4) 우리나라의 유엔加入에 따라 上記 兩者條約 終了措置 및 유엔特權免除協約 가입필요

마. ILO加入問題

(1) ILO憲章 제1조 제3항에 따라 유엔會員國은 ILO 事務總長에 대하여 ILO憲章 義務受諾 通報만으로 ILO에 加入하게 됨. (유엔加入에 따라 ILO에 自動加入하게 되는 것은 아님)

- 유엔 非會員國의 경우, ILO總會 出席 政府代表의 3분의 2를 포함한 參加代表(政府, 使用者, 勞組) 3분의 2의 贊成投票로 가입

(2) ILO는 우리나라가 加入하지 않은 唯一한 유엔專門機構인바, 政府는 유엔加入후 ILO加入問題 檢討예정

- ILO 가입시에는 ILO憲章 受諾에 대한 國會同意 필요 (憲法 제60조 1항의 '重要한 國際組織에 관한 條約'에 해당)

(3) ILO에서 締結된 "結社의 自由 및 團結權의 保護에 관한 協約"등 171개 國際協約 가입문제는 ILO 加入후 검토되어야 할 事項으로 ILO憲章 義務受諾과는 法的으로 無關

바. 安保理와의 特別協定締結問題

(1) 憲章 제42조에 의한 安保理의 軍事的 强制조치 결정이행을 위하여는 安保理와의 特別協定 締結이 前提條件(憲章 제43조)

(2) 현재까지 유엔會員國과 安保理간 特別協定이 체결된 바 없어, 우리나라의 유엔加入후 가까운 장래에 特別協定 締結가능성 無

- 安保理와의 特別協定締結의 경우 國會의 同意 필요 (憲法 제60조 2항에 따른 국군의 해외파견 授權에 대한 國會의 同意)

8. 其他事項

가. 유엔加入에 따른 豫算措置문제

(1) 우리나라는 유엔加入시 유엔運營經費中 일정비율의 분담금 납부의무부담

憲章 제17조

o 機構의 經費는 總會에서 配定한 바에 따라 會員國이 부담

(2) 유엔豫算構成

- 一般豫算: 연간 약 10억불
- 平和維持軍 운영경비: 연간 약 4억불

(3) 分擔金 算定방식

o 유엔總會가 매 3년마다 각국의 GNP 및 人口 및 支拂能力을 基礎로 分擔率 결정

o 우리나라의 推定분담율

- 91년: 유엔豫算總額의 0.22%
- 92-94년: 유엔豫算總額의 0.24%

(4) 우리나라의 分擔金(총 420만불 내외로 推算)

o 유엔豫算에 대한 分擔金: 약 250만불

o 유엔平和維持軍 活動經費 分擔金: 약 70만불

o ILO 加入에 따른 分擔金: 약 50만불

o 기타 유엔活動에 대한 自發的 기여금: 약 50만불

(參 考)

o 우리나라는 현재 유엔산하기구 分擔金 및 유엔에 대한 自發的 기여금으로 매년 600만불 納付

o 유엔加入시는 상기 400여만불의 追加納付로 매년 약 1,000 만불 납부예상

15

0146

(5) 豫算조치

o 92년도 政府豫算案에 유엔 및 ILO加入에 따른 分擔金 추가 소요액 420만불 반영계획

- 유엔가입후 금년도 분담금은 추경예산 또는 예비비로 처리추진

나. 우리나라가 締結한 條約.協定의 유엔事務局 登錄문제

(1) 憲章 제102조 규정

o 헌장 發效後 會員國이 締結한 條約 및 國際協定은 가능한 한 迅速히 事務局에 登錄되고 事務局에 의하여 公表

o 登錄되지 않은 條約 및 國際協定의 當事國은 유엔의 어느 機關에 대하여도 그 條約 또는 協定을 원용할 수 없음.

(2) 上記 憲章規定에 따라 우리나라는 憲章 發效日(45.10.24.) 이후 締結한 모든 條約을 유엔事務局에 登錄할 義務 發生

o 91.5월 현재 총 1,275개 條約(兩者 및 多者)체결

o 我國이 유엔會員國인 제3국과 締結한 兩者條約은 相對國이 등록

o 多者條約의 경우 受託國 또는 관련 國際機構가 등록

참 고 자 료

1. 국제연합회원국 현황(91.6.현재 159개국)

* 순서: 영어 알파벳기준

국 명	가입일자	국 명	가입일자
아프가니스탄	46.11.19.	캄보디아	55.12.14.
알바니아	55.12.14.	카메룬	60. 9.20.
알제리아	62.10. 8.	카나다	45.11. 9.
앙골라	76.12. 1.	까뽀베르데	75. 9.16.
안티가바부다	81.11.11.	중앙아프리카(공)	60. 9.20.
아르헨티나	45.10.24.	챠 드	60. 9.20.
오스트레일리아	45.11. 1.	칠 레	45.10.24.
오스트리아	55.12.14.	중 국	45.10.24.
바하마	73. 9.18.	콜롬비아	45.11. 5.
바레인	71. 9.21.	코모로	75.11.12.
방글라데시	74. 9.17.	콩 고	60. 9.20.
바베이도스	66.12. 9.	코스타리카	45.11. 2.
벨기에	45.12.27.	코트디브와르	60. 9.20.
벨리세	81. 9.23.	쿠 바	45.10.24.
베 넹	60. 9.20.	싸이프러스	60. 9.20.
부 탄	71. 9.21.	체크슬로바키아	45.10.24.
볼리비아	45.11.14.	덴마크	45.10.24.
보츠와나	66.10.17.	지부티	77. 9.20.
브라질	45.10.24.	도미니카	78.12.18.
브루나이	84. 9.21.	도미니카(공)	45.10.24.
불가리아	55.12.14.	에쿠아도르	45.12.21.
부르키나파소	60. 9.20.	이집트	45.10.24.
부룬디	62. 9.18.	엘살바도르	45.20.24.
백러시아(공)	60.10.24.	적도기네	68.11.12.

17

0148

국　　명	가입일자
이디오피아	45.11.13.
휘　지	70.10.13.
핀랜드	55.12.14.
불란서	45.10.24.
가　봉	60. 9.20.
감비아	65. 9.21.
독일연방공화국	73. 9.18.
리히텐슈타인	90. 9.18.
가　나	57. 3. 8.
그리스	45.10.25.
그레나다	74. 9.17.
과테말라	45.11.21.
기　네	58.12.12.
기네비쏘	74. 9.17.
가이아나	66. 9.20.
하이티	45.10.24.
온두라스	45.12.17.
헝가리	55.12.14.
아이슬란드	46.11.19.
인　도	45.10.30.
인도네시아	50. 9.28.
이　란	45.10.24.
이라크	45.12.21.
아일랜드	49.12.14.
이스라엘	49. 5.11.
이태리	55.12.14.
자마이카	60.12.20.

국　　명	가입일자
일　본	56.12.18.
요르단	55.12.14.
케　냐	63.12.16.
쿠웨이트	63. 5.14.
라오스	55.12.14.
레바논	45.10.24.
레소토	66.10.24.
라이베리아	45.11. 2.
리비아	55.12.14.
룩셈부르그	45.10.24.
마다가스칼	60. 9.20.
말라위	64.12. 1.
말레이시아	57. 9.17.
몰디브	65. 9.21.
말　리	60. 9.28.
몰　타	64.12. 1.
모리타니아	61.10.27.
모리셔스	68. 4.24.
멕시코	45.11. 7.
몽　골	61.10.27.
모로코	56.11.12.
모잠비크	75. 9.16.
미얀마연방	48. 4.19.
나미비아	90. 4.23.
네　팔	55.12.14.
네덜란드	45.12.10.
뉴질랜드	45.10.24.

국　　명	가입일자
니카라과	45.10.24.
니제르	60. 9.20.
나이제리아	60.10. 7.
노르웨이	45.11.27.
오　만	71.10. 7.
파키스탄	47. 9.30.
파나마	45.11.13.
파푸아뉴기니	75.10.24.
파라과이	45.10.24.
페　루	45.10.31.
필리핀	45.10.24.
폴란드	45.10.24.
포르투갈	55. 9.14.
카타르	71. 9.21.
루마니아	55.12.14.
르완다	62. 9.18.
세인트킷츠네비스	83. 9.23.
세인트루치아	79. 9.12.
세인트빈센트	80. 9.16.
사모아	76.12.15.
쌍토메프린시페	75. 9.16.
사우디아라비아	45.10.24.
세네갈	60. 9.28.
세이쉘	76. 9.21.
시에라레온	61. 9.27.
싱가포르	65. 9.21.

국　　명	가입일자
솔로몬아일랜드	78. 9.19.
소말리아	60. 9.20.
남아프리카	45.11. 7.
스페인	55.12.14.
스리랑카	55.12.14.
수　단	56.11.12.
수리남	75.12. 4.
스와질랜드	68. 9.24.
스웨덴	46.11.19.
시리아	45.10.24.
태　국	46.12.16.
토　고	60. 9.29.
트리니다드토바고	62. 9.18.
튜니시아	56.11.12.
터어키	45.10.24.
우간다	62.10.25.
우크라이나(공)	45.10.24.
소비에트사회주의 공화국 연방	45.10.24.
아랍에미리트연합	71.12. 9.
영　국	45.10.24.
탄자니아	61.12.14.
미합중국	45.12.24.
우루과이	45.12.24.
바누아투	81. 9.15.
베트남	77. 9.20.

19

0150

국　　명	가입일자
예　멘	90. 5.22.
유고슬라비아	45.10.24.
자이레	60. 9.20.
잠비아	64.12. 1.
짐바브웨	80. 8.25.

20

0151

2. 유엔회원국의 분담율

Member States	Percentage Contribution
Afghanistan	0.01
Albania	0.01
Algeria	0.15
Angola	0.01
Antigua and Barbuda	0.01
Argentina	0.66
Australia	1.57
Austria	0.74
Bahamas	0.02
Bahrain	0.02
Bangladesh	0.01
Barbados	0.01
Belgium	1.17
Belize	0.01
Benin	0.01
Bhutan	0.01
Bolivia	0.01
Botswana	0.01
Brazil	1.45
Brunei Darussalam	0.04
Bulgaria	0.15
Burkina Faso	0.01
Burundi	0.01
Byelorussian S.S.R.	0.33
Cambodia	0.01
Cameroon	0.01
Canada	3.09
Cape Verde	0.01
Central African Rep.	0.01
Chad	0.01
Chile	0.08
China	0.79
Colombia	0.14
Comoros	0.01
Congo	0.01
Costa Rica	0.02
Côte d'Ivoire	0.02
Cuba	0.09
Cyprus	0.02
Czechoslovakia	0.66
Denmark	0.69
Djibouti	0.01
Dominica	0.01
Dominican Republic	0.03
Ecuador	0.03
Egypt	0.07
El Salvador	0.01
Equatorial Guinea	0.01
Ethiopia	0.01
Fiji	0.01
Finland	0.51
France	6.25
Gabon	0.03
Gambia	0.01
German D.R.	1.23
Germany, F.R.	8.08
Ghana	0.01
Greece	0.40
Grenada	0.01
Guatemala	0.02
Guinea	0.01
Guinea-Bissau	0.01
Guyana	0.01
Haiti	0.01
Honduras	0.01
Hungary	0.21
Iceland	0.03
India	0.37
Indonesia	0.15
Iran, I.R.	0.69
Iraq	0.12
Ireland	0.18
Israel	0.21
Italy	3.99
Jamaica	0.01
Japan	11.38
Jordan	0.01
Kenya	0.01
Kuwait	0.29
Lao P.D.R.	0.01
Lebanon	0.01
Lesotho	0.01
Liberia	0.01
Libya	0.28
Luxembourg	0.06
Madagascar	0.01
Malawi	0.01
Malaysia	0.11
Maldives	0.01
Mali	0.01
Malta	0.01
Mauritania	0.01
Mauritius	0.01
Mexico	0.94
Mongolia	0.01
Morocco	0.04
Mozambique	0.01
Myanmar	0.01
Nepal	0.01
Netherlands	1.65
New Zealand	0.24
Nicaragua	0.01
Niger	0.01
Nigeria	0.20
Norway	0.55
Oman	0.02
Pakistan	0.06
Panama	0.02
Papua New Guinea	0.01
Paraguay	0.03
Peru	0.06
Philippines	0.09
Poland	0.56
Portugal	0.18
Qatar	0.05
Romania	0.19
Rwanda	0.01
St Kitts and Nevis	0.01
Saint Lucia	0.01
Saint Vincent	0.01
Samoa	0.01
Sao Tome and Principe	0.01
Saudi Arabia	1.02
Senegal	0.01
Seychelles	0.01
Sierra Leone	0.01
Singapore	0.11
Solomon Islands	0.01
Somalia	0.01
South Africa	0.45
Spain	1.95
Sri Lanka	0.01
Sudan	0.01
Suriname	0.01
Swaziland	0.01
Sweden	1.21
Syrian A.R.	0.04
Thailand	0.10
Togo	0.01
Trinidad and Tobago	0.05
Tunisia	0.03
Turkey	0.32
Uganda	0.01
Ukrainian S.S.R.	1.25
U.S.S.R.	9.99
United Arab Emirates	0.19
United Kingdom	4.86
U.R. of Tanzania	0.01
U.S.A.	25.00
Uruguay	0.04
Vanuatu	0.01
Venezuela	0.57
Vietnam	0.01
Yemen	0.02
Yugoslavia	0.46
Zaire	0.01
Zambia	0.01
Zimbabwe	0.02
	100.00

3. 유엔專門機構에서의 우리나라 分擔金 負擔내역

o 分擔金 總額 (90년도에 약 320만불, 92년도 약 490만불 예상)

- 義務的 분담금: 15개 유엔專門機構에 납부

- 自發的 기여금: UNESCO 및 UNIDO에 납부

* 내역상세 별첨

91.6 현재

기 구 명	분담금산정기준	'90 집행액	'91 집행현황	'92 예상액	분담금지불 담당부처
유엔식량농업 기구(FAO)	UN분담율 × FAO 조정계수	$723,840	$723,840 (기집행)	$796,224	외 무 부
유엔교육과학 문화기구 (UNESCO)	UN 분담율	$625,275	$657,484 (기집행)	$723,200	"
세계민간항공 기구(ICAO)	국민소득 + 민간항공이해 관계	$254,314	$309,912 (집행예정)	$340,903	"
정부간 해사 기구(IMO)	UN 분담율 × 등록선박 수	$347,785	$457,220 (기집행)	$502,940	"
세계보건기구 (WHO)	UN 분담율 × WHO 조정계수	$652,180	$652,180 (기집행)	$717,400	"
세계지적 재산 기구(WIPO)	1 - 7등급 (회원국 자신이 결정 ,아국 6등급)	$53,706	$55,222 (집행예정)	$59,300	"
세계기상기구 (WMO)	UN 분담율 × WMO 조정계수	$53,980	$73,200 (기집행)	$80,520	"
유엔공업개발 기구(UNIDO)	UN 분담율	$215,609	$215,609 (집행예정)	$215,629	"
세계노동기구 (ILO)	UN분담율 × ILO 조정계수	0	0	$500,000 (가입시)	"
국제우편연합 (UPU)	1-10등급(회원국자신이 결정 ,아국7등급)	$157,800	$162,187	$170,000	체 신 부
국제전기통신 연합(ITU)	매년 관리이사회에서 결정	$875,400	$875,400	$890,000	"
국제농업개발 기금(IFAD) 기여금	자발적기여금	0	0	$600,000	외 무 부
세계지적재산 기구(WIPO)	1-7등급(회원국자신이결정, 아국은 6등급)	$53,706	$53,706 (집행예정)	$59,300	"
유엔공업개발 기금(UNIDF)	"	$35,000	$35,000 (집행예정)	$35,000	"

23

0154

기 구 명	분담금산정기준	'90 집행액	'91 집행현황	'92 예상액	담 당 부 처
UNESCO 정부간 정보학 계획 (IIP)	"	$200,000	$200,000 (집행예정)	$200,000	"
UNESCO 커뮤니케이션 개발 계획(IPDC) 신탁기금	"	0	0	$100,000	외 무 부
UNESCO 세종 대왕상 기금	상금 $30,000 + 행정비용 $5,000	$35,000	$35,000 (기집행)	$35,000	"
UNESCO 아시아 교육혁신사업 (APEID)	자발적기여금	$10,000	$10,000	$10,000	교 육 부
UPU 특별기금	자발적기여금	$6,005	$6,005	$6,005	체 신 부
소 계		$4,269,600	$4,521,957	$6,041,421	

※ 국제통화기금(IMF), 국제개발은행(IBRD), 국제개발협회(IDA), 국제금융공사(IFC) 는 가입시 회원국이 납부하는 출자금 및 증자금으로 운영되며, 연례적 정기분담금은 없음

4. 우리나라의 유엔 專門機構 加入현황

o 총 16개 유엔專門機構중 우리나라는 國際勞動機構(ILO)를 제외한 15개 유엔專門機構에 가입하고 있음. (北韓은 11개 機構에 가입)

일련번호	기 구 명	아국가입	북한가입
1	세계보건기구(WHO)	1949	1973. 5.
2	유엔식량농업기구(FAO)	1949	1977.11.
3	만국우편연합(UPU)	1949	1974. 6.
4	유엔교육.과학.문화기구(UNESCO)	1950	1974.10.
5	국제전기통신연합(ITU)	1952	1975. 9.
6	국제민간항공기구(ICAO)	1952	1977. 9.
7	국제통화기금(IMF)	1955	-
8	국제부흥개발은행(IBRD)	1955	-
9	세계기상기구(WMO)	1956	1975. 4.
10	국제개발협회(IDA)	1961	-
11	국제해사기구(IMO)	1962	1986. 4.
12	국제금융공사(IFC)	1964	-
13	유엔공업개발기구(UNIDO)	1967	1980. 1.
14	세계지적소유권기구(WIPO)	1979	1974. 8.
15	국제농업개발기금(IFAD)	1978	1986.12.
16	국제노동기구(ILO)	-	-

5. 유엔산하기구 근무 한국인 현황 (90.12.31.현재 총 51명)

가. 유엔전문기구(31명)

유엔식량농업기구(FAO): 4명

국제민간항공기구(ICAO): 2명

국제노동기구(ILO): 3명

국제해사기구(IMO): 2명

국제전기통신연합(ITU): 3명

유엔교육과학문화기구(UNESCO): 1명

세계보건기구(WHO): 8명

세계지적소유권기구(IAEA): 6명

만국우편연합(UPU): 1명

나. 유엔산하기구(20명)

유엔사무국국제경제국(DIESA): 1명

유엔개발계획(UNDP): 4명

유엔환경계획(UNEP): 2명

유엔인구활동기금(UNFPA): 1명

유엔아동기금(UNICEF): 5명

국제식량계획(WFP): 2명

아.태 경제사회이사회(ESCAP): 4명

아.태 기술이전센터(ESCAP/APCTT): 1명

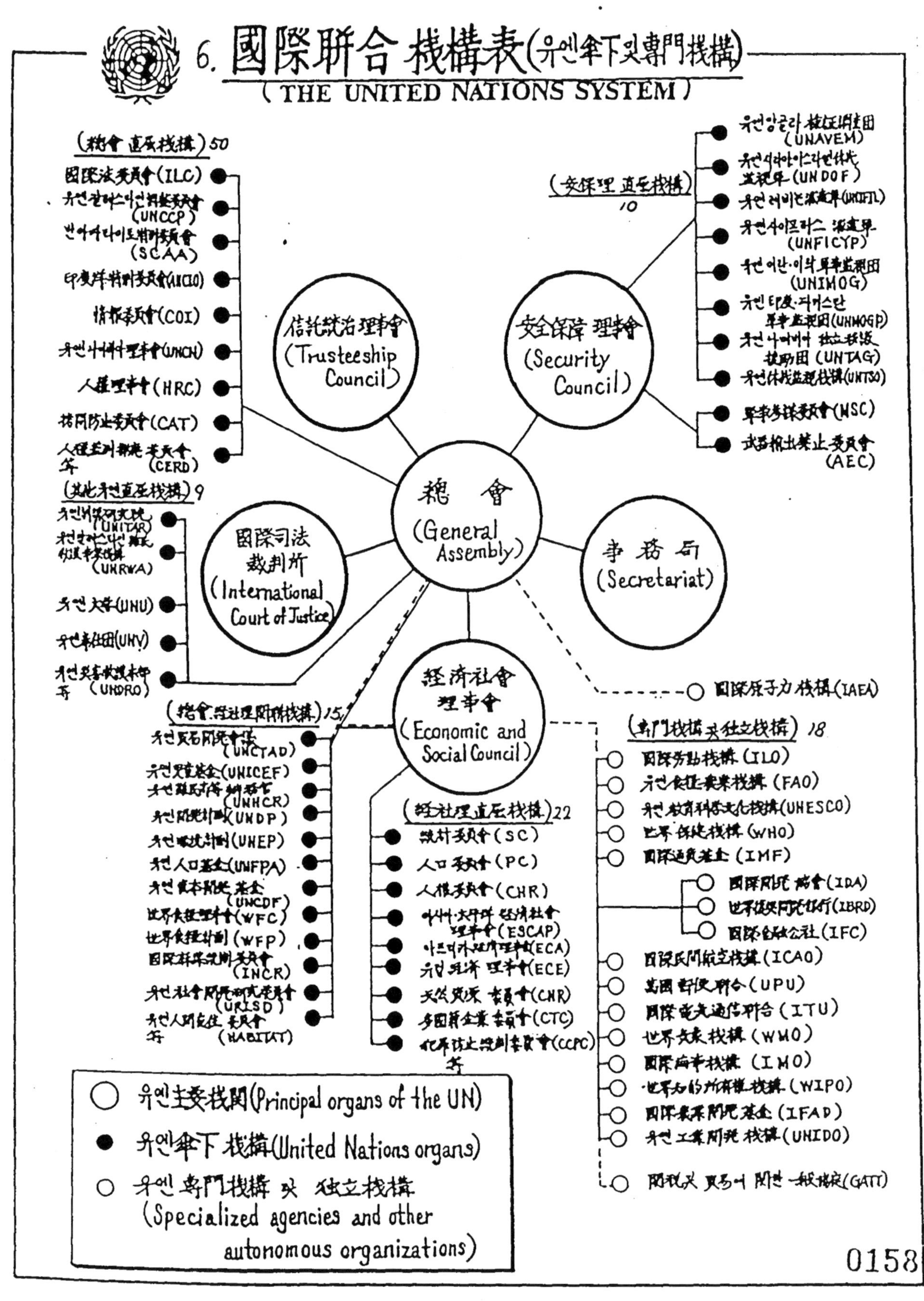

6. 國際聯合 機構表(유엔傘下 및 專門機構)
(THE UNITED NATIONS SYSTEM)
(總會 直屬機構) 50
國際法委員會(ILC)
(UNCCP)
(SCAA)
(COI)
人權理事會(HRC)
拷問防止委員會(CAT)
(CERD)
(其他 유엔直屬機構) 9
(UNITAR)
(UNRWA)
유엔大學(UNU)
(UNV)
(UNDRO)
(安保理 直屬機構)
10
(UNAVEM)
(UNDOF)
(UNIFIL)
(UNFICYP)
(UNIMOG)
(UNMOGP)
(UNTAG)
(UNTSO)
軍事參謀委員會(MSC)
(AEC)
信託統治理事會
(Trusteeship Council)
安全保障理事會
(Security Council)
總會
(General Assembly)
國際司法裁判所
(International Court of Justice)
事務局
(Secretariat)
經濟社會理事會
(Economic and Social Council)
國際原子力機構(IAEA)
(總會·經社理 聯合機構) 15
(UNCTAD)
(UNICEF)
(UNHCR)
(UNDP)
(UNEP)
(UNFPA)
(UNCDF)
(WFC)
(WFP)
(INCR)
(URISD)
(HABITAT)
(經社理 直屬機構) 22
統計委員會(SC)
人口委員會(PC)
人權委員會(CHR)
(ESCAP)
(ECA)
(ECE)
(CNR)
(CTC)
(CCPC)
(專門機構 및 獨立機構) 18
國際勞動機構(ILO)
(FAO)
(UNESCO)
世界保健機構(WHO)
(IMF)
(IDA)
(IBRD)
(IFC)
(ICAO)
(UPU)
(ITU)
(WMO)
(IMO)
(WIPO)
(IFAD)
(UNIDO)
(GATT)
유엔主要機關(Principal organs of the UN)
유엔傘下 機構(United Nations organs)
유엔 專門機構 및 獨立機構 (Specialized agencies and other autonomous organizations)
0158

27

— 國際機構條約局 —

정 부

외조약 20411 - 30054 1991.

수 신 : 국 회 의 장

제 목 : 조약안 제출

1991. 6. 13. 제29회 국무회의의 심의를 거친 "국제연합헌장" 수락동의 안을 이에 제출 합니다.

첨 부 : 유인물 700 부. 끝

대 통 령 노태우

국 무 총 리 서리 정원식

국 무 위 원 외 무 부 장 관 이상옥

0159

2009 - 1 A
1981. 10. 27승인

190mm×268mm
(인쇄용지특급60g/m²)

영 수 증

안건명: 국제연합헌장 수락동의안

부 수: 700부

상기 안건을 정히 영수함.

1991. 6. 26.

접수처: 국회 의안과

접수자: 장 태 백

0160

영 수 증

안건명: 국제연합헌장 수락동의안

부 수: 550부

상기 안건을 정히 영수함.

1991. 6. 26.

접수처: 국회 외무통일위

접수자: 이 [signature]

0161

국회동의안 처리절차

(1) 동의안 의안과 접수

(2) 국회의장 결재후 외무통일위원회에 안건을 회부 및 전국회의원에게 동의안 배포(의안 접수로부터 2-3일 소요)

(3) 외무통일위원회 심의후 본회의 회부

(4) 본회의 의결(회기 최종일 또는 하루전일)

0162

수 령 증

자료명: 국제연합헌장 수락동의안 제안설명서

부 수: 120부

상기 자료를 정히 수령함.

1991. 7. 4.

접수처: 국회 외무통일위원회

수령자: 진 근미

0163

國際聯合憲章

受諾同意案에 대한

提 案 說 明 書

1991. 7.

外 務 部

0164

尊敬하는 委員長님,
그리고 委員여러분,

政府는 우리나라의 國際聯合加入 推進에 따라 그 加入要件중의 하나인 國際聯合憲章上 規定된 義務를 受諾하기 위하여 國際聯合憲章에 대한 國會의 受諾同意를 要請하고자 합니다.

國際聯合 加入節次와 관련, 加入申請國은 安全保障理事會 議事規則 第58條 및 總會 議事規則 第134條에 따라, 國際聯合 事務總長에게 加入申請書와 함께 憲章상의 義務를 受諾한다는 內容의 宣言書를 提出하도록 되어 있으며, 憲章 受諾이라 함은 憲章뿐만 아니라 同 憲章의 不可分의 一部를 構成하는 國際司法裁判所規程의 受諾도 아울러 意味합니다.

一

0165

國際聯合憲章은 前文 및 本文 111個條로, 그리고 國際司法裁判所規程은 本文 70個條로 各各 構成되어 있으며 그 주요 內容을 말씀드리면,

첫째, 國際聯合은 國際平和와 安全의 維持 및 各國間의 國際的 協力을 그 주요 目的으로 하고 있습니다.

둘째, 國際聯合은 그 주요機關으로 總會, 安全保障理事會, 經濟社會理事會, 信託統治理事會, 國際司法裁判所 및 事務局을 設置하고 있습니다.

셋째, 國際平和와 安全을 維持하기 위하여 國際的
二 紛爭의 平和的 解決 原則 및 節次를 規定하고 있으며, 平和에 대한 威脅, 破壞 및 侵略行爲등이 發生한 경우 이를 防止 또는 鎭壓하기 위한 措置를 취하도록 하되 安全保障理事會가 그 一次的 責任을 負擔하도록

0166

規定하고 있습니다.

넷째, 國際司法裁判所規程은 憲章의 一部를 構成하며 國際聯合 會員國은 그 規程의 當然當事國으로서 裁判所의 決定을 遵守할 義務를 지게 됩니다.

우리나라는 國際聯合에 加入함으로써 國際社會의 責任있는 構成員으로서 正當한 役割과 義務를 다하고자 하며 國際聯合의 目的과 原則을 尊重하는 가운데 全世界의 모든 國家와 友好關係를 發展시키고 經濟·社會·文化協力을 增進하여 이를 토대로 韓半島를 포함한 東北亞地域과 나아가 세계의 平和와 繁榮에 이바지하고자 합니다. 三

政府는 國會의 受諾同意를 받은 후 國際聯合 加入申請書와 함께 憲章受諾宣言書를 國際聯合

0167

事務總長에게 提出할 豫定이며, 安全保障理事會의 勸告에 따라 總會가 加入을 결정하는 그 날로부터 우리나라는 國際聯合 會員國으로서의 權利와 義務를 갖게 됩니다.

以上으로 提案說明을 마치고자 하오니 審議 議決하여 주시기 바랍니다.

감사합니다. 끝.

四

0168

대 한 민 국 국 회

의안제 1824 호 1991. 7. 13.

수신 대 통 령

참조 외무부장관

제목 국제연합헌장수락동의

외조약20411-30054(1991.6.26)호로 제출한 위의 동의안을 제155회국회(임시회) 제6차본회의(1991. 7.13)에서 원안대로 동의하였음을 통지합니다.

첨부 : 동 의 안 1부. 끝.

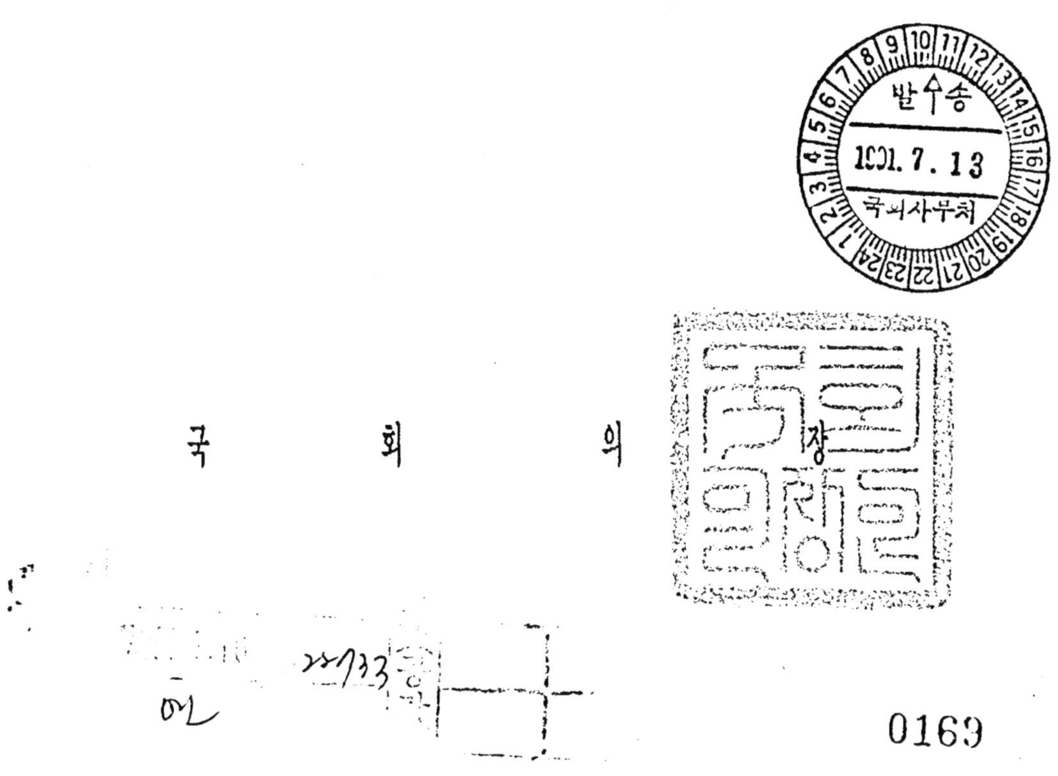

국 회 의 장

0169

國際聯合憲章受諾同意案에대한

檢　討　報　告

1991. 7.

外務統一委員會

專 門 委 員

0170

檢 討 意 見

1. 加入推進經緯

우리나라는 1948年 政府樹立 이래 UN加入을 위해 5回에 걸친 單獨加入 申請과 美國등 友邦國에 의한 세차례의 加入 決議案을 提出하는등 UN加入 努力을 꾸준히 傾注해 왔으나 蘇聯의 拒否權 行使로 번번히 挫折되어 오다가 最近에 와서 政府의 적극적인 北方外交推進과 東·西 和解 潮流에 따른 韓·蘇間 外交關係 樹立, 韓·中 貿易代表部 設置 등으로 우리나라의 UN加入 實現에 有利한 國際的 與件이 造成되어 今年가을에 개최될 제45차 UN總會(9月17日)에서 正式으로 加入될 것으로 展望되며 특히 北韓이 지난 5月27日 外交部 聲明을 통해 UN加入 意思를 表明하고 7月8日 유엔 加入申請書를 提出함으로써 南北韓의 UN同時加入이 實現될 것으로 豫想됨.

2. 유엔加入要件

가. 유엔憲章 및 安全保障理事會 議事規則 關聯規程

(1) 유엔憲章(第4條)

o 加入資格 : 平和愛好國으로서 憲章上의 義務를 受諾하고 이를 遵守할 意思와 能力을 가져야 함.

o 加入節次 : 安全保障理事會의 勸告(常任理事國 5個國을 포함한 9個國이상의 贊成投票) 및 總會의 決定.(出席・投票國의 2/3이상의 贊成投票)

(2) 安全保障理事會 議事規則(第58條)

유엔事務總長에게 加入申請書와 함께 유엔憲章上의 義務를 受諾한다는 내용의 宣言書(Declaration)를 提出 해야 함.

나. 유엔憲章受諾을 위한 國內法的 要件

유엔憲章 受諾은 多者條約 加入에 해당되므로, 憲法規程上 國務會議審議(憲法 第89條) 및 國會의 憲章受諾同意(憲法 第60條1項) 節次가 必要하며 加入決定 時点부터 UN憲章遵守 義務가 發生함.

3. 유엔憲章 및 國際司法裁判所規程의 主要內容

가. 유엔憲章(前文 및 111個條로 構成)

(1) 目的(前文 및 第1條)

0172

國際平和와 安全의 維持, 各國間 友好關係의 促進, 人權 및 基本的 自由의 尊重, 國際協力의 중심으로서의 役割遂行 등

(2) 行動原則(第2條)

主權平等, 憲章義務의 성실한 履行, 國際紛爭의 平和的解決, 領土保全 및 武力不使用, 유엔의 措置에 대한 會員國의 援助, 國內管轄權事項에 대한 不干涉 등

(3) 主要機關(第7-32條, 第61-72條, 第86-101條)

總會, 安全保障理事會, 經濟社會理事會, 信託統治理事會, 國際司法裁判所 및 事務局

(4) 紛爭의 平和的 解決(第33-38條)

國際平和와 安全의 維持를 위한 國際的 紛爭의 平和的 解決 原則 및 節次를 規定

(5) 平和에 대한 威脅, 平和의 破壞 및 侵略行爲에 관한 措置 (第39 - 54條)

o 安保理는 上記事態 發生시 暫定措置, 勸告措置, 非軍事的 強制措置, 軍事的 強制措置 可能

o 會員國의 個別的 및 集團的 自衛權 認定, 地域的 協定 및 地域的 機關構成 許容

(6) 經濟 및 社會分野에서의 國際協力(第55 - 60條)

유엔은 經濟·社會分野 國際問題解決, 人權尊重, 生活水準의 向上 및 完全雇傭을 促進함으로써 安定과 福祉를 達成

(7) 信託統治制度(第73 - 85條)

自治能力이 없는 地域에 대한 國際信託統治制度 樹立

(8) 國際司法裁判所(第92 - 96條)

國際司法裁判所規程은 憲章의 不可分의 一部이며, 會員國은 同規程의 當然當事國이 됨.

(9) 條約의 유엔事務局 登錄義務(第102條)

(10) 憲章上의 義務는 他國際協定上의 義務에 優先(第103條)

나. 國際司法裁判所(ICJ) 規程(全文 70條로 構成)

(1) ICJ는 유엔의 主要司法機關(第1條)

(2) 構成 : 9年任期의 15人의 獨立的 裁判官團(第2 - 33條)

(3) 訴訟當事者 : 國家에 限定(第34條)

0174

(4) 管轄權(第34條 - 37條)

o 任意管轄權 : ICJ는 當事國이 裁判所에 回附하는 모든 事件과 유엔憲章 또는 條約이나 協約에서 특별히 規程된 모든 事項에 대하여 管轄權 行使

o 強制管轄權 : ICJ規程 第36條2項(選擇條項) 受諾國에 대하여 管轄權 行使

(5) 裁判準則(第38條)

國際協約, 國際慣習, 法의 一般原則, 司法判決 및 學說, 當事者가 합의하는 경우 衡平과 善

(6) 判決의 效力(第39 - 64條)

o 當事者間 그 特定事件에 한해서 拘束力을 가짐.

o 一審으로 終結되고 上訴를 認定하지 않음을 原則으로 하나 一定한 경우 再審許容

(7) 憲章上 許可된 機關의 要請時 勸告的 意見 提示(第65 - 68條)

4. 加入意義 및 期待效果

지금까지 우리나라는 UN테두리 밖에서 옵서버국으로서의 地位에 머물러 있었으나 UN加入을 통하여 正式會員國이 됨으로써, UN 內 各種會議에서 發言權, 投票權, 決議案提出權 등 모든 權利를 享有하게되고, 安全保障理事會, 經濟社會理事會 등 UN의 主要機關에 理事國으로 進出하는 등 우리의 國益과 關聯되는 重要 國際問題에 대한 能動的인 參與를 통하여 國際的인 地位가 크게 向上 될 것으로 期待되며 南北韓 關係의 正常化와 東北亞 平和定着을 위한 環境이 造成될 것으로 보임.

그 밖에도 國際勞動機構(ILO)등 UN專門機構 加入과 UN事務局 등 各種 UN機關에의 進出機會가 增大될 것임.

5. 綜合意見

가. ICJ選擇條項受諾問題

우리나라가 UN에 加入하면 UN憲章 第93條第1項에 따라 당연히 國際司法裁判所(ICJ) 規程當事國이 됩니다. ICJ規程과 關聯하여 "同一한 義務의 受諾을 宣言한 規程當事國들간에는 特別한 合

0176

意가 없어도 同裁判所의 強制管轄權이 成立된다"는 同規程 第36條 第2項, 이른바 選擇條項受諾問題가 提起됩니다. 위 選擇條項에 대한 受諾與否에 대해서는 그동안 다른 規程當事國들이 보여준 例와 우리의 立場을 충분히 考慮하여 愼重히 決定해야 할 것입니다.

나. ILO 加入問題

ILO, 즉 國際勞動機構는 유엔 16個 專門機構중 우리나라가 加入하지 않은 唯一한 專門機構입니다.

ILO는 아주 重要한 UN專門機構로서 UN會員國인 경우에는 ILO事務總長에게 ILO憲章上의 義務를 受諾한다는 通報(ILO憲章 第1條第3項)만으로 加入이 可能하게 되어 있습니다. 政府는 UN加入後 중요한 UN專門機構인 ILO加入을 積極 檢討하는 것이 좋을 것으로 생각됩니다.

다. 유엔 加入에 따른 分擔金 負擔

유엔 會員國은 유엔 運營經費중 一定比率의 分擔金을 納付할 義務를 지게 되며(憲章 第17條), 우리나라의 推定分擔率은

- 91年 : 유엔 豫算總額의 0.22%

- 92年 - 94年 : 유엔 豫算總額의 0.24%로 豫想되는 바,

이를 金額으로 換算하면('91年 基準),

o 유엔 豫算에 대한 分擔金 : 約 250萬불

o 유엔 平和維持軍 活動經費 分擔金 : 約 70萬불

o ILO加入에 따른 分擔金 : 約 50萬불

o 기타 유엔 活動에 대한 自發的 寄與金 : 約 50萬불 등으로

유엔 加入에 따른 追加分擔金 總額은 約 420萬불로 推定되어, 지금까지 유엔 傘下機構 分擔金 및 유엔에 대한 自發的 寄與金으로 每年 分擔하고 있는 600萬불과 合하여, 向後 每年 約 1,000萬불 정도의 分擔金을 負擔할 것으로 推定됩니다.

라. 유엔 加入후 南·北韓 關係의 改善 努力

南·北韓의 유엔 正會員國 加入을 契機로 南·北關係의 改善이 急進展될 것으로 豫想되며,

이와 關聯하여 유엔 加入후 南·北關係의 改善과 平和的 統一의 成就를 위하여

- 南·北韓間의 領土 管轄權 問題

0178

- 休戰協定을 平和協定으로 代替하는 問題

- 유엔 司의 地位 및 役割 調整 問題

- 南·北韓 關係의 改善 및 北韓의 態度變化가 있을 경우, 現行 國家保安法 關係規定의 改正問題 등이 檢討되어야 할 것으로 思料됩니다.

마. 結 論

앞서 말씀드린 바와 같이 UN加入을 통하여 우리나라는 UN의 責任있는 成員으로서의 役割과 義務를 다함으로써 國際的 地位가 크게 向上될 것이며 특히 南·北韓의 UN加入을 契機로 過去 40餘年間 國際社會에서 持續되어 온 消耗的 對決을 淸算함으로서 韓半島에서의 緊張緩和와 平和維持에 有利한 國際的 環境이 造成케 되어 窮極的으로 平和統一을 促進시킬 것이며 나아가 東北亞細亞의 安定과 世界平和 定着에 寄與하게 될 것으로 생각됩니다.

參考資料

<資料 1>

유엔會員國現況

國　名	加入日字	國　名	加入日字
Afghanistan	1946.11.19	Albania	1955.12.14
Algeria	1962.10. 8	Angola	1976.12. 1
Antigua and Barbuda	1981.11.11	Argentina	1945. 8.24*
Australia	1945.11. 1*	Austria	1955.12.14
Bahamas	1973. 9.18	Bahrain	1971. 9.21
Bangladesh	1974. 9.17	Barbados	1966.12. 9
Belgium	1945.12.27*	Belize	1981. 9.23
Benin	1960. 9.20	Bhutan	1971. 9.21
Bolivia	1945.11.14*	Botswana	1966.10.17
Brazil	1945.10.24*	Brunei Darussalam	1984. 9.21
Bulgaria	1955.12.14	Burkina Faso	1960. 9.20
Burundi	1962. 9.18	Byelorussian Soviet	
Cambodia	1955.12.14	Socialist Rep.	1945.10.24*
Cameroon	1960. 9.20	Canada	1945.11. 9*
Cape Verde	1975. 9.16	Chile	1945.10.24*
Central African Rep.	1960. 9.20	Chad	1960. 9.20
China	1945.10.24*	Colombia	1945.11. 5*
Comoros	1975.11.12	Congo	1960. 9.20

0180

Costa Rica	1945.11. 2*	Cote d'lvoire	1960. 9.20
Cuba	1945.10.24*	Cyprus	1960. 9.20
Czechoslovakia	1945.10.24*	Denmark	1945.10.24*
Djibouti	1977. 9.20	Dominica	1978.12.18
Dominican Rep.	1945.10.24*	Ecuador	1945.12.21*
Egypt	1945.10.24*	El Salvador	1945.10.24*
Equatorial Guinea	1968.11.12	Ethiopia	1945.11.13*
Fiji	1970.10.13	Finland	1955.12.14
France	1945.10.24*	Gabon	1960. 9.20
Gambia	1965. 9.21	Germany	1990.10. 3
Lichtenstein	1990. 9.18	Ghana	1957. 3. 8
Greece	1945.10.25*	Grenada	1974. 9.17
Guatemala	1945.11.21*	Guinea	1958.12.12
Guinea-Bissau	1974. 9.17	Guyana	1966. 9.20
Haiti	1945.10.24*	Honduras	1945.12.17*
Hungary	1955.12.14	Iceland	1946.11.19
India	1945.10.30*	Indonesia	1950. 9.28
Islamic Rep. of Iran	1945.10.24*	Iraq	1945.12.21*
Ireland	1955.12.14	Israel	1949. 5.11
Italy	1955.12.14	Jamaica	1960. 9.20
Japan	1956.12.18	Jordan	1955.12.14
Kenya	1963.12.16	Kuwait	1963. 5.14
Lao People's		Lebanon	1945.10.24*
Democratic Rep.	1955.12.14	Lesotho	1966.10.17

0181

Liberia	1945.11. 2*	Libyan Arab	
Luxembourg	1945.10.24*	Jamahiriya	1955.12.14
Malawi	1964.12. 1	Madagascar	1960. 9.20
Maldives	1965. 9.21	Malaysia	1957. 9.17
Malta	1964.12. 1	Mali	1960. 9.28
Mauritius	1968. 4.24	Mexico	1945.11. 7*
Mongolia	1961.10.27	Mauritania	1961.10.27
Morocco	1956.11.12	Mozambique	1975. 9.16
Myanmar	1948. 4.19	Namibia	1990. 4.23
Nepal	1955.12.14	Netherlands	1945.12.10*
New Zealand	1945.10.24*	Nicaragua	1945.10 24*
Niger	1960. 9.20	Nigeria	1960.10. 7
Norway	1945.11.27*	Oman	1971.10. 7
Pakistan	1947. 9.30	Panama	1945.11.13*
Papua New Guinea	1975.10.10	Paraguay	1945.10.24*
Peru	1945.10.31*	Philippines	1945.10.24*
Poland	1945.10.24*	Portugal	1955.12.14
Qatar	1971. 9.21	Romania	1955.12.14
Rwanda	1962. 9.18	Saint Kitts and Nevis	1983. 9.23
Saint Lucia	1979. 9.12	Saint Vincent and the	
Samoa	1976.12.15	Grenadines	1980. 9.16
Sao Tome and Principe	1975. 9.16	Saudi Arabia	1945.10.24*
Senegal	1960. 9.28	Seychelles	1976. 9.21
Sierra Leone	1961. 9.27	Singapore	1965. 9.21

Solomon Islands	1978. 9.19	Somalia	1960. 9.20
South Africa	1945.11. 7*	Spain	1955.12.14
Sri Lanka	1955.12.14	Sudan	1956.11.12
Suriname	1975.12. 4	Swaziland	1968. 9.24
Sweden	1946.11.19	Syrian Arab Rep.	1945.10.24*
Thailand	1946.12.16	Togo	1960. 9.29
Trinidad and Tobago	1962. 9.18	Tunisia	1956.11.12
Turkey	1945.10.24*	Uganda	1962.10.25
Ukrainian Soviet		Union of Soviet	
Socialist Rep.	1945.10.24*	Socialist Republics	1945.10.24*
United Arab Emirates	1971.12. 9	United Kingdom of	
United Republic of		Great Britain and	
Tanzania	1961.12.14	Northern Ireland	1945.10.24*
United States of		Uruguay	1945.12.18*
America	1945.10.24*	Vanuatu	1981. 9.15
Venezuela	1945.11.15*	Vietnam	1977. 9.20
Yemen	1990. 5.22	Yugoslavia	1945.10.24*
Zaire	1960. 9.20	Zambia	1964.12. 1
Zimbabwe	1980. 8.25		

※ *는 原加盟國

※ 現在 會員國數는 159個國

0183

<資料 2>

韓國의 유엔專門機構 加入現況

一連番號	機　構　名	我國加入	北韓加入
1	世界保健機構(WHO)	1949	1973. 5.
2	유엔食糧農業機構(FAO)	1949	1977.11.
3	萬國郵便聯合(UPI)	1949	1974. 6.
4	유엔敎育·科學·文化機構(UNESCO)	1950	1974.10.
5	國際電氣通信聯合(ITU)	1952	1975. 9.
6	國際民間航空機構(ICAO)	1952	1977. 9.
7	國際通貨基金(IMF)	1955	-
8	國際復興開發銀行(IBRD)	1955	-
9	世界氣象機構(WMO)	1956	1975. 4.
10	國際開發協會(IDA)	1961	-
11	國際海事機構(IMO)	1962	1986. 4.
12	國際金融公社(IFC)	1964	-
13	유엔工業開發機構(UNIDO)	1967	1980. 1.
14	世界知的所有權機構(WIPO)	1979	1974. 8.
15	國際農業開發基金(IFAD)	1978	1986.12.
16	國際勞動機構(ILO)	-	-

※ 總 16個 유엔專門機構중 우리나라는 國際勞動機構(ILO)를 제외한 15個 유엔專門機構에 加入하고 있음.(北韓은 11個 機構에 加入)

0184

<資料 3> 유엔 專門機構 및 傘下機構 勤務 韓國人 現況

1. 유엔專門機構

機 構 名	人員數
유엔食糧農業機構(FAO)	4
國際民間航空機構(ICAO)	2
國際勞動機構(ILO)	3
國際海事機構(IMO)	2
國際電氣通信聯合(ITU)	3
國際原子力機構(IAEA)	6
유엔教育·科學·文化機構(UNESCO)	1
世界保健機構(WHO)	8
世界知的所有權機構(WIPO)	1
萬國郵便聯合(UPI)	1
計	31

2. 유엔傘下機構

機 構 名	人員數
유엔事務局國際經濟局(DIESA)	1
유엔開發計劃(UNDP)	4
유엔環境計劃(UNEP)	2
유엔人口活動基金(UNFPA)	1
유엔兒童基金(UNICEF)	5
國際食糧計劃(WFP)	2
亞·太 經濟社會理事會(ESCAP)	4
亞·太 技術移轉센터(ESCAP/APCTT)	1
計	20

0185

<資料 4>

유엔 會員國의 分擔率

國 名	分擔率	國 名	分擔率
Afghanistan	0.01	Albania	0.01
Algeria	0.15	Angola	0.01
Antigua and Barbuda	0.01	Argentina	0.66
Australia	1.57	Austria	0.74
Bahamas	0.02	Bahrain	0.02
Bangladesh	0.01	Barbados	0.01
Belgium	1.17	Belize	0.01
Benin	0.01	Bhutan	0.01
Bolivia	0.01	Botswana	0.01
Brazil	1.45	Brunei Darussalam	0.04
Bulgaria	0.15	Burkina Faso	0.01
Burundi	0.01	Byelorussian Soviet	
Cambodia	0.01	Socialist Rep.	0.33
Cameroon	0.01	Canada	3.09
Cape Verde	0.01	Central African Rep.	0.01
Chad	0.01	Chile	0.08
China	0.79	Colombia	0.14
Comoros	0.01	Congo	0.01
Costa Rica	0.02	Cote d'Ivoire	0.02
Cuba	0.09	Cyprus	0.02

0186

Czechoslovakia	0.66	Denmark	0.69
Djibouti	0.01	Dominica	0.01
Dominican Rep.	0.03	Ecuador	0.03
Egypt	0.07	El Salvador	0.01
Equatiorial Guinea	0.01	Ethiopia	0.01
Fiji	0.01	Finland	0.51
France	6.25	Gabon	0.03
Gambia	0.01	German D.R.	1.23
Germany, F. R.	8.08	Ghana	0.01
Greece	0.40	Grenada	0.01
Guatemala	0.02	Guinea	0.01
Guinea-Bissau	0.01	Guyana	0.01
Haiti	0.01	Honduras	0.01
Hungary	0.21	Iceland	0.03
India	0.37	Indonesia	0.15
Iran, I. R.	0.69	Iraq	0.12
Ireland	0.18	Israel	0.21
Italy	3.99	Jamaica	0.01
Japan	11.38	Jordan	0.01
Kenya	0.01	Kuwait	0.29
Lao P.D.R.	0.01	Lebanon	0.01
Lesotho	0.01	Liberia	0.01
Libya	0.28	Luxembourg	0.06
Madagascar	0.01	Malawi	0.01

0187

Malaysia	0.11	Maldives	0.01
Mali	0.01	Malta	0.01
Mauritania	0.01	Mauritius	0.01
Mexico	0.94	Mongolia	0.01
Morocco	0.04	Mozambique	0.01
Myanmar	0.01	Nepal	0.01
Netherlands	1.65	New Zealand	0.24
Nicaragua	0.01	Niger	0.01
Nigeria	0.20	Norway	0.55
Oman	0.02	Pakistan	0.06
Panama	0.02	Papua New Guinea	0.01
Paraguay	0.03	Peru	0.06
Philippines	0.09	Poland	0.56
Portugal	0.18	Qatar	0.05
Romania	0.19	Rwanda	0.01
St. Kitts and Nevis	0.01	Saint Lucia	0.01
Saint Vincent	0.01	Samoa	0.01
Sao Tome and Principe	0.01	Saudi Arabia	1.02
Senegal	0.01	Seychelles	0.01
Sierra Leone	0.01	Singapore	0.11
Solomon Islands	0.01	Somalia	0.01
South Africa	0.45	Spain	1.95
Sri Lanka	0.01	Sudan	0.01
Suriname	0.01	Swaziland	0.01

Sweden	1.21	Syrian A. R.	0.04
Thailand	0.10	Togo	0.01
Trinidad and Tobago	0.05	Tunisia	0.03
Turkey	0.32	Uganda	0.01
Ukrainian S.S.R.	1.25	U.S.S.R.	9.99
United Arab Emirates	0.19	United Kingdom	4.86
U.R. of Tanzania	0.01	U.S.A.	25.00
Uruguay	0.04	Vanuatu	0.01
Venezuela	0.57	Vietnam	0.01
Yemen	0.02	Yugoslavia	0.46
Zaire	0.01	Zambia	0.01
Zimbabwe	0.02		

0189

<資料 5>

유엔專門機構韓國分擔金內譯

(91. 6. 현재)

機 構 名	分擔金算定基準	'90執行額	91執行現況	'92豫想額
유엔食量農業機構 (FAO)	UN분담율 × FAO조정계수	$727,840	$723,840 (기집행)	$796,224
유엔教育科學文化機構 (UNESCO)	UN분담율	$625,275	$657,484 (기집행)	$723,200
世界民間航空機構 (ICAO)	국민소득 + 민간항공이해관계	$254,314	$309,912 (집행예정)	$340,903
政府間海事機構 (IMO)	UN분담율 × 등록선박 수	$346,785	$457,220 (기집행)	$502,940
世界保健機構 (WHO)	UN분담율 × WHO조정계수	$652,180	$652,180 (기집행)	$717,400
世界知的所有權機構 (WIPO)	1-7등급(회원국 자신이 결정, 아국 6등급)	$53,706	$55,222 (집행예정)	$59,300
世界氣象機構 (WMO)	UN분담율 × WMO조정계수	$53,980	$73,200 (기집행)	$80,520
유엔工業開發機構 (UNIDO)	UN분담율	$215,609	$215,609 (집행예정)	$215,629
世界勞動機構 (ILO)	UN분담율 × ILO조정계수	0	0	$500,000 (가입시)
國際農業開發基金 (IFAD)	자발적 기여금	0	0	$600,000
유엔工業開發基金 (UNIDF)	"	$35,000	$35,000 (집행예정)	$35,000
UNESCO政府間 情報學計劃(IIP)	"	$200,000	$200,000 (집행예정)	$200,000
UNESCO커뮤니케이션開發計劃(IPDC)信託基金	"	0	0	$100,000
UNESCO世宗大王賞基金	상금 90,000 + 행정비용 $5,000	$35,000	$35,000 (기집행)	$35,000
計		$3,166,689	$3,414,659	$4,906,116

※ 分擔金 總額(90년도에 약 320만불, 92년도 약 490만불 예상)
- 義務的 분담금 : 15개 유엔 專門機構에 납부
- 自發的 기여금 : UNESCO 및 UNIDO에 납부

0190

<資料 6> 北韓外交部유엔加入意思表明聲明要旨('91. 5.27)

o 南韓當局者들은 유엔單獨加入을 強行하려 함으로서 유엔 舞臺를 통하여 하나의 朝鮮을 둘로 갈라놓는 責任을 영원히 면할 수 없게 되었음.

o 南韓이 기어이 單獨으로 加入하겠다고 하는 條件에서 이것을 放任해둔다면 유엔舞臺에서 全體 民族의 利益과 관련된 重大한 問題들이 偏見的으로 論議될 수 있음.

o 우리는 南韓當局者들에 의하여 造成된 이러한 一時的 難局을 打開하기 위한 措置로서 現段階에서 유엔에 加入하는 길을 擇하지 않을 수 없게 되었음.

o 우리는 유엔憲章을 始終一貫 支持하여 온 立場으로부터 出發하여 해당한 節次에 따라 유엔事務總長에게 正式으로 유엔加入 申請書를 提出할 것임.

o 南과 北이 유엔에 따로 들어가게 되는 오늘의 事態는 固着되지 말아야 하며 우리는 유엔에서 南과 北이 하나의 國號를 가지고 하나의 議席을 차지하게 되기를 기대함.

0191

<資料 7> 東·西獨間 基本關係에 관한 條約(72.11. 6 合意, 72.12.21調印)

獨逸聯邦共和國(이하 西獨)과 獨逸民主共和國(이하 東獨)은 兩者關係에 기초에 대하여

平和維持에 대한 책임에 유념하고, 유럽에 있어서 緊張緩和와 安全保障에 기여하려는 노력을 경주하며,

現 國境內에서 유럽 모든 國家의 國境 不可侵 및 領土保存과 主權에 대한 尊重이 平和를 위한 基本 條件임을 인식하고,

따라서 兩獨逸은 그들 關係에 있어서 歷史的 事實에 기초를 두고, 또한 兩獨間 民族問題를 포함한 根本的인 諸問題에 관한 상이한 견해에도 불구하고 武力의 威脅이나 使用을 포기해야 한다는 인식에서

兩獨逸 國民의 福祉를 위한 兩獨間 協力作業의 前提條件을 마련할 것을 희망하면서

다음과 같이 合意한다.

第1條

西獨과 東獨은 平等의 基礎위에서 상호 정상적인 선린관계를 발전시킨다.

第2條

西獨과 東獨은 UN憲章에 規定된 諸目的과 原則, 특히 모든 國家의 主權平等, 獨立·自立 및 領土保全의 尊重, 自決權, 人權의 保護 및 無差別 등의 諸目的과 原則을 遵守한다.

第3條

UN憲章에 따라 西獨과 東獨은 兩國間의 紛爭을 平和的 方法에 의하여서만 解決토록 하고, 武力에 의한 威脅이나 使用을 抑制한다. 兩國은 現在와 將來에 있어서 兩國間 現存하는 경계선의 不可侵을 保障하며 兩國의 領土保全을 무조건 尊重할 義務를 진다.

第4條

西獨과 東獨은 兩國의 어느 편도 다른 편을 國際的으로 代表하거나 다른 편의 이름을 사용하여 行動할 수 없다는 立場을 취한다.

0193

第5條

西獨과 東獨은 歐洲 諸國間의 平和的 關係를 增進하고 유럽의 安全과 協力에 기여하기로 한다.

兩國은 參與 國家의 安全에 不利益을 주지않는 가운데 유럽에 있어서의 兵力과 軍備를 縮小하는 努力을 지지한다.

西獨과 東獨은 유효한 國際的 統制下에 전반적이고 완전한 軍備縮小를 目標로 軍備制限과 軍備縮小, 특히 핵무기와 대량 학살무기 분야에 있어서 國際安保의 활발한 國際的 統制에 기여하는 努力을 支援하기로 한다.

第6條

西獨과 東獨은 兩國 각자의 主權이 각자의 領土에 限定된다는 原則에 입각한다.

兩國은 兩國의 對內外 問題에 있어서 各國의 獨立과 自衛性을 尊重한다.

第7條

0194

西獨과 東獨은 兩國의 關係를 正常化하는 과정에 있어서 實際的·人道主義的 諸問題를 規定할 용의가 있음을 선언하다.

兩國은 이 條約을 기초로 하여, 또한 兩國의 공동된 利益을 위하여 經濟·科學·技術·交通·司法·訴訟節次·郵便·通信·電話·保健·文化·스포츠·環境保護에 관한 分野 및 其他分野에 있어서 協調 關係를 開發·增進시키기 위하여 協定을 체결하기로 한다.

그 具體的인 內容은 附屬議定書에 規定되어 있다.

第8條

西獨과 東獨은 常駐代表部를 交換하기로 한다. 常駐代表部는 상대방 政府 所在地에 設置한다. 同 代表部 設置에 關係되는 具體的인 問題는 別途로 規定하기로 한다.

第9條

西獨과 東獨은 이 條約이 兩國에 의해 이미 체결되었거나 兩國에 關係되는 兩者 또는 多者間의 國際條約이나 協定에는 영향을 미치지 않는다는데 合意한다.

0195

第10條

이 條約은 批准을 요하며 이에 관한 覺書를 交換한 날로부터 發效한다.

이상의 證據로서 兩締約國의 全權代表는 이 條約에 署名한다.

1972年 12月 21日 베를린에서 獨逸語로 두개의 原本을 作成하였음.

獨逸聯邦共和國側

에곤 바르

獨逸民主共和國側

미카엘 코올

- 27 -

0196

〈資料 8〉 유엔 安保理 北韓 糾彈 決議文 (1950. 6. 27)

The Security Council,

Having determined that the armed attack upon the Republic of Korea by forces from North Korea constitutes a breach of the peace,

Having called for an immediate cessation of hostilities,

Having called upon the authorities in North Korea to withdraw forthwith their armed forces to the 38th parallel,

Having noted from the report of the United Nations Commission on Korea that the authorities in North Korea have neither ceased hostilities nor withdrawn their armed forces to the 38th parallel, and that urgent military measures are required to restore international peace and security,

Having noted the appeal from the Republic of Korea to the United Nations for immediate and effective steps to secure peace and security

Recommends that the Members of the United Nations furnish such assistance to the Republic of Korea as may be necessary to repel the armed attack and to restore international peace and security in the area.

0197

〈資料 9〉 유엔 安保理 유엔司設置 決議文(1950. 7. 7)

The Security Councll,

Having determined that the armed attack upon the Republic of Korea by forces from North Korea constitutes a breach of the peace,

Having recommended that Members of the United Nations furnish such assistance to the Republic of Korea as may be necessary to repel the armed attack and to restore international peace and sccurity in the area

1. Welcomes the prompt and vigorous support which Governments and peoples of the United Nations have given to its resolutions 82(1950) and 83(1950) of 25 and 27 June 1950 to assist the Republic of Korea in defending itself against armed attack and thus to restore international peace and security in the area;

2. Notes that Members of the United Nations have transmitted to the United Nations offers of assistance for the Republic of Korea;

3. Recommends that all Members providing mlilitary forces and other assistance pursuant to the aforesaid Security Council resolutions make such forces and other assistance available to a unified command under the United States of America;

- 29 -

0198

4. Requests the United States to designate the commander of such forces;

5. Authorizes the unified command at its discretion to use the United Nations flag in the course of operations against North Korean forces concurrently with the flags of the various nations participating;

6. Requests the United States to provide the Security Council with reports as appropriate on the course of action taken under the unified command.

0199

<資料 10>

유 엔 機 構 表

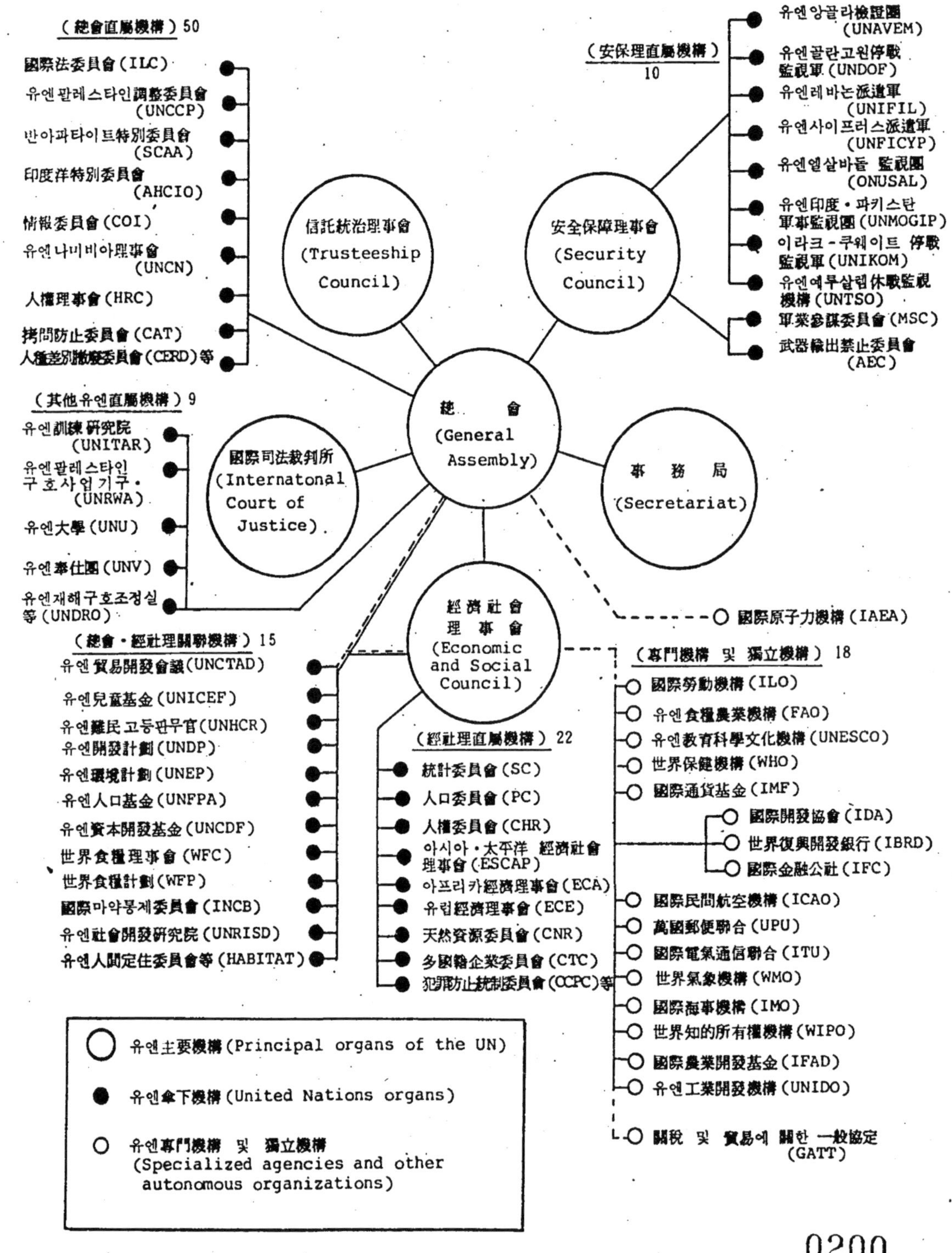

(總會直屬機構) 50
國際法委員會(ILC)
유엔팔레스타인調整委員會 (UNCCP)
반아파타이트特別委員會 (SCAA)
印度洋特別委員會 (AHCIO)
情報委員會(COI)
유엔나미비아理事會 (UNCN)
人權理事會(HRC)
拷問防止委員會(CAT)
人種差別撤廢委員會(CERD)等
(其他유엔直屬機構) 9
유엔訓練研究院 (UNITAR)
유엔팔레스타인 구호사업기구 (UNRWA)
유엔大學(UNU)
유엔奉仕團(UNV)
유엔재해구호조정실 等(UNDRO)
信託統治理事會 (Trusteeship Council)
安全保障理事會 (Security Council)
(安保理直屬機構) 10
유엔앙골라檢證團 (UNAVEM)
유엔골란고원停戰監視軍 (UNDOF)
유엔레바논派遣軍 (UNIFIL)
유엔사이프러스派遣軍 (UNFICYP)
유엔엘살바돌 監視團 (ONUSAL)
유엔印度・파키스탄 軍事監視團(UNMOGIP)
이라크-쿠웨이트 停戰監視軍(UNIKOM)
유엔예루살렘休戰監視機構(UNTSO)
軍事參謀委員會(MSC)
武器輸出禁止委員會 (AEC)
總 會 (General Assembly)
國際司法裁判所 (Internatonal Court of Justice)
事 務 局 (Secretariat)
經濟社會理事會 (Economic and Social Council)
國際原子力機構(IAEA)
(總會・經社理關聯機構) 15
유엔貿易開發會議(UNCTAD)
유엔兒童基金(UNICEF)
유엔難民고등판무관(UNHCR)
유엔開發計劃(UNDP)
유엔環境計劃(UNEP)
유엔人口基金(UNFPA)
유엔資本開發基金(UNCDF)
世界食糧理事會(WFC)
世界食糧計劃(WFP)
國際마약통제委員會(INCB)
유엔社會開發研究院(UNRISD)
유엔人間定住委員會等(HABITAT)
(經社理直屬機構) 22
統計委員會(SC)
人口委員會(PC)
人權委員會(CHR)
아시아・太平洋 經濟社會理事會(ESCAP)
아프리카經濟理事會(ECA)
유럽經濟理事會(ECE)
天然資源委員會(CNR)
多國籍企業委員會(CTC)
犯罪防止統制委員會(CCPC)等
(專門機構 및 獨立機構) 18
國際勞動機構(ILO)
유엔食糧農業機構(FAO)
유엔教育科學文化機構(UNESCO)
世界保健機構(WHO)
國際通貨基金(IMF)
國際開發協會(IDA)
世界復興開發銀行(IBRD)
國際金融公社(IFC)
國際民間航空機構(ICAO)
萬國郵便聯合(UPU)
國際電氣通信聯合(ITU)
世界氣象機構(WMO)
國際海事機構(IMO)
世界知的所有權機構(WIPO)
國際農業開發基金(IFAD)
유엔工業開發機構(UNIDO)
關稅 및 貿易에 關한 一般協定 (GATT)
유엔主要機構(Principal organs of the UN)
유엔傘下機構(United Nations organs)
유엔專門機構 및 獨立機構 (Specialized agencies and other autonomous organizations)

0200

- 31 -

國際聯合憲章受諾同意案

審 査 報 告 書

1991. 7. 13.
外務統一委員會

1. 審査經過

가. 提案日字 및 提案者 : 1991年 6月 26日

政府提出

나. 回附日字 : 1991年 6月 27日

다. 上程日字 : 第155回國會(臨時會)

第1次委員會(1991. 7.11)

上程 · 質疑 · 議決

2. 提案說明의 要旨

(提案說明者 : 外務部長官 李 相 玉)

가. 提案理由

우리나라의 國際聯合加入 推進에 따라 그 加入要件중의 하나인

國際聯合憲章의 義務를 受諾하기 위하여 國際聯合憲章과 同憲章의 一部를 構成하는 國際司法裁判所規程에 대한 國會의 受諾同意를 얻고자 함.

國際聯合加入을 통하여 國際社會의 責任있는 成員으로서의 正當한 役割과 義務를 다하고자 하며 國際聯合의 目的과 原則을 尊重하는 가운데 全世界의 모든 國家와 交流와 協力을 增進시키고 이를 토대로 韓半島를 包含한 東北亞地域과 나아가 世界의 平和와 繁榮에 이바지하고자 함.

나. 主要骨子

(1) 國際聯合憲章(前文 및 本文 111個條)

o 國際聯合은 國際平和와 安全의 維持, 各國間 友好關係의 促進, 人權 및 基本的 自由의 尊重, 國際的 協力 및 國家間 活動을 調和시키는 中心으로서의 役割을 그 目的으로 함.(前文 및 第1條)

o 國際聯合은 主權平等, 會員國의 憲章上 義務의 誠實한 履行, 國際紛爭의 平和的 解決, 領土保全 또는 政治的 獨立의 尊重

0202

및 武力 不使用, 國際聯合措置에 대한 會員國의 援助 및 措置 對象國에 대한 援助삼가義務, 國內管轄權 事項에 대한 不干涉등을 그 行動原則으로 함.(第2條)

o 國際聯合은 原會員國(51個國) 및 新會員國으로 構成되며, 新會員國의 경우 憲章상 義務의 受諾, 憲章상 義務의 遵守意思와 能力의 保有 및 平和愛好國일 것을 그 加入要件으로 規定하고, 그 加入承認은 安全保障理事會의 勸告에 따라 總會가 決定함. (第3條 - 第6條)

o 國際聯合은 主要機關으로 總會, 安全保障理事會, 經濟社會理事會, 信託統治理事會, 國際司法裁判所 및 事務局을 設置함. (第7條 - 第32條, 第61條 - 第72條, 第86條 - 第101條)

o 國際平和와 安全을 維持하기 위한 目的을 達成하기 위하여 國際的 紛爭의 平和的 解決原則 및 節次를 規定함.(第33條 - 第38條)

o 平和에 대한 威脅, 平和의 破壞 및 侵略行爲등이 發生한 경우 國際聯合은 이를 防止 또는 鎭壓하기 위한 措置를 취함.

(第39條 - 第54條)

o 地域的 協定을 맺고 地域的 機構를 構成함으로써 紛爭의 平和的 解決을 圖謀함.(第52條 - 第54條)

o 國際聯合은 經濟, 社會分野등에서의 國際的 問題의 解決, 人權 및 自由의 尊重 그리고 生活水準의 向上 및 完全雇傭등을 促進함으로써 安定과 福祉를 達成하고 이를 통하여 그 主要目的의 하나인 國際的 協力을 圖謀하도록 함.(第55條 - 第60條)

o 住民이 安全한 自治를 행할 수 없는 地域을 위하여 國際信託統治制度를 樹立함.(第73條 - 第85條)

o 國際司法裁判所規程은 憲章의 不可分의 一部를 構成하며, 會員國은 同規程의 當然當事國으로 同裁判所의 決定을 遵守할 義務를 짐.(第92條 - 第96條)

o 會員國은 모든 條約과 國際協定을 事務局에 登錄함.(第102條)

o 憲章상의 義務와 他 國際協定상의 義務가 相衝하는 경우 憲章상 義務가 優先함.(第103條)

(2) 國際司法裁判所規程(全文 70條)

0204

o 國際司法裁判所는 國際聯合의 主要한 司法機關임.(第1條)

o 裁判所는 9年 任期의 15人의 獨立的 裁判官團으로 構成됨. (第2條 - 第33條)

o 國家만이 訴訟의 當事者가 될 수 있음.(第34條)

o 裁判所는 當事國이 回附한 모든 事件 또는 條約이나 協定에 規定된 모든 事項에 管轄權을 가지며, 또한 裁判所는 同規程 第36條第2項을 受諾한 當事國間에 強制管轄權을 가짐.(第34條 - 第37條)

o 國際協約, 國際慣習, 法의 一般原則, 司法判決 및 學說, 當事者가 合意하는 경우 衡平과 善을 裁判所의 裁判準則으로 함. (第38條)

o 裁判所의 判決은 最終的이며, 一定한 경우에 한하여 再審이 許容됨.(第39條 - 第64條)

o 國際聯合憲章에 의하여 許可된 機關이 要請할 경우, 裁判所는 法律問題에 관하여 勸告的 意見을 提示함.(第65條 - 第68條)

3. 專門委員 檢討報告의 要旨

(專門委員 : 安 重 基)

가. 加入推進經緯

우리나라는 政府樹立 이후 유엔加入을 위해 꾸준히 努力해 왔으나 계속 挫折되어 오다가 最近에 와서 政府의 적극적인 北方外交推進과 東西和解潮流에 따른 韓·蘇外交關係樹立, 韓·中貿易代表部設置등으로 우리나라의 유엔加入實現에 有利한 國際的 與件이 造成되어 今年 가을 第45次 유엔總會에 正式으로 加入될 것으로 展望되며 특히 北韓이 7月 8日 유엔加入申請書를 提出함으로써 南北韓의 유엔同時加入이 實現될 것으로 豫想됨.

나. 유엔加入要件 및 節次

(1) 加入要件

平和愛好國으로서 憲章上의 義務를 受諾하고 이를 遵守할 意思와 能力을 가져야 함.

(2) 加入節次

o 安全保障理事會의 勸告에 따라 總會가 決定함.

0206

o 유엔事務總長에게 加入申請書와 함께 유엔憲章上의 義務를 受諾한다는 內容의 宣言書를 提出해야 함.

o 憲法 第89條에 따라 國務會議審議를 거쳐야 하며 憲法 第60條1項에 따라 國會의 憲章受諾同意가 必要함.

다. 유엔憲章 및 國際司法裁判所規程의 主要內容

(1) 유엔憲章(前文 및 111個條로 構成)

o 目的(前文 및 第1條)

國際平和와 安全의 維持, 各國間 友好關係의 促進, 人權 및 基本的 自由의 尊重, 國際協力의 중심으로서의 役割遂行 등

o 行動原則(第2條)

主權平等, 憲章義務의 성실한 履行, 國際紛爭의 平和的解決, 領土保全 및 武力不使用, 유엔의 措置에 대한 會員國의 援助, 國內管轄權事項에 대한 不干涉 등

o 主要機關(第7-32條, 第61-72條, 第86-101條)

總會, 安全保障理事會, 經濟社會理事會, 信託統治理事會, 國際司法裁判所 및 事務局

o 紛爭의 平和的 解決(第33-38條)

國際平和와 安全의 維持를 위한 國際的 紛爭의 平和的 解決原則 및 節次를 規定

o 平和에 대한 威脅, 平和의 破壞 및 侵略行爲에 관한 措置(第39 - 54條)

- 安保理는 上記事態 發生시 暫定措置, 勸告措置, 非軍事的 強制措置, 軍事的 強制措置 可能

- 會員國의 個別的 및 集團的 自衛權 認定, 地域的 協定 및 地域的 機關構成 許容

o 經濟 및 社會分野에서의 國際協力(第55 - 60條)

유엔은 經濟·社會分野 國際問題解決, 人權尊重, 生活水準의 向上 및 完全雇傭을 促進함으로써 安定과 福祉를 達成

o 信託統治制度(第73 - 85條)

自治能力이 없는 地域에 대한 國際信託統治制度 樹立

o 國際司法裁判所(第92 - 96條)

國際司法裁判所規程은 憲章의 不可分의 一部이며, 會員國은 同

0208

規程의 當然當事國이 됨.

o 條約의 유엔事務局 登錄義務(第102條)

o 憲章上의 義務는 他國際協定上의 義務에 優先(第103條)

(2) 國際司法裁判所(ICJ) 規程(全文 70條로 構成)

o ICJ는 유엔의 主要司法機關(第1條)

o 構成 : 9年任期의 15人의 獨立的 裁判官團(第2 - 33條)

o 訴訟當事者 : 國家에 限定(第34條)

o 管轄權(第34條 - 37條)

- 任意管轄權 : ICJ는 當事國이 裁判所에 回附하는 모든 事件과 유엔憲章 또는 條約이나 協約에서 특별히 規程된 모든 事項에 대하여 管轄權 行使

- 強制管轄權 : ICJ規程 第36條2項(選擇條項) 受諾國에 대하여 管轄權 行使

o 裁判準則(第38條)

國際協約, 國際慣習, 法의 一般原則, 司法判決 및 學說, 當事者가 합의하는 경우 衡平과 善

160 9

0209

o 判決의 效力(第39 - 64條)

- 當事者間 그 特定事件에 한해서 拘束力을 가지며 一審으로 終結되고 上訴를 認定하지 않음을 原則으로 하나 一定한 경우 再審許容

o 憲章上 許可된 機關의 要請時 勸告的 意見 提示(第65 - 68條)

라. 加入意義 및 期待效果

지금까지 우리나라는 UN테두리 밖에서 옵서버국으로서의 地位에 머물러 있었으나 UN加入을 통하여 正會員國이 됨으로써, UN內 各種會議에서 發言權, 投票權, 決議案提出權 등 모든 權利를 享有하게되고, 安全保障理事會, 經濟社會理事會 등 UN의 主要機關에 理事國으로 進出하는 등 우리의 國益과 關聯되는 重要 國際問題에 대한 能動的인 參與를 통하여 國際的인 地位가 크게 向上될 것으로 期待되며 南北韓 關係의 正常化와 東北亞 平和定着을 위한 環境이 造成될 것으로 보임.

그 밖에도 國際勞動機構(ILO)등 UN專門機構 加入과 UN事務局 등 各種 UN機關에의 進出機會가 增大될 것임.

0210

마. 綜合意見

(1) ICJ選擇條項受諾問題

우리나라가 UN에 加入하면 UN憲章 第93條第1項에 따라 당연히 國際司法裁判所(ICJ) 規程當事國이 됨. ICJ規程과 關聯하여 "同一한 義務의 受諾을 宣言한 規程當事國들간에는 特別한 合意가 없어도 同裁判所의 强制管轄權이 成立된다"는 同規程 第36條第2項, 이른바 選擇條項受諾問題가 提起됨. 위 選擇條項에 대한 受諾與否에 대해서는 그동안 다른 規程當事國들이 보여준 例와 우리의 立場을 충분히 考慮하여 愼重히 決定해야 할 것임.

(2) ILO 加入問題

ILO, 즉 國際勞動機構는 유엔 16個 專門機構중 우리나라가 加入하지 않은 唯一한 專門機構임. ILO는 아주 重要한 UN專門機構로서 UN會員國인 경우에는 ILO事務總長에게 ILO憲章上의 義務를 受諾한다는 通報(ILO憲章 第1條第3項)만으로 加入이 可能하게 되어 있음. 政府는 UN加入後 중요한 UN專門機構인

ILO加入을 積極 檢討하는 것이 좋을 것으로 생각됨.

(3) 유엔 加入에 따른 分擔金 負擔

유엔 會員國은 유엔 運營經費중 一定比率의 分擔金을 納付할 義務를 지게 되며(憲章 第17條), 우리나라의 推定分擔率은

- 91年 : 유엔 豫算總額의 0.22%

- 92年 - 94年 : 유엔 豫算總額의 0.24%로 豫想되는 바,

이를 金額으로 換算하면('91年 基準),

o 유엔 豫算에 대한 分擔金 : 約 250萬불

o 유엔 平和維持軍 活動經費 分擔金 : 約 70萬불

o ILO加入에 따른 分擔金 : 約 50萬불

o 기타 유엔 活動에 대한 自發的 寄與金 : 約 50萬불 등으로

유엔 加入에 따른 追加分擔金 總額은 約 420萬불로 推定되어, 지금까지 유엔 傘下機構 分擔金 및 유엔에 대한 自發的 寄與金으로 每年 分擔하고 있는 600萬불과 合하여, 向後 每年 約 1,000萬불 정도의 分擔金을 負擔할 것으로 推定됨.

(4) 유엔 加入후 南·北韓 關係의 改善 努力

0212

南·北韓의 유엔 正會員國 加入을 契機로 南·北關係의 改善이 急進展될 것으로 豫想되며,

이와 關聯하여 유엔 加入후 南·北關係의 改善과 平和的 統一의 成就를 위하여

- 南·北韓間의 領土 管轄權 問題
- 休戰協定을 平和協定으로 代替하는 問題
- 유엔 司의 地位 및 役割 調整 問題
- 南·北韓 關係의 改善 및 北韓의 態度變化가 있을 경우, 現行 國家保安法 關係規定의 改正問題 등이 檢討되어야 할 것으로 思料됨.

(5) 結 論

앞서 말씀드린 바와 같이 UN加入을 통하여 우리나라는 UN의 責任있는 成員으로서의 役割과 義務를 다함으로써 國際的 地位가 크게 向上될 것이며 특히 南·北韓의 UN加入을 契機로 過去 40餘年間 國際社會에서 持續되어 온 消耗的 對決을 淸算함으로서 韓半島에서의 緊張緩和와 平和維持에 有利한 國際的 環

境이 造成케 되어 窮極的으로 平和統一을 促進시킬 것이며 나아가 東北亞細亞의 安定과 世界平和 定着에 寄與하게 될 것으로 생각됨.

4. 質疑 및 答辯 要旨

質 疑 要 旨	答 辯 要 旨
o 北韓이 유엔에 加入하면 1950. 6 27 유엔安保理北韓糾彈決議文의 效力은 어떻게 되는가?	o 過去의 決議를 變更하거나 修正하지 않는 것이 지금까지의 유엔 慣行임.
o 休戰協定의 當事者가 아닌 우리나라가 平和協定의 當事者가 될 수 있는가?	o 비록 休戰協定에 署名을 하지 않았지만 休戰協定의 實質的인 當事者는 韓國이므로 당연히 平和協定의 當事者가 됨.
o 南北韓이 유엔에 加入하면 유엔司의 地位는 어떻게 되는가?	o 유엔司令官이 休戰協定에 署名했기 때문에 休戰協定이 平和協定으로 代替될 때까지 유엔司는 存續되야 함.
o 韓國이 지금까지 ILO에 加入 못한 理由는?	o ILO에 加入못한 理由는 勞動關係法上 問題가 있어서가 아니라 유엔非會員國이 ILO에 加入하는 節次의 複雜性 때문에 보류된 것임. 우리가 유엔 會員國이 되면 ILO 憲章受諾通報만으로 ILO에 加入할 수

0214

	있으므로 今年 定期國會에 ILO憲章 受諾同意案을 提出할 수 있도록 노력하겠음.
o 北韓과 軍縮協商을 할 用意는 없는가?	o 軍備縮小는 바람직한 일이나 그에 앞서 相互間에 政治·軍事的 信賴構築裝置가 마련되야 함.

5. 討論要旨

없 음

6. 審査結果

「原案同意」

- 15 -

156

0215

第155回國會 國會本會議會議錄 第 6 號

大韓民國國會事務處

1991年7月13日(土) 午前10時

議事日程(第6次本會議)

1. 국제연합헌장수락동의안
2. 1991年度第2回追加更正豫算案에대한政府의施政演說
3. 豫算決算特別委員會構成決議案

附議된案件

(10時 開議)

○議長 朴浚圭 議席을 정돈해 주시기 바랍니다.

第6次 本會議를 開議하겠습니다.

오늘 報告事項은 會議錄에 게재하는 것으로 양해해 주시기 바랍니다.

---

1. 국제연합헌장수락동의안

○議長 朴浚圭 議事日程 第1項 국제연합헌장수락동의안을 上程합니다.

外務統一委員會의 慶北 金泉·金陵 出身 朴定洙 議員 나오셔서 審査報告를 해주시기 바랍니다.

○外務統一委員長 朴定洙 外務統一委員長 朴定洙입니다.

존경하는 議長, 그리고 先輩·同僚議員 여러분!

저는 우리 議政史上 歷史的인 紀念이 될 매우 중요하고 의의있는 유엔加入을 위한 국제연합헌장수락동의안에 대한 外務統一委員會의 심사결과를 보고드리게 된 것을 무한한 영광으로 생각합니다.

1948年 政府樹立 이래 유엔加入을 위해 다섯 차례의 單獨加入申請과 美國 등 友邦國의 세 차례에 걸친 加入決議案 提出 등 꾸준히 노력해 왔으나 그 동안 東·西冷戰體制下에서 蘇聯의 拒否權行使로 번번히 좌절되었습니다.

그러다가 최근에 와서 東·西冷戰의 和解潮流와 우리 北方外交의 결실에 따른 韓·蘇間의 外交關係 樹立과 韓·中 貿易代表部設置 등으로 우리나라의 유엔加入 實現에 유리한 국제환경이 조성되어 마침 금년 가을에 개최될 第45次 유엔總會에서 建國 이후 근 반세기에 걸쳐 염원해 오던 유엔加入 實現이 목전에 달하게 된 것입니다.

또한 그 동안 單一議席만을 고집해 오던 北韓이 그 태도를 바꾸어 지난 5月27日 外交部 聲明을 통해 유엔加入意思를 표명하고 이어서 7月8日 유엔加入申請書를 제출함으로써 南·北韓유엔同時加入이 실현될 획기적인 전기를 맞이하게 된 것입니다.

議員 여러분!

이번에 우리나라가 유엔에 가입하게 되면 아시다시피 유엔內 各種 會議에서 發言權, 投票權, 決議案提出權 등 모든 권리를 享有하게 될 뿐만 아니라 安全保障理事會, 經濟社會理事會 등 유엔의 主要機關에서 理事國에 진출하는 등 우리의 國益과 관련되는 重要國際問題에 대한 능동적인 참여로 國際的 지위가 크게 향상될 것으로 기대됩니다.

특히 南·北韓의 유엔加入을 계기로 과거

0216

40餘年間 國際社會에서 지속된 소모적 대결이 청산되고 유엔에서 共存共榮의 토대위에 상호 交流와 協力이 가능케 되어 南·北韓의 平和統一을 촉진시키게 될 것이며 나아가 東北亞細亞의 安定과 世界平和定着에 기여할 것으로 기대됩니다.

그 밖에도 國際勞動機構 등 專門機構 加入이 가능하게 됩니다.

本 同意案은 지난 6月26日 政府로부터 제출되어 6月27日 當 委員會에 回附되어 왔으며 7月11日 第1次 委員會에 上程하여 政府側의 提案說明과 專門委員의 檢討報告를 들은 다음 委員會에서 진지하게 審査한 결과 與野 滿場一致로 贊成 可決하여 오늘 本會議에 審査報告를 드리게 된 것입니다.

이 자리에서는 이 同意案 內容에 대한 설명을 생략하고자 하며 상세한 내용은 배부해 드린 審査報告書를 참고해 주시기 바랍니다.

존경하는 議員 여러분!

本 同意案을 滿場一致의 贊成으로 可決하여 주실 것을 당부드리면서 本 同意案의 審査報告를 마치겠습니다.

감사합니다.

…………………………………………………………

(參 照)

국제연합헌장수락동의안 審査報告書

(外務統一委員會)

국제연합헌장수락동의안

(政 府)

(이상 2件 附錄에 실음)

…………………………………………………………

○議長 朴浚圭 다음은 국제연합헌장수락동의안에 대한 發言이 있겠습니다.

發言은 各 交涉團體間의 협의에 의하여 交涉團體를 대표하여 1人씩 하기로 運營委員會에서 決定을 하였습니다.

그러면 먼저 民主自由黨의 代表最高委員이신 金泳三 議員으로부터 發言이 있겠습니다.

존경하는 金泳三 議員 나오셔서 發言해 주시기 바랍니다.

○金泳三議員 존경하는 國會議長, 그리고 同僚議員 여러분!

國務總理를 비롯한 國務委員 여러분!

오늘날 한반도를 둘러싼 國際情勢의 흐름은 우리 모두의 꿈인 民族의 統一을 재촉하는 방향으로 유리하게 전개되고 있습니다.

이처럼 중대한 民族史의 轉換期에 우리는 國家發展과 민족의 平和的 統一에 있어 큰 획을 긋는 중요한 案件을 처리하기 위하여 이 자리에 모였습니다.

저는 평생동안 政治를 해온 사람으로서 국제연합헌장수락동의안의 표결을 앞두고 民主自由黨을 대표하여 이 同意案을 지지하는 연설을 하게된 것을 국민과 함께 매우 기쁘고 영광스럽게 생각합니다.

지금 우리는 유엔加入이라는 우리 모두의 간절한 소망이 성취되려는 순간을 맞이하고 있습니다. 우리는 지금 統一로 가는 중대한 轉換期를 또한 맞고 있습니다.

지난 40년간 民族發展을 가로막았던 족쇄가 풀리고 이제 主權國家로서의 大韓民國도 정당한 권리를 행사할 수 있는 길이 이제 열리고 있습니다.

이제 우리는 유엔이라는 國際舞臺에 나서서 당당하게 世界의 平和와 繁榮을 위해 기여할 수 있는 여건이 마련되고 있습니다.

돌이켜보건대 우리 大韓民國은 유엔과 매우 밀접하면서도 특수한 관계를 맺어 왔습니다.

유엔은 大韓民國 建國의 산파였으며, 新生大韓民國을 신속히 승인함으로써 우리를 國際社會에 당당히 등장시켜 주었습니다.

6·25戰爭중에는 유엔군을 파견하여 우리를 지켜 주었으며 그 후에도 유엔의 깃발아래 韓半島의 安全을 유지시키는 데 이바지하였던 사실이 그것을 입증하고 있는 것입니다.

여기서 저는 大韓民國이 유엔과의 유대를 성사시키고 강화시키는 데 많은 노력을 기울여왔던 先輩 指導者들의 발자취를 회상하면서 그 분들에게 감사를 드립니다.

同僚議員 여러분!

우리나라는 세계 어느 나라에도 결코 뒤지지 않는 당당한 主權國家이며, 우리 민족은 세계 어느 민족에게도 모자람이 없는 훌륭한 민족이기도 합니다.

우리는 세계 15位의 國民總生産 규모와 세계 12位의 交易量을 가진 나라이며, 2차대전 후 독립한 나라로서는 처음으로 올림

퍼올 훌륭히 치른 나라이기도 합니다.

南韓의 인구가 4千萬이고 北韓과 海外에 흩어져 있는 모든 동포를 합친다면 7千萬이 넘는 큰 민족이기도 합니다.

우리 大韓民國은 國際聯合憲章에 규정된 모든 義務를 수행할 意思와 能力을 갖춘 平和를 사랑하는 國家로서 이미 오래전부터 유엔 會員國의 자격을 충분하게 갖추고 있었습니다. 뿐만 아니라 최근 國力의 신장에 따라 국제사회로부터 더욱 적극적인 역할과 기여를 요청받고 있었습니다.

이러한 우리 민족이 그리고 우리나라가 세계의 모든 주권국가들이 普遍性의 原則에 의해서 당연히 누리고 있는 權利를 박탈당한 채, 불필요한 消耗戰으로 민족의 역량을 낭비하고 불이익을 당해 왔던 것이 사실입니다.

우리는 충분한 자격을 갖추었음에도 불구하고 안타깝게도 國際社會의 당당한 구성원으로서의 역할을 수행하지 못하게 되었던 것입니다.

同僚議員 여러분!

東西和合의 場을 마련하였던 서울올림픽의 개최를 앞두고 盧泰愚 大統領이 발표한 民族自尊과 統一繁榮을 위한 特別宣言, 즉 7·7宣言은 우리의 北方統一政策의 큰 방향을 제시하였습니다.

社會主義 體制의 몰락에 이은 동유럽 국가들과의 修交, 蘇聯과의 國交樹立, 걸프戰 이후 新國際秩序의 형성속에서 추진되어 온 유엔가입정책은 세계사의 흐름의 中心部로 우리가 진입해 있다는 것과, 우리가 올바른 座標를 설정하였다는 것을 말해주는 것입니다.

무엇보다도 北方政策의 가장 큰 성과는 蘇聯과의 關係正常化였습니다.

昨年 6月5日 양국 대통령의 역사적인 샌프란시스코 정상회담과 국교수립 그리고 상호 방문은 韓·蘇關係의 획기적인 전기가 되었으며, 동북아시아에서의 冷戰秩序의 붕괴를 단적으로 보여주는 일이었습니다.

北韓의 가장 가까운 우방인 中國과의 관계도 놀라운 속도로 진전되고 있습니다.

今年初 우리나라와 中國은 領事機能을 가진 貿易代表部를 교환설치하였고, 머지않아 國交樹立이 이루어질 것으로 예상됩니다.

盧泰愚 大統領의 최근 美洲巡訪은 조국의 平和統一을 앞당기기 위한 國際的 분위기 조성에 크게 이바지 하였고, 특히 어제 발표된 政府의 劃期的인 對北提議는 南北關係의 개선과 발전을 향한 커다란 里程表를 세웠다고 봅니다.

同僚議員 여러분!

이러한 北方政策의 성과에 따른 國際秩序의 변화에도 불구하고 우리 政府가 유엔가입정책을 추진함에 있어서 難關도 또한 많이 있었습니다.

北韓은 南·北韓의 유엔同時加入이 한반도의 분단을 固着시킨다는 납득할 수 없는 주장을 고집하면서 單一議席 加入案을 내놓았습니다.

유엔憲章에도 아무런 규정이 없고, 심지어는 北韓의 우방들조차도 비현실적이라고 판단한 單一議席 加入案을 고집한 이유는 우리의 成功的인 北方政策의 추진에 따른 北韓의 危機感의 발로였습니다.

우리 내부에서도 일부 人士들은 북방정책의 성공으로 蘇聯과 中國과의 관계가 개선되면 오히려 北韓이 궁지에 몰리게 되어 南·北韓 關係에 나쁜 영향을 미치게 될 것이라는 논리로 北韓의 單一議席 加入案에 동조하는 주장을 되풀이 하기도 하였습니다. 심지어 우리 政府의 유엔政策을 實質的으로 반대하는 書翰을 國際社會에 보내기도 하였습니다.

그러나 이제 北韓이 태도를 바꾸어 7月8日 유엔에 가입신청을 낸 것은 대단히 다행스러운 일이며 우리는 이를 全的으로 크게 환영하는 바입니다.

이번 南·北韓의 유엔同時加入은 이러한 변화를 미리 예견하고 주도면밀하게 추진된 우리 外交戰略의 큰 승리가 아닐 수 없습니다.

同僚議員 여러분!

유엔加入同意案을 처리함에 있어서 民意의 代辯機關인 우리 國會는 보다 넓은 世界觀과 歷史觀을 가지고 그 의미를 되새겨 보아야 할 것입니다.

南·北韓의 유엔同時加入 실현은 韓半島가 對決의 시대로부터 共存의 시대로 넘어가면서 統一의 길목으로 접어든다는 民族史的 轉換을 뜻합니다.

東·西獨이 유엔同時加入을 統一의 출발점으로 활용했던 사실을 우리는 역사의 교훈으로 삼아야 하겠습니다.

6共和國은 南·北韓의 信賴回復을 바탕으로 漸進的인 교류와 협력을 확대함으로써 민족의 同質性을 회복한 다음, 窮極的인 統一을 이룩한다는 원칙을 견지해 왔습니다.

우리가 南·北韓의 유엔同時加入을 강력히 희망해온 것도 이와같은 統一政策의 큰 原則에 따른 것입니다.

앞으로 南·北韓이 國際平和의 무대인 유엔에서 서로 협력하는 방법을 모색하면서 分斷克服을 위한 平和的 方案을 찾기 위해 진지한 對話와 協議를 진행하기를 희망해 마지 않습니다.

우리의 유엔加入은 또한 國際秩序의 轉換期에 우리나라가 매우 중요한 國際的 役割을 수행하게 될 것입니다.

이제 바야흐로 國際秩序는 새롭게 짜여지고 있습니다.

共産主義 理念은 스스로 몰락하였으며 우리에게 굴욕과 희생을 강요하였던 冷戰과 어두운 그림자가 이제 서서히 걷혀지고 있습니다.

이로써 세계는 冷戰構造를 청산하고 和解構造로 바뀌어 가고 있습니다.

이러한 세계질서의 再編期에 유엔의 역할이 다시금 새롭게 부각되고 있습니다.

특히 유엔이 크게 영향을 미쳤던 걸프戰爭 이후 많은 사람들은 '유엔주도의 平和時代'가 도래하고 있다고 합니다.

우리는 유엔가입을 國際社會의 中心國家로 진입하는 계기로 삼아 나가야 하겠습니다.

이번 유엔의 가입은 우리 國民 모두에게, 특히 우리 政治人들에게 큰 敎訓을 주었습니다.

國際社會는 大韓民國을 經濟的 奇蹟을 이룩한 나라, 民主發展을 이룩한 나라, 올림픽을 成功的으로 치른 나라, 그리고 冷戰秩序를 타파하고 새로운 平和와 協力의 秩序를 선도하는 나라로 높이 평가하고 있습니다.

그러나 우리 내부를 돌아본다면 우리는 안타깝게도 여전히 地域間·階層間·世代間의 갈등을 극복하지 못하고 소모적인 對立의 政治에서 벗어나지 못하고 있습니다.

이는 매우 부끄러운 일입니다.

이제 우리 국민은 더 이상 이와 같은 對立과 葛藤의 政治를 원하지 않으며, 希望과 結實의 政治를 열망하고 있습니다.

작년 초에 우리들은 3黨統合을 이루었습니다. 이것은 오로지 국민의 여망에 부응하기 위한 것이었습니다. 또한 統一에 대비하기 위한 것이기도 합니다.

6·29宣言으로 출발하여 3黨統合으로 더욱 가속화된 6共和國의 民主化政策은 과거의 體制하에서와 같은 民主 對 反民主의 對決을 무의미하게 하였습니다. 또한 나라의 和合과 團結을 이루는 계기를 만들었습니다.

이제 우리는 보다 정의롭고 生産的인 政治를 통하여 國論을 統合하고 그 힘을 바탕으로 급변하는 國際秩序의 낙오자가 되지 않도록 國力을 키워 나가야 하겠습니다.

우리는 더 이상 우물안의 개구리가 될 수는 없습니다.

이러한 의미에서 우리나라의 유엔가입은 우리 內部의 和合을 이루는 큰 계기가 되어야 할 것입니다.

다수의 우리 國民들, 특히 言論人과 學者, 企業人 등 각계각층의 적극적인 지지는 政府가 소신을 가지고 北方·統一政策을 成功的으로 추진하는 데 큰 힘이 되어 주었습니다.

유엔加入同意案에 대해 野黨議員 여러분들도 전폭적으로 지지하고 있는 데 대해 진심으로 기쁘게 생각하며 앞으로 國益을 위한 超黨外交를 펼치는 계기가 되기를 바라는 마음 간절합니다.

존경하는 國會議長, 그리고 同僚議員 여러분!

저는 유엔加入同意案에 대한 同僚議員들의 絶對的인 支持를 믿어 의심치 않으며, 우리 民族史에 새로운 章이 열리는 현장에 동참하게 된 것을 영광스럽게 생각하고 여러분과 함께 기쁘게 생각합니다.

여러분 대단히 감사합니다.

○議長 朴浚圭 다음은 新民黨의 總裁이신 金大中 議員으로부터 發言이 있겠습니다.

존경하는 金大中 議員 나오셔서 發言해 주시기 바랍니다.

○金大中議員 존경하고 사랑하는 國民 여러분!

존경하는 議長과 同僚議員 여러분!

또한 존경하는 國務總理와 國務委員 여러분!

이 자리에 계신 傍聽客 여러분!

저는 상당히 긴 議政生活을 통해서 오늘과 같이 기쁜 마음으로 또 뜻깊은 마음으로 이 자리에 선 일이 없습니다. 여러분도 동감이시겠지만 오늘 우리가 여기에서 UN加入의 政府申請에 대해서 同意를 하게 된 것 이것이 얼마나 우리에게 꿈같은 일인가?

우리가 그토록 바라던 UN에 그것도 單獨이 아니라 北韓과 같이 加入하게 되었다는 이 사실은 참으로 우리에게는 萬感의 감회와 기쁨을 금할 수가 없는 것이라고 생각합니다.

解放 46年만에 오늘같이 기쁜 일은 없지 않겠는가 감히 그렇게도 생각합니다. 단순히 기쁜 것만이 아니라 이제부터 우리 南北間은 國際的 關心이 집중된 가운데 平和와 共存과 協力과 統一의 시대로 이제 가게 되는 큰 문이 열린 것으로 봅니다.

우리는 世界의 전체를 포괄하는 國際舞臺인 UN에서 이제 南北이 같이 서로 인정하고 인정 받으면서 한 구성원이 되게 된 것입니다. 그리고 무엇보다도 우리를 괴롭힌 그 惡夢같은 平和에 대한 위협, 이것이 이제 UN에 加入함으로써 그런 우려가 크게 불식될 그런 계제로 들어가는 것입니다.

잘 아시다시피 UN憲章에 의해서 UN에 加入한 國家는 平和愛好國家로서 어떠한 경우도 武力에 호소해서 문제를 해결할 수 없습니다. 만일 그럴 때는 中東에서 본 바와 같은 제재를 받아야 합니다. 동시에 UN에 加入한 모든 國家는 부당한 침략으로부터 보호 받을 權利가 있습니다. 이런 의미에서 韓半島에 진정한 平和는 이제 國際的으로 보장 받는 그런 단계로 들어간 것이다 이렇게 생각이 됩니다.

우리 大韓民國 입장에서 보더라도 建國以來 43年만에 처음으로 UN廣場에 태극기가 휘날리게 되었고 당당한 主權國家로서 명실상부하게 國際的으로 인정받게 되었습니다.

大韓民國의 榮光, 韓半島의 平和, 祖國의 統一, 이러한 길이 열리는 이 마당에 어찌 우리가 이 날을 기쁨과 감격으로 맞이하지 않을 수 있겠습니까?

여러분과 마찬가지로 저도 祖國의 統一 또 南北間의 和解와 平和를 위해서 약간의 노력을 했습니다.

저는 1972年7月13日 지금부터 19年전에 서울 外信記者클럽에서 이런 演說을 했습니다.

"國際的 공존을 위해서 우리는 서로 相對方의 사실상의 존재를 인정하고 모든 國際機構에서의 共存을 받아 들여야 할 것입니다.

이러한 견지에서 나는 北韓의 UN 出席, 그리고 南·北韓의 同時 UN加入을 제창하는 바입니다.

우리는 완전한 統一까지는 상당한 시일을 요한다는 國內外의 명백한 사실을 직시하고 統一이 성취되는 그때까지 UN, 기타 國際機構에서 공존해 나가는 것이 現實的이며 유익한 조처라고 믿는 것입니다."

이렇게 말씀한 바가 있습니다.

이러한 저의 UN同時加入提案이 나왔을 때 당시 與野로부터 상당한 비판과 반대를 받았습니다. 그러나 1年이 채 못되어서 朴正熙 大統領의 6·23宣言을 통해서 UN同時加入이 大韓民國의 政策으로서 확립이 되었던 것입니다. 저는 그후도 계속 UN同時加入을 주장해왔습니다. 昨年 12月 延亨默 總理가 서울에 와서 제가 만찬에 초대되었을 때 政府의 總理, 與野 指導者 앞에서 延總理에게 "北韓에서 말한 단일 會員國으로서의 가입, 그것이 가능만 하면 좋다. 우리도 지지할 수 있는 입장이다. 그러나 결국 현실 그것이 불가능하면 次善之策을 택해야 한다. UN同時加入을 해야 한다. 北韓에서 UN同時加入하면 永久分斷이라는 것은 東西獨의 예로 보나 南·北예멘의 예로 보나 이것은 부당한 주장이다. 蘇聯은 세 개의 UN멤버십을 가지고 있지만 蘇聯을 세계의 分斷國家로 보는 나라는 아무도 없다. 그렇기 때문에 北韓은 同時加入을 받아들여야 한다"고 말했습니다. 北韓의 延 總理는 다만 "獨逸하고는 다르지 않느냐?" 이 말 외에는 큰 反論을 제기하지 못한 것을 보았습니다.

今年 4月 IPU代表가 北韓에 갔을 때 저는 우리 黨 代表들을 통해서 北韓이 이제는 도리없으니 UN同時加入을 받아들이라고 강력히 北韓에게 충고를 했습니다.

저는 지난 4月에 케야르 UN事務總長, 그리고 美國·英國·佛蘭西·蘇聯·中國 5個 UN安全保障理事會常任理事國 首班들에게 南北 UN同時加入을 UN이 주도해 줄 것을 부탁하는 편지를 보냈습니다. UN事務總長과 메이저 英國總理, 그리고 蘇聯의 고르바초프 大統領으로부터는 저의 그런 提案에 긍정적인 뜻을 표시하는 답신도 현재까지 받고 있습니다.

그런 의미에서 19年동안 약간이나마 이 문제에 대해서 힘써 온 저로서는 개인적으로도 참으로 가슴 설레이는 심정으로 지금 여러분께 말씀을 드리고 있습니다.

UN同時加入을 함으로써 우리는 國際法上으로 北韓과 같이 共同體의 같은 構成員이 되어서 권리와 의무를 같이 갖고 앞으로 이런 관계는 당연히 南北間에 代表部 交換도 이루어질 것으로 이렇게 우리는 전망할 수가 있습니다. 실제적으로도 南北間에 旅行, 貿易 등의 各種 交流가 같은 UN會員國家 입장에서도 이것은 당연히 더 확대될 것으로 보여집니다.

그리고 아까도 말씀드렸지만 무엇보다도 平和의 보장, 이것이 우리는 이제 확고하게 UN에 의해서 다짐이 되었고 또 의무를 졌습니다. 南北間의 平和協定, 不可侵宣言도 과거보다는 훨씬 더 가능성이 강화될 것이 아니겠느냐 이렇게 보여집니다. 우리도 그렇기 때문에 對北政策에 있어서 根本的인 변혁이 있어야 합니다.

盧泰愚 大統領이 7·7宣言을 통해서 北韓을 同伴者라고 말씀했지만 그후 政策은 그렇게 따라가지 못했습니다. 여전히 政府內에 있는 反統一 세력들은 어떠한 구실만 있으면 統一을 저해하고 統一을 蛇蝎視하는 이런 태도를 취해왔는데 이제는 이런 세력들을 大統領은 정리하고 견제해야 한다고 생각합니다.

國家保安法은 이제 南北이 UN에 같이 加入하는 마당에 北韓을 反國家團體로 보는 이런 國家保安法은 廢止하고 大韓民國의 民主體制를 守護하는 法律로 代置해야 한다고 생각합니다.

北韓이 우리를 敵對視하는 法을 가지고 있으니까 우리도 같이 가지고 있어야 한다고 주장하는 사람이 있습니다.

그런데 統一에 成功한 西獨은 한 번도 東獨이 獨裁를 하니까 우리도 해야 한다고 한 말이 없습니다.

共産主義者한테 이기는 길은 이솝얘기에 나온 바와 같이 휘몰아치는 北風으로써 망토를 벗기는 것이 아니라 따뜻한 太陽으로써 망토를 벗기는 것만이 勝利의 길이라는 것을 우리는 世界到處에서 이것을 보고 있습니다.

동시에 저는 延亨默 總理에게도 말했습니다. "北韓의 로동당規約에는 南北 全體를 社會主義化한다는 條項이 있지 않느냐. 그러면서 어째해서 당신들은 大韓民國을 顚覆할 意思가 없고 우리의 體制를 강요할 意思가 없다고 말할 수가 있느냐? 北韓의 刑法은 우리 國家保安法보다 더 가혹하지 않느냐? '北韓이 그런 法 가지고 있는데 우리만 바꿀 수 없지 않느냐?' 이런 말하는 사람들이 상당히 說得力있게 지키고 있다는 것도 당신네는 알아야 한다." 이렇게 제가 그 자리에서 말한 일이 있습니다.

北韓도 이제는 이런 점에 있어서 黨規約을 고치고 北韓의 刑法을 고쳐서 UN에 같이 加入한 같은 會員國에 알맞는 그런 방향으로 행동을 해야지 말만 가지고 北韓이 南韓에 대해서 어떠한 惡意를 가지고 있지 않다고 스스로 主張하는 것은 說得力이 약하다고 생각합니다.

우리는 이번 UN加入을 통해서 UN이 요구한 人權, 國民의 基本的 自由를 더욱 伸張시켜 가지고 이리해서 우리가 넘치는 民主國家로서의 힘을 가지고 西獨이 成功하듯이 우리도 成功해야 된다고 생각을 합니다.

저는 이 자리에서 저희 黨의 南北關係 統一問題에 대한 입장을 말씀드리는 것을 매우 意義있는 일로 생각합니다.

저는 60年代 中盤에 野黨의 政策委議長으로 있을 때 副總理를 首班으로 한 統一機構設置를 黨 代表의 基調演說을 통해서 提案한 바 있습니다. 政府가 이것을 받아들여 가지고 統一院이 탄생한 계기가 되었습니다.

저는 4大國이 韓半島 平和保障을 해야 한다고 하는 것을 71年 大統領選擧의 公約으로 가지고 나갔습니다.

당시 朴正熙 大統領은 中國과 蘇聯에 대해서 우리의 平和를 요청하는 것이 事大主義요, 安保에 대해서 危險千萬하다고 말했지만 이것은 그후로 美國의 키신저 國務長官, 日本의 사또 首相 등에 의해서 같은 주장이 나왔고 이제는 常識이 됐습니다.

저는 그 당시 南北의 전면 交流, 共產國家와의 交易을 주장을 했는데 이제는 交易을 넘어서 國交까지 하고 있는 것을 볼 때 참으로 감회가 깊습니다.

저는 3段階의 統一方案, 나중에 말씀하겠습니다마는 共和國聯合制, UN同時加入 등을 주장을 했습니다.

이제 이 모든 것이 수용되고 姜英勳 前國務總理가 이 자리에서 金大中 總裁의 3段階 統一方案은 매우 훌륭한 案이라고 發言한 바 있습니다.

李洪九 前 統一院長官도 國會 外務統一委員會에서 "平民黨이 말하는 共和國聯合制는 대단히 좋은 案이고 北韓의 高麗聯邦制와도 다르고 우리가 지금 만들고 있는 한민족共同體統一方案에도 큰 자리를 차지하고 있다"고 말씀한 바가 있습니다.

저는 이러한 20年에 걸친 統一에 대한 주장때문에 수없는 박해도 받고 容共으로도 몰리고 80年 裁判도 대단히 불리한 조건으로 이것이 작용을 했었습니다. 그러나 不肖한 사람이지만 民族을 사랑하는 精神은 살아서 統一을 보고 싶다는 熱望, 우리 젊은이들에 대한 責任感 때문에 나름대로 노력해 왔습니다.

그 때문에 惡利用도 당하고 여러 가지 오해도 받았지만 그러나 20年을 일관해서 같은 주장을 해온 그런 삶에 대해서 저는 보람을 느끼고 또 저로 하여금 그러한 소신을 일관하게 하도록 북돋아주신 國民 여러분께 감사하는 심정을 가지고 있습니다.

저희 新民黨은 統一에 있어서 3原則과 3段階의 입장을 가지고 있습니다.

3原則은 平和共存·平和交流·平和統一입니다.

3段階는 1段階로 1聯合 2獨立政府로서 共和國聯合制입니다.

2段階의 1聯邦 2地域自治政府 이것은 오늘의 美國의 형태와 같은 것이고 北韓이 말한 高麗聯邦制도 2段階에 가서 論議될 수 있는 것으로 생각이 됩니다.

3段階는 1國家 1政府의 완전한 統一입니다.

第1段階의 統一인 共和國聯合制는 그 형태가 南北의 現 政府의 權限을 그대로 유지시킵니다.

外交·國防·內政 모든 權限을 그대로 갖게 됩니다.

南北 兩 政府는 同數의 代表를 보내가지고 聯合政府와 議會를 構成을 합니다. 마치 요새 蘇聯聯邦政府가 있고 그 밑에 각 共和國이 있는 것과 비슷한 일면도 있습니다. 그러나 그 역할은 다릅니다.

이 聯合政府는 어떠한 內政이나 外交·軍事問題에도 간섭함이 없이 오직 統一의 3原則인 平和共存·平和交流·平和統一 問題에만 국한해서 아주 제한된 역할을 하게 됩니다. 그러나 여기서는 軍縮, 相互監視, 貿易, 全面的 交流 등이 취급될 것이고 또한 第2段階를 추진하는 노력도 행해질 것으로 봅니다.

그런데 중요한 것은 모든 것은 南北代表同數의 代表일 뿐 아니라 同數의 代表라고 하더라도 表決함이 없이 完全合議制에 의해서 運營된다는 것입니다. 이렇게 해서 어떠한 경우에도 表決에 의해서 상대방한테 강요하는 일이 없는 이런 體制인 것입니다.

이래야 마찰과 위험의 요소도 없고 또 일부에서 이탈했을 때의 불행도 막을 수 있는 튼튼한 安全裝置가 되기 때문에 이 방법이야말로 가장 안전하고 成功이 확실하고 南北 어느 쪽도 統一에 積極的인 사람도 消極的인 사람도 누구도 두려움 없이 參加할 수 있는 그런 案이라고 저는 믿습니다.

이 점에 대해서는 단순히 저 개인만이

아니라 美國 워싱턴에 있는 카네기平和財團에서 再昨年에 北韓의 學者 다섯을 초대해 가지고 韓國問題를 論議했습니다.

거기에는 역대 大使, UN軍司領官들도 參加했습니다.

그 자리에서 美國側은 北韓의 高麗聯邦制는 非現實的이다, 어떻게 당장 軍隊와 外交를 하나로 하자는 말이냐, 金大中 씨가 주장하는 이 共和國聯合制야말로 가장 가능하고 合理的이고 어느 쪽에도 불리한 점이 없는 案이다, 왜 이것을 받지 않느냐고 이렇게 촉구를 했습니다.

北韓代表는 "우리도 이것을 충분히 檢討하고 論議할 용의가 있다"고 答辯을 했습니다. 또 실제로 이 카네기平和財團代表가 以北을 갔을 때 以北의 外相 金永南 씨, 그리고 국제부장 黃長燁 씨 이런 분들이 긍정적인 반응을 보였다고 저를 찾아와서 말씀한 일도 있습니다.

이런 1段階, 가장 안전하고 성공이 확실하고 그리고 두려움 없이 같이 할 수 있는 이 案을 우리가 가지고 나갈 때 第1段階의 統一이 되는 것이고 第2段階, 第3段階는 兩側의 노력과 國際情勢와 또 여러 가지 事件에 의해서 그것이 결정될 것으로 이렇게 생각되고 지금으로서는 어느 정도 요원한 문제라고 생각됩니다.

政府의 한민족공동체統一方案은 제가 이해하는 범위에서 보면 잠정적으로 共存한다는 案으로서 저희 共和國聯合制와 그 골격에서 같은 입장입니다.

統一院長官의 말에 따르면 政府가 統一方案을 만들 때 제 案을 참고로 했으며, 金大中 씨의 案이 우리 統一案에도 큰 자리를 차지하고 있다고 이렇게 公式으로 말씀해준 데 대해서 감사히 생각하고 있습니다.

다만 政府가 이것을 運營하는 데 있어서 閣僚會議, 平議會, 共同事務處 이것을 設置한다고 했는데 이런 것은 결국 性格上으로 連絡機構 정도에 불과하고 적어도 한민족統一이라는 이 統一體에 이것 갖고는 부족할 것이다, 어디까지나 비록 그 權限은 제한됐다고 하더라도 政府形態는 議會形態를 취하지 않겠는가 이렇게 생각하고 이 문제는 기회가 있으면 政府當局者와 더 의견교환을 해볼 생각입니다.

어쨌든 저희 案이건, 政府案이건, 기타 案이건 모든 案은 궁극적으로 國民的 討論을 거쳐서 國會에서 채택되고 그리고 國民投票에 부쳐서 과반수의 國民의 지지로서 확정돼야 한다, 이래야 우리 國民을 대표할 수 있는 그러한 國民的 統一方案이 된다고 생각을 합니다.

제가 알기는 우리 내부에 일부 사람이 獨逸 統一이후 흡수 통일을 꿈꾸는 세력이 약간 있는 것으로 알고 있습니다.

이것은 대단히 잘못된 생각이라고 믿습니다.

그들은 그렇기 때문에 北韓孤立化의 政策을 끈질기게 추구해서 韓·蘇 國交도 그런 방향으로 이용하려고 그러고 한편에서는 UN동시 가입을 주장하면서 한편에서는 單獨加入을 끈질기게 주장해서 세계 각국에 使節團까지 보내는 일도 했습니다.

그러나 결국 이러한 일은 성공하지 못했습니다. 이런 시대착오적인 일은 실패한 것입니다. 北韓이 지금 日本과 國交를 서두르고 있고 또 北韓이 UN加入을 신청함으로써 그런 일은 성공하지 못한 것입니다.

우리는 여기에서 알아야 할 일이 하나 있습니다.

西獨政府는 東獨에 대해서 한번도 吸收統一의 政策을 가진 일이 없습니다. 東獨을 흡수하겠다고 생각한 일이 없습니다. 만일 그랬더라면 東獨과 東歐羅巴나라들과 蘇聯은 西獨에 대해서 宣戰布告를 했을 것입니다. 英國과 佛蘭西 등 西邦國家들도 西獨에 대해서 크게 질책하고 나섰을 것입니다.

그렇게 안했습니다. 西獨은 오직 東獨과 平和的으로 共存하자, 서로 交流하자, 우리가 도와주되 눈에 안뜨이게 도와주겠다 하는 일밖에 한 일이 없습니다.

그런데 어느 날 갑자기 東獨人들이 들고 일어나서 "우리는 東獨이 싫다. 우리도 西獨과 같은 사회에서 살고싶다" 이래가지고 東獨人의 의사에 의해서 統一이 이루어진 것입니다.

이것을 우리가 깊이 깨달아야 합니다. 그리해서 西獨이 한편으로는 民主主義를 해가지고 自由와 正義와 人間의 존엄성을 실현해서 東獨에 압도적인 우월한 힘을 가지고 있으면서도 한편으로는 東獨에 대해서 어디까지나 겸손한 태도로 협력하던 이것이 國際的인 어떠한 비난도 받지 않고 마찰도 없이 東獨 사람들의 협력에 의해서 統一하게 된 것입니다. 우리에게 시사하는 바가 많을 것으로 나는 생각합니다.

그런 원만한 統一이었지만 지금 西獨은 統一을 급속히 서두른 나머지 이 統一 때문에 몸살을 앓고 있습니다.

思想的인 갈등, 思考方式의 갈등, 經濟的 갈등 등 몸살을 앓고 있습니다.

최근에 統一을 이룩한 콜 首相보다도 좀더 2年 내지 3年 침착하게 하자고 말해서 그 당시에는 國民으로부터 비판 받았던 社民黨의, 특히 빌리브란트 씨가 다시 각광받고 있는 것을 우리는 알고 있습니다.

우리의 현실은 西獨하고 다릅니다.

40年동안 교류한 바도 없고 서로 어떠한 협력한 바도 없고 南北間에 이해도 부족합니다.

거기다가 戰爭까지 했습니다. 이런데 갑자기 더구나 우리가 北韓에 대해서 西獨이 東獨에 우월하듯이 그렇게 압도적으로 우월하지도 않은데 흡수 통합은 불가능한 것입니다.

또 그런 것은 돼도 문제가 크다고 이렇게 우리는 봐야 할 것입니다. 잘못된 이런 생각은 지금 北韓內에서 강경파를 득세하게 만들고 있고 보수세력을 강화시키는 그런 일을 하고 있습니다.

우리는 北韓內의 온건개혁 세력들, 개방세력들을 도와주는 그런 政策이 우리 國益과 南北關係에 도움이 될 것이라고 저는 생각하는 바입니다.

그런 의미에서도 3原則·3段階 이 統一方案이 가장 합리적이고 성공할 수 있는 그러한 方案이 아니겠느냐 이렇게 생각하면서 우리의 統一政策은 '성의를 다해서 착실히 가자' 이것이 우리들의 모토가 돼야 할 것으로 생각됩니다.

저는 이 자리에서 말씀드리고 싶은 것은, 統一은 어디까지나 先民主 後統一입니다. 南韓에서 民主主義를 튼튼하게 정착시켜야 합니다. 民主政府만이 통일할 양심과 또한 실력이 있습니다. 國民의 지지가 있습니다. 또 民主社會를 해가지고 國民들이 大韓民國을 생명같이 아끼고 여기에 희망을 붙일 때 어떠한 共産主義의 위협도 成功할 수 없습니다.

간단히 말해서 第2의 西獨을 우리가 만들어야 합니다. 그래야 우리는 成功할 수 있습니다. 이 점은 政府에 대해서뿐 아니라 우리의 國內의 지금 統一唯一主義, 統一優先主義를 생각하는 그런 일부 사람들에 대해서도 나는 이것을 되풀이 경고하고 설득해 왔다는 것을 여러분께 말씀드리며 다시한번 그분들이 정말로 統一을 원하며 大韓民國을 튼튼한 民主國家로 만드는 데 먼저 힘써야 한다는 것을 말씀드리고 싶습니다.

8·15를 전후해서 政府가 많은 提案을 하고 있습니다. 작년에도 판문점개방提案을 해서 新聞이 大書特筆 했지만 아무 것도 한 일이 없습니다. 저는 이번에도 안되기를 바라는 것은 아니지만 그렇게 成功할 것 같지가 않습니다.

北韓은 솔직히 말해서 지금 그렇게 남쪽에 開放하고 교류할 처지가 아니라는 것을 北韓 사정을 우리는 잘 알고 있지 않습니까?

그러므로 正攻法으로 "開放해라.", "開放해라."하는 것은 成功하기 어렵습니다. 저는 그러한 것보다는 오히려 우리가 一方的으로 할 수 있는 일을 먼저 해야 한다고 했습니다.

어저께 大統領께서 南北이 TV와 라디오를 開放하자고 했는데 나는 大統領을 뵈었을 때도 TV와 라디오開放을 일방적으로 해야 한다는 것을 주장을 했습니다.

제가 獨逸 슈미트 前 首相을 만나서 이런 얘기했더니 깜짝 놀라면서 "아니, 아직도 안하고 있느냐? 우리는 일방적으로 했었다. 우리의 그런 일방적인 開放은 결국 東獨을 開放하게 만들었고 이러한 東獨의 開放이후도 이런 것이 우리에 있어서 反共敎育에 그 이상 도움된 일이 없다." 이런 말한 것을 들었습니다.

그리고 運動圈學生들이 北韓에 가겠다면 나는 조건없이 보내는 것이 좋겠다고 생각합니다. 南韓에서 몇 분들이 政府의 승락없이 갔다 왔지만 그것이 우리 社會를 흔들지 못했습니다.

나는 우리 學生들이 以北 갔다 온다해서 北韓에 오염되어 오는 그런 數는 극히 적을 것으로 봅니다.

그러나 우리가 넘치는 자신을 가지고 나가는 것이 필요하다고 생각합니다. 北韓硏究의 자유를 주어야 합니다.

이번 서울社會科學硏究所 彈壓같은 것은 참으로 부끄러운 일이라고 생각합니다.

저는 심지어 盧 大統領에게 "北韓에 가서 살고 싶다고 하는 사람이 있다면 보내는 것이 좋다." 이런 말을 했습니다.

그랬더니 盧 大統領 말이 "사실은 발표는 안했지만 그런 北韓 지지하는 사람들에게 '당신들, 그러면 北韓에 가서 살아라.' 이렇게 말해본 일이 있다. 그랬더니 그 사람 答辯이 '안 간다.' '왜, 안 가느냐?' '北韓은 天國이고 南韓은 地獄인데 南韓을 天國 만들기 위해서 안간다' 이렇게 말하더라"해서 같이 웃은 일이 있습니다.

우리는 자신을 가져야 합니다. 우리 國民은 共産主義를 지지할 國民이 아닙니다.

東歐羅巴와 蘇聯에서 다 패배한 共産主義를 이제 우리 국민이 매력을 갖습니까? 매력 가진 몇 사람은 국민한테 철저히 고립될 것입니다. 나는 자신을 가져야 한다고 생각합니다. 우리는 그런 충격흡수의 능력이 있다고 봅니다.

그리고 政府 與黨 여러분께 말씀드리고 싶은 것은 統一을 政府만이 獨占해서는 안된다는 것입니다. 野黨과 共同處理해야 힘이 있습니다. 다 해놓고, 지금 北韓하고 여러가지 秘密去來를 하고 있으면서 한 마디도 안하고 있다가 발표할 단계에나 말해 주는 그런 것 갖고는 진정한 힘이 안 나옵니다.

그런 의미에서 제가 再昨年에 말했던 政黨代表를 以北에 보내는 것을 우리가 진지하게 고려할 때가 왔다고 생각합니다.

왜 각계각층이 以北에 가겠다고 申請하고 있는데 우리 國會만은 이런 문제에 대해서 손대지 못하고 방관하고 있어야 하느냐!

이 점에 있어서 우리는 오늘을 계기로 해서 이 점을 생각해야 한다고 저는 믿습니다.

저는 작년에 필요하면 北韓을 가겠다고 했는데 만일 政府가 원하고 政府가 협력한다면 저는 北韓을 訪問해서 우리의 南北間의 和解와 平和에 협력할 용의가 있고 또 野黨外交로서 일익을 담당할 용의가 있습니다.

民主國家의 강점은 野黨外交입니다.

日本의 野黨들이 中·日國交에 거의 물꼬를 텄습니다. 지금 北韓과 日本間의 國交를 社會黨이 트고 있는 것을 우리가 보고 있지 않습니까?

이 문제에 있어서 南北問題는 반드시 與野가 참으로 협력을 해야 합니다.

이런 의미에서 지금 政府는 너무 野黨을 疎外시키고 있다고 생각합니다.

만일 政府가 저에게 원해서 제가 北韓을 간다면 저는 南北의 화해와 협력에 기여할 자신이 있습니다. 그러나 여기서 분명히 할 것은 절대로 우리는 單獨行爲를 하지 않습니다. 절대로 우리 혼자 政府의 요청과 지지없이 하지를 않습니다.

그것은 두려워서가 아닙니다. 그렇게 해봤자 효과가 없습니다. 칼자루 쥐고 있는 政府의 同意없는 그런 노력은 효과가 없습니다. 동시에 잘못하면 北에게 악용을 당할 뿐입니다. 그렇기 때문에 안합니다.

우리는 동시에 여기서 말씀드리고 싶은 것은 어제까지의 對政府 質問에서도 여러번 나왔지만 긴 말하지 않겠습니다. 요새 大統領이 南北統一을 매일같이 말씀하는데 그러기 전에 大韓民國 內部부터 統一해야 합니다.

大韓民國 內部가 지금 얼마나 분열이 되어 있습니까?

얼마나 서로 갈등을 가지고 있습니까? 이것은 與野가 다 지적하고 政府도 통탄하고 있는 일입니다.

朴正熙 大統領 이래 시작한 地域差別이 이제는 거의 國民의 본성이 되어가다시피 하고 있습니다. 盧 政權下에서 가장 이것이 深化되었습니다. 과거에는 大邱, 釜山, 慶尙北道 尙州에서 全羅道 사람이 國會議員되고 以北분들도 國會議員 되고 했습니다. 저희 全羅道에서도 全州에서 또 저희 木浦에서 慶尙道 분이 國會議員 되었습니다. 제가 온

동해서 當選시켰습니다. 그때는 한 번도 이 東西問題는 생각조차 해본 일이 없었습니다. 朴正熙 政權 이후 이렇게 된 것입니다.

우리는 만일 統一이 되었을 때, 지금과 같이 國內가 갈려져 가지고 共産黨과 하나로 統一되었을 때 어떠한 사태가 오겠는가!

두려운 마음으로 우리가 반성하고 하루속히 이 문제를 해결해야 한다고 믿으며 이번에 靑瓦臺에서 盧泰愚 大統領을 뵐 때 이 문제에 가장 중점을 두고 大統領과 상의할 그런 생각을 가지고 있습니다.

다시 한번 南北間의 새로운 歷史의 章을 열, 그리고 大韓民國이 國際舞臺에서 새로운 名實相符한 國際社會의 하나의 主役의 대열에 낄 수 있는 UN加入에 대한 오늘의 國會同意를 함에 있어서 충심으로 축하의 말씀을 드립니다. 三國統一 이래 1,300年동안 이 나라를 統一國家로 유지해온 우리 조상들도 아마 이런 상황에 대해서 뜻깊게 생각할 것으로 믿습니다.

저는 또한 UN同時加入에 노력해온 盧政權에 대해서도 그 勞苦에 대해서 致賀의 말씀을 드리고 앞으로 UN에 加入하게 되면 南北이 UN의 場에서 서로 오순도순 협력하고 상의하는 그런 모습을 보여서 7千萬 國民에게 희망과 긍지를 주십사 하는 것을 당부드립니다. 여러분의 경청에 대해서 감사드리면서 저의 말씀을 마치겠습니다.

감사합니다.

○議長 朴浚圭 감사합니다.

두 黨의 代表의 贊成發言이 있었습니다마는 그밖에 民主黨의 朴燦鍾 議員外 몇 분의 贊成發言申請이 있었습니다.

그런데 交涉團體間의 協議에 의해서 各 交涉團體代表發言만을 오늘 하기로 그렇게 하였습니다.

따라서 國會法 第105條第2項의 規定에 따라서 許可하지 못한다는 것을 양해해 주시기 바랍니다.

이와 관련하여 民主黨의 金正吉 議員으로부터도 議事進行發言申請이 있었습니다마는 그 議事進行發言은 이 議題가 끝난 다음 적당한 時期에 드릴 것을 약속드리면서 양해를 구합니다.

그러면 국제연합헌장수락동의안을 議決하고자 합니다.

국제연합헌장수락동의안에 대하여 여러 議員들께서 異議가 없으십니까?

(「없습니다」하는 議員 많음)

감사합니다.

국제연합헌장수락동의안은 滿場一致로 可決된 것을 宣布합니다.

與野를 대표한 兩黨 指導者의 愛國的이고 감격어린 發言을 듣고 또한 여기 모이신 國民代表 여러분들의 생각을 간추려서 國會議長으로서 이 기회에 몇 가지 感懷의 말씀을 드리고자 합니다.

이번 UN加入決定은 7千萬 國民의 열렬한 소망이었고 그 성취는 무려 42年間의 그리고 5回에 걸친 좌절끝에 이룩된 경사라고 할 수 있습니다.

우리 大韓民國이 1948年에 國際聯合의 축복아래 탄생된 이후 본인이 모시고 보좌했던 維石 趙炳玉 博士와 雲石 張勉 博士 등 우리 先輩 議員들의 노력에도 불구하고 오늘날까지 일반적인 世界平和協力機構의 그 정당한 자리를 차지하지 못한 것은 冷戰體制의 不合理였을 뿐만 아니라 이 나라 일부 外勢를 등에 업은 집단의 時代錯誤的인 억지와 방해에 그 원인이 있었다고 저는 생각합니다.

이러한 난관을 극복하고 UN이라는 그러한 機構에 加入되는 데 대해서는 國民 모두의 뜨거운 愛國心과 번영으로의 감격어린 그러한 노력의 결과라고 생각하고 동시에 北方外交의 찬란한 성과를 거두어 온 盧泰愚 大統領의 큰 공로에 높은 경의를 표합니다.

UN은 1945年 샌프란시스코에서 세계의 平和維持와 國際協力의 숭고한 목적 아래 탄생하였고 각 방면에 걸친 그 業績은 일일이 例擧할 수 없을 정도로 많습니다.

韓半島의 平和를 지금까지 유지했고 걸프灣의 侵略行爲를 응징하였고 또 그뿐만 아니라 世界 近世史에 드물게 근 45年間 世界의 큰 戰爭을 억제할 수 있었던 이러한 異例的인 것은 우리 UN이 아직도 人類의 희망으로서 남아 있다는 하나의 證左라고 생각합니다.

281

0226

그러나 UN加入 그 자체가 곧 모든 會員國家로 하여금 自動的으로 平和를 愛護하고 國際協力을 보장하는 그러한 보장은 아니라고 생각합니다.

平和愛護를 위해서는 各 會員國이 특히 新入 會員國이 法의 支配에 복종해야 합니다.

好戰的인 外交政策을 버려야 합니다.

核査察에 응해야 합니다.

그리고 段階的인 軍縮에 성의를 보여야 會員國이 된 참 뜻이 있다고 생각합니다.

또 UN이 기대하는 國際協力을 하기 위해서는 먼저 閉鎖社會로부터의 탈피와 개방이 이룩되어야만 진정 名實相符한 會員이 되는 것입니다.

南北間의 신뢰회복과 그리고 우호적인 協力關係가 진전되어야만 UN에 加入하는 의의가 있다고 저는 확고히 믿고 있습니다.

그래서 根本的으로는 南北間의 民主主義의 大前提인 相對性에 입각한 相對尊重의 정신이 언제나 絶對的이고 獨善的인 그러한 國是를 바꿔 치워야 합니다.

바라건대 우리 南北은 모두 UN加入을 계기로 해서 冷戰的인 思考方式과 對決意識을 과감히 지양하고 이데올로기의 妄執에서 벗어나 世界는 언제나 하나가 된다는 그러한 차원높은 國際意識과 國際社會의 일원이라는 강한 責任感에 의거한 행동을 해야 될 줄 압니다. 그것은 곧 開放과 改革을 의미합니다.

月前에 모스크바 크레믈린을 들렀을 때 거기에는 스탈린도 없고 모로토프도 없고 비신스키도 없고 후루시초프도 안 보입디다. 거기에 있는 고르바초프를 만났을 때 고르바초프의 얘기는 자기는 東北아시아에 있어서의 平和維持에 美國과 協力을 해서 어떤 나라도 韓半島問題 가지고 카드놀음하는, 韓半島를 희생시키는 그러한 나라에 대해서는 적극적으로 反對를 하고 투쟁을 하겠다 이러한 말을 하는 것을 듣고 今昔之感이 있는 것을 발견했습니다.

우리는 UN을 통해서 의젓하고 자랑스럽게 UN憲章의 임무를 준수하고 強大國의 覇權主義에 희생되었던 우리 近世史의 悲劇과 惡夢을 떨쳐버리고 世界平和와 繁榮의 主導國이 되도록 노력할 것을 다짐합시다.

끝으로 逆說的이지만 이번의 UN同時加入이 머지않아 獨逸처럼 單一會員國이 되는 첫 시발점이 되도록 우리 같이 노력합시다. 그러기 위해서는 與野의 모든 政治人의 協力과 온 國民의 새로운 時代的인 각오에 기대하는 바가 크다는 말씀을 드리고 議長으로서의 所懷의 몇 가지를 말씀드렸습니다.

國務總理 나오셔서 政府側 입장을 얘기하세요.

○國務總理 鄭元植 國務總理 인사말씀 드리겠습니다.

존경하는 國會議長, 그리고 議員 여러분!

오늘 政府가 提出한 국제연합헌장수락동의안이 滿場一致로 통과됨으로써 온 國民의 오랫동안의 염원이었던 UN加入 實現을 위한 節次를 밟을 수 있게 된 것을 깊이 감사드리며 이 뜻깊은 날을 國民과 함께 慶賀하고자 합니다.

돌이켜 보면 1949年 UN加入申請書를 提出한 이래 40餘年이라는 긴 세월이 흘렀고 그 동안 여러 분야에서 눈부신 발전을 이룩해 왔음에도 UN會員國이 되고자 하는 우리의 바람은 이루지 못해 왔습니다. 그러나 6共和國 出帆과 함께 盧泰愚 大統領께서 신념을 가지고 꾸준히 추진해 오신 北方外交政策을 위시한 總體的 外交努力의 成功的 結實로 南·北韓의 UN同時加入을 目前에 두게 되었습니다.

존경하는 議員 여러분!

오는 9月 南·北韓이 UN에 同時加入하게 되면 당당한 主權國家로서의 國際的 位相이 높아지고 韓半島의 平和構築과 統一外交를 위한 유리한 여건이 조성됨은 물론 東北亞地域의 안정과 협력을 위한 토대 마련에도 크게 기여하게 될 것으로 기대하고 있습니다.

政府는 UN加入後 UN會員國으로서 國際平和와 번영을 위하여 우리의 能力과 位相에 합당한 기여와 역할을 다함은 물론 南北間의 대화와 協力增進을 통해 궁극적으로 平和統一을 촉진할 수 있는 계기를 마련할 수 있을 것으로 기대하면서 南北關係 진전에 새로운 전환점을 모색해 나가는 데 모든 노력을 경주해 나갈 것입니다.

0227

오늘 이 民意의 殿堂에서 우리가 그토록 갈망했던 國民和合의 한 산 표본을 보여 주신 데 대해서 더욱 감사드리며 앞으로도 議員 여러분의 많은 聲援이 있으시기를 진심으로 바라마지 않습니다.

감사합니다.

---

2. 1991年度第2回追加更正豫算案에대한政府의施政演說

(11時10分)

○議長 朴浚圭 議事日程 第2項 1991年度第2回追加更正豫算案에대한政府의施政演說을 上程합니다.

國務總理께서 1991年度第2回追加更正豫算案에대한政府의施政演說을 代讀해주시기 바랍니다.

○國務總理 鄭元植 1991年度第2回追加更正豫算案 제출에 즈음한 大統領 施政演說을 代讀하겠습니다.

尊敬하는 國會議長, 그리고 國會議員 여러분!

오늘 1991年度 第2回 追加更正豫算案을 國會에 提出하고 그 審議를 요청함에 즈음하여 이를 編成하게 된 背景과 主要內容을 설명드리고 議員 여러분의 理解와 協調를 구하고자 합니다.

政府는 그 동안 國民生活의 安定을 도모하고 급변하는 國際經濟環境에 적극적으로 對處하기 위하여 物價安定과 産業競爭力向上에 重點을 두고 經濟政策을 運用해 왔습니다.

最近 우리 經濟는 政府의 이러한 努力과 함께 國際油價의 安定과 世界貿易環境의 改善 등에 힘입어 物價가 安定勢를 되찾고 輸出과 産業活動도 꾸준히 增加勢를 보이고 있습니다.

그러나 우리 經濟가 앞으로 成長活力을 지속적으로 回復해 나가기 위해서는 시급히 풀어야 할 當面課題가 산적해 있습니다.

특히 지난날 經濟成長의 牽引車役割을 담당해 온 製造業이 道路, 鐵道, 港灣 등 社會間接施設 不足과 人力難 및 技術開發不振 등으로 生産活動에 심각한 어려움을 겪고 있어 이 部門에 대한 投資擴大가 절실한 狀況입니다.

또한 맑은 물 供給對策을 포함한 環境改善事業, 大都市 交通難解消를 위한 地下鐵建設事業, 그리고 競爭力 있는 農漁業을 육성하기 위한 農漁村 構造改善事業 등을 차질없이 推進하기 위해서는 추가적인 支援이 시급한 實情입니다.

政府는 우리 經濟社會가 當面하고 있는 이러한 課題들을 효율적으로 해결하고, 아울러 '91年度 豫算編成때 反映하지 못하였거나 豫算編成後 발생한 새로운 財政所要에 對處하기 위하여 불가피하게 第2回追加更正豫算案을 編成하게 되었습니다.

이와 같은 背景下에서 編成된 '91年度 第2回 一般會計 追加更正豫算案의 規模는 當初豫算보다 4兆 1,985億원이 늘어난 31兆 3,823億원이 되겠습니다.

한편, 特別會計 追加更正豫算案에 있어서는 一般會計 歲出豫算의 일부가 轉入됨으로써 財政投融資 特別會計 規模는 當初豫算보다 1兆 1,200億원이 늘어난 6兆 1,591億원이 되었으며, 道路事業 特別會計는 1兆 4,559億원, 都市鐵道事業 特別會計는 2,100億원, 鐵道事業 特別會計는 1兆 9,290億원으로 각각 증가되었습니다.

이상에서 말씀드린 追加更正豫算案의 主要內容을 分野別로 說明드리면, 먼저 날로 심각해지고 있는 交通滯症을 解消하기 위한 國道擴充과 高速道路建設, 大都市 交通難을 緩和하기 위한 地下鐵 擴充, 그리고 貨物積滯를 解消하기 위한 鐵道·港灣·空港施設擴充 등 社會間接施設 擴充에 總 1兆 367億원을 追加로 計上하였습니다.

아울러 모든 國民이 보다 맑은 물과 깨끗한 空氣, 쾌적한 環境속에서 생활할 수 있도록 하기 위하여 都市下水處理場建設과 쓰레기燒却場 擴充, 汚染河川의 淨化 등 環境改善事業에 1,120億원을 反映하였습니다.

또한 製造業의 競爭力을 强化하기 위한 綜合對策을 뒷받침하도록 598億원을 計上하여 工業基盤 造成, 産業現場의 技術開發, 零細中小企業의 工場立地難 解消, 그리고 産業界의 人力需要에 副應하는 實業 및 科學敎育의 强化 등을 支援하도록 하였습니다.

한편, 農漁村構造改善을 촉진하기 위하여 營農規模擴大, 農工團地 入住企業 支援, 農

0228

業示範團地 조성, 流通構造改善, 耕地整理事業 등에 1,731億원을 反映하였으며, 秋穀收買 豫算不足分을 충당하도록 2,500億원을 計上하였습니다.

그리고 地方財政交付金과 敎育財政交付金에 있어서는 지난해의 內國稅 增收에 따른 法定率 精算分과 今年度 內國稅 超過豫想額에 대한 法定率 該當額 등 總 8,010億원을 計上함으로써 地方自治制 定着을 위한 地方財政의 健實化를 기하도록 하였습니다.

이밖에 株式市場 沈滯로 인한 國民株 賣却收入의 缺陷補塡分 1兆 750億원, 炭價引上要因의 吸水 등을 위한 石油事業基金 償還에 2,500億원, 그리고 地域醫療保險 支援, 災害對策豫備費 등 豫算編成以後에 발생한 불가피한 所要 등에 4,409億원을 支援토록 하였습니다.

이와 같은 內容으로 編成된 追加更正豫算案의 財源은 '90年度 一般會計 歲計剩餘金 3兆 1,679億원중 今年度 第1回追加更正豫算에서 사용한 2,040億원과 豫算外로 支出한 通貨管理費用 3,532億원을 제외한 나머지 2兆 6,107億원, 그리고 '91年度 稅收 超過豫想分 1兆 5,878億원을 활용토록 하였습니다.

이상에서 말씀드린 바와 같이, 이번 追加更正豫算案은 今年度中에 支援되어야 할 불가피한 所要를 反映한 것이므로 議員 여러분께서는 그 背景과 趣旨를 깊이 이해하시어 審議·議決하여 주시기 바랍니다.

감사합니다.

1991年7月13日
大統領 盧泰愚(代讀)

---

3. 豫算決算特別委員會構成決議案(國會運營委員長 金宗鎬 提出)

(11時20分)

○議長 朴浚圭 감사합니다.

議事日程 第3項 豫算決算特別委員會構成決議案을 上程합니다.

國會運營委員會의 大邱 南區 出身이신 李廷武 議員 나오셔서 提案說明해 주시기 바랍니다.

○李廷武議員 國會運營委員會의 李廷武 議員입니다.

豫算決算特別委員會構成決議案에 대한 提案說明을 드리겠습니다.

이 決議案은 憲法과 豫算會計法의 關係規定에 의하여 제출된 1991年度第2回追加更正豫算案을 審査하기 위하여 國會法의 규정에 따라 豫算決算特別委員會를 구성하고자 하는 것으로 1991年7月13日 第155回 國會 第2次 國會運營委員會에서 委員會案으로 提案하기로 議決하였습니다.

決議案의 主文을 말씀드리면

"國會法 第45條 및 第48條의 規定에 의거 1991年度 第2回 追加更正豫算案을 審査하기 위하여 委員 50人으로 豫算決算特別委員會를 構成한다"는 내용입니다.

이 決議案을 國會運營委員會가 提案한 대로 滿場一致로 통과시켜 주시기 바랍니다.

감사합니다.

○議長 朴浚圭 그러면 豫算決算特別委員會構成決議案에 대해서 여러 議員들께서 異議가 없으십니까?

(「異議없습니다」하는 議員 많음)

(「異議있습니다」하는 議員 있음)

異議 있다는 목소리가 있기 때문에 表決에 부치겠습니다.

그러면 表決할 것을 宣布합니다.

밖에 계신 議員들께서 會議場으로 들어와 주시기 바랍니다.

먼저 지금 提案說明한 대로 特別委員會를 構成하고자 하는 데 贊成하시는 분은 起立하여 주시기 바랍니다.

(起立表決)

앉아 주시기 바랍니다.

다음은 反對하시는 분 起立해 주시기 바랍니다.

(起立表決)

앉아 주시기 바랍니다.

集計가 끝날 때까지 잠시 기다려 주시기 바랍니다.

表決結果를 말씀드리겠습니다.

在席 222人중 可 168人, 否 1人, 棄權 53人으로써 國會法 第109條의 規定에 의하여 豫算決算特別委員會構成決議案은 可決되었음을 宣布합니다.

지금 여러분들 앞에 놓여 있는 문서중에 지난 4月29日부터 5月4日까지의 北韓 平壤

0229

에서 개최된 IPU總會參席報告가 있습니다.

그 자세한 내용은 報告書로 여러분에게 배포해 드렸으니 참고로 해주시기 바랍니다.

o 休會決議의件(議長提議)

(11時25分)

○議長 朴浚圭 다음은 休會決議를 하고자 합니다. 委員會活動을 위하여 7月15日부터 7月22日까지 8日間 本會議를 休會하고자 하는데 여러 議員들께서 異議가 없으십니까?

(「없습니다」하는 議員 많음)

可決되었음을 宣布합니다.

그리고 마지막으로 國會運營委員會의 협의를 거쳐 決定한 7月24日까지의 議事日程을 여러분 앞에 역시 油印物로 배부해 드렸습니다. 그렇게 양해하시고 이해해 주시기를 바랍니다.

第7次 本會議는 7月23日 火曜日 午後 두時에 開議하기로 하고 오늘은 이것으로 散會를 宣布합니다.

(11時27分 散會)

(參 照)

議事日程(案)

第155回國會(臨時會) 1991.7.13~7.24

日 時	附 議 案 件	備 考
7月13日 (土) 10:00	1. 국제연합헌장수락동의안 2. 1991年度第2回追加更正豫算案에대한政府의施政演說 3. 豫算決算特別委員會構成決議案	○休會決議 7.15~22(8日間)
7月14日 (日)	公 休 日	
7月15日 (月) ∫ 7月22日 (月)	休 會(8日間)	○委員會活動 —常任委 ·追更審査: 2日間 (7.15~16) ·法律案 등 案件審査: 5日間(7.18~22) —豫決特委 ·追更審査: 5日間 (7.18~22)
7月23日 (火) 14:00 ∫ 7月24日 (水) 14:00	1. 案件處理	

○出席議員數 272人

○出席國務總理및國務委員

國務總理	鄭 元 植
副總理兼經濟企劃院長官	崔 珏 圭
副總理兼統一院長官	崔 浩 中
外務部長官	李 相 玉
內務部長官	李 相 淵
財務部長官	李 龍 萬
法務部長官	金 淇 春
農林水產部長官	曺 京 植
商工部長官	李 鳳 瑞
建設部長官	李 鎭 卨
保健社會部長官	安 弼 濬
交通部長官	林 寅 澤
總務處長官	李 衍 澤

○出席政府委員

內務部次官	崔 仁 基
教育部次官	曺 圭 香
環境處次官	韓 甲 洙

【報告事項】

○議案提出

豫算決算特別委員會構成決議案

(7月13日 國會運營委員長 金宗鎬 提出)

休會의件

(7月13日 議長提出)

7月15日 ~ 7月22日 (8日間)

○議案審査

0230

국제연합헌장수락동의안
(6月26日 政府提出)
(7月12日 外務統一委員長 朴定洙 報告)
原案대로 議決

○請願提出

特別市및直轄市의調達廳工事契約委任制廢止에관한請願
(7月10日 부산직할시 남구 망미동 906—45 조형부外 575人으로부터 李麟求議員外 4人의 紹介로 提出)

要 旨

1. 建設業體 및 需要者의 不利益을 招來하는 調達基金法 第13條 및 同法 施行令 第14條에 規定된 特別市 및 直轄市의 調達廳 工事契約委任制度 廢止를 바라는 내용임.
2. 特別市 및 直轄市에서 工事豫定金額 10億원 이상 工事를 發注할 경우 調達廳에 契約委任토록 規定하고 있는 現行 調達基金法 第13條 但書條項은 地方建設業體의 入札參加費用負擔過重 및 工事發注에 長期日이 所要되어 事業의 適期推進이 곤란해지는 등 建設業體 및 需要者에게 不利益을 招來하며 더욱이 建設工事는 中央調達方式이 不適合하므로 調達基金法 第13條 改正 및 同法 施行令 第14條에 規定된 特別市 및 直轄市의 調達廳 工事契約委任制度 廢止를 바라는 請願임.

紹介議員：文正秀 劉守鎬 文峻植
鄭貞薰
7月13日 經濟科學委員會에 回附

自動車運輸事業法施行規則改正에관한請願
(7月11日서울특별시 강서구 방화동 330 유경조外 3,170人으로부터 曺萬厚議員外 8人의 紹介로 提出)

要 旨

1. 自家用버스 소유자들의 旅客運送有償行爲陽性化를 위해 立法豫告된 地域限定免許를 業種限定免許貸與業으로 自動車運輸事業法 施行規則 改正을 바라는 내용임.
2. 高速經濟成長과 人口增加 및 社會의 多元化로 合法的인 전세버스 約5,700대 운행으로는 需要를 充足할 수 없는데도 不合理한 交通政策으로 인하여 全國 36,000대 自家用버스 소유자들은 그동안 不法運行을 해 왔는 바, '91.4.23. 交通部가 立法豫告한 自動車運輸事業法 施行規則은 地域限定免許로써 自家用버스 소유자에게는 實效性이 없으므로 全國 自家用버스 소유자들의 旅客運送有償行爲陽性化를 위해 출퇴근과 등하교 및 종교인 수송을 전문으로 하는 業種限定免許貸與業으로 同 施行規則 改正을 바라는 請願임.

紹介議員：鄭祥容 朴鍾律 朴熺太
白壎基 鄭貞薰 金 楠
金仁基 安秉珪
7月13日 交通遞信委員會에 回附

0231

UN加入을 위하여 改廢되어야할 國內法 檢討報告書

o 이 問題는 法務部, 法制處등의 所管 事項임.

0232

書類(資料)提出要求書

(外務統一委員會)

委員名	趙淳昇	要請日字	1991年 7月12日
所管部處	要求資料名		備考
外務部	1. 한·미 전시 주둔군 지원 협정 초안		
	2. 노대통령 방미 보고서 (주한미군 및 방위비 분담문제,		
	전시주둔군 협정문제, 금융시장 및 농수산물 개방협상문제 등)		
	3. UN 가입을 위해 개폐되어야할 국내법 검토		
	보고서		
	4. 현재 일본정부가 사할린 동포를 위해 대한적십자를		
	통해 지원해온 자금의 액수와 사용내역서		

※ 所管部處名을 꼭 記入하여 주시면 感謝하겠읍니다

0233

45787

기 안 용 지

분류기호 문서번호	조약20412-	(전화: 720-2337)	시 행 상 특별취급	
보존기간	영구·준영구. 10. 5. 3. 1.	장 관		
수 신 처 보존기간				
시행일자	1991. 9.17.			

보조기관			협조기관		문서통제
	국 장	전 결		국제기구국장	1991. 9.17
	심의관				
	과 장				
기안책임자		김 미 옥			발송인

경 유		발신명의	1991. 9. 17 발송
수 신	총무처장관		
참 조	기획관리실장		

제 목	조약공포 의뢰

1991년 6월 13일 제29회 국무회의 심의 및 1991년 6월 20일 대통령의 재가를 거쳐 1991년 7월 13일 제155회 임시국회 제6차 본회의의 수락동의를 얻어 1991년 8월 5일 헌장수락선언서를 국제연합사무총장에 기탁하였으며, 국제연합헌장 제4조 제2항에 따라 국제연합총회가 대한민국의 국제연합 가입신청을 승인 결정함으로써 1991년 9월 18일자로 우리나라에 대하여 발효하는 "국제연합헌장"을 "법령등 공포에 관한 법률" 제11조에 따라 별첨안과 같이 공포하여 주시기 바랍니다.

첨부: 동 공포안 3부. 끝.

0234

공 포 안

1991년 6월 13일 제 29회 국무회의의 심의를 거쳐 1991년 7월 13일 제155회 임시국회 제 6차 본회의의 수락동의를 얻어 1991년 8월 5일 헌장수락선언서를 국제연합사무총장에 기탁하였으며, 국제연합헌장 제4조 제2항에 따라 국제연합총회가 대한민국의 국제연합 가입신청을 승인 결정함으로써 1991년 9월18일자로 대한민국에 대하여 발효하는 "국제연합헌장"을 이에 공포한다.

대 통 령 노 태 우

91년 월 일

국 무 총 리 정 원 식

국 무 위 원 이 상 옥
(외무부장관)

조약 제1,059호

"국제연합헌장 및 국제사법재판소규정" (이하 본문별첨)

0235

조 약

1991년 6 월13일 제29회 국무회의의 심의를 거쳐 1991년 7 월13일 제155회 임시국회 제6차 본회의의 수락동의를 얻어 1991년 8 월 5 일 헌장수락선언서를 국제연합사무총장에 기탁하였으며, 국제연합헌장 제 4 조제 2 항에 따라 국제연합총회가 대한민국의 국제연합 가입신청을 승인 결정함으로써 1991년 9 월18일자로 대한민국에 대하여 발효하는 "국제연합헌장"을 이에 공포한다.

대 통 령 노 태 우 ㊞

1991년 9 월24일

국 무 총 리 정 원 식

국무위원 외무부장관 이 상 옥

⊙조약 제1,059호

국제연합헌장및국제사법재판소규정

(이하 본문별첨)

국제연합헌장

우리 연합국 국민들은

우리 일생중에 두번이나 말할 수 없는 슬픔을 인류에 가져온 전쟁의 불행에서 다음 세대를 구하고,

기본적 인권, 인간의 존엄 및 가치, 남녀 및 대소 각국의 평등권에 대한 신념을 재확인하며,

정의와 조약 및 기타 국제법의 연원으로부터 발생하는 의무에 대한 존중이 계속 유지될 수 있는 조건을 확립하며,

더 많은 자유속에서 사회적 진보와 생활수준의 향상을 촉진할 것을 결의하였다.

그리고 이러한 목적을 위하여

관용을 실천하고 선량한 이웃으로서 상호간 평화롭게 같이 생활하며,

국제평화와 안전을 유지하기 위하여 우리들의 힘을 합하며,

공동이익을 위한 경우 이외에는 무력을 사용하지 아니한다는 것을, 원칙의 수락과 방법의 설정에 의하여, 보장하고,

모든 국민의 경제적 및 사회적 발전을 촉진하기 위하여 국제기관을 이용한다는 것을 결의하면서,

이러한 목적을 달성하기 위하여 우리의 노력을 결집할 것을 결정하였다.

따라서, 우리 각자의 정부는, 샌프란시스코에 모인, 유효하고 타당한 것으로 인정된 전권위임장을 제시한 대표를 통하여, 이 국제연합헌장에 동의하고, 국제연합이라는 국제기구를 이에 설립한다.

제1장 목적과 원칙

제1조

국제연합의 목적은 다음과 같다.

1. 국제평화와 안전을 유지하고, 이를 위하여 평화에 대한 위협의 방지·제거 그리고 침략행위 또는 기타 평화의 파괴를 진압하기 위한 유효한 집단적 조치를 취하고 평화의 파괴로 이를 우려가 있는 국제적 분쟁이나 사태의 조정·해결을 평화적 수단에 의하여 또한 정의와 국제법의 원칙에 따라 실현한다.
2. 사람들의 평등권 및 자결의 원칙의 존중에 기초하여 국가간의 우호관계를 발전시키며, 세계평화를 강화하기 위한 기타 적절한 조치를 취한다.
3. 경제적·사회적·문화적 또는 인도적 성격의 국제문제를 해결하고 또한 인종·성별·언어 또는 종교에 따른 차별없이 모든 사람의 인권 및 기본적 자유에 대한 존중을 촉진하고 장려함에 있어 국제적 협력을 달성한다.
4. 이러한 공동의 목적을 달성함에 있어서 각국의 활동을 조화시키는 중심이 된다.

제2조

이 기구 및 그 회원국은 제1조에 명시한 목적을 추구함에 있어서 다음의 원칙에 따라 행동한다.

1. 기구는 모든 회원국의 주권평등 원칙에 기초한다.
2. 모든 회원국은 회원국의 지위에서 발생하는 권리와 이익을 그들 모두에 보장하기 위하여, 이 헌장에 따라 부과되는 의무를 성실히 이행한다.
3. 모든 회원국은 그들의 국제분쟁을 국제평화와 안전 그리고 정의를 위태롭게 하지 아니하는 방식으로 평화적 수단에 의하여 해결한다.
4. 모든 회원국은 그 국제관계에 있어서 다른 국가의 영토보전이나 정치적 독립에 대하여 또는 국제연합의 목적과 양립하지 아니하는 어떠한 기타 방식으로도 무력의 위협이나 무력행사를 삼간다.
5. 모든 회원국은 국제연합이 이 헌장에 따라 취하는 어떠한 조치에 있어서도 모든 원조를 다하며, 국제연합이 방지조치 또는 강제조치를 취하는

대상이 되는 어떠한 국가에 대하여도 원조를 삼간다.

6. 기구는 국제연합의 회원국이 아닌 국가가, 국제평화와 안전을 유지하는데 필요한 한, 이러한 원칙에 따라 행동하도록 확보한다.
7. 이 헌장의 어떠한 규정도 본질상 어떤 국가의 국내 관할권안에 있는 사항에 간섭할 권한을 국제연합에 부여하지 아니하며, 또는 그러한 사항을 이 헌장에 의한 해결에 맡기도록 회원국에 요구하지 아니한다. 다만, 이 원칙은 제7장에 의한 강제조치의 적용을 해하지 아니한다.

제2장 회원국의 지위

제3조

국제연합의 원회원국은, 샌프란시스코에서 국제기구에 관한 연합국 회의에 참가한 국가 또는 1942년 1월 1일의 연합국 선언에 서명한 국가로서, 이 헌장에 서명하고 제110조에 따라 이를 비준한 국가이다.

제4조

1. 국제연합의 회원국 지위는 이 헌장에 규정된 의무를 수락하고, 이러한 의무를 이행할 능력과 의사가 있다고 기구가 판단하는 그밖의 평화애호국 모두에 개방된다.
2. 그러한 국가의 국제연합회원국으로의 승인은 안전보장이사회의 권고에 따라 총회의 결정에 의하여 이루어진다.

제5조

안전보장이사회에 의하여 취하여지는 방지조치 또는 강제조치의 대상이 되는 국제연합회원국에 대하여는 총회가 안전보장이사회의 권고에 따라 회원국으로서의 권리와 특권의 행사를 정지시킬 수 있다. 이러한 권리와 특권의 행사는 안전보장이사회에 의하여 회복될 수 있다.

제6조

이 헌장에 규정된 원칙을 끈질기게 위반하는 국제연합회원국은 총회가 안전보장이사회의 권고에 따라 기구로부터 제명할 수 있다.

제3장 기 관

제7조

1. 국제연합의 주요기관으로서 총회·안전보장이사회·경제사회이사회·신탁통치이사회·국제사법재판소 및 사무국을 설치한다.
2. 필요하다고 인정되는 보조기관은 이 헌장에 따라 설치될 수 있다.

제8조

국제연합은 남녀가 어떠한 능력으로서든 그리고 평등의 조건으로 그 주요기관 및 보조기관에 참가할 자격이 있음에 대하여 어떠한 제한도 두어서는 아니된다.

제4장 총 회

구 성

제9조

1. 총회는 모든 국제연합회원국으로 구성된다.
2. 각 회원국은 총회에 5인이하의 대표를 가진다.

임무 및 권한

제10조

총회는 이 헌장의 범위안에 있거나 또는 이 헌장에 규정된 어떠한 기관의 권한 및 임무에 관한 어떠한 문제 또는 어떠한 사항도 토의할 수 있으며, 그리고 제12조에 규정된 경우를 제외하고는, 그러한 문제 또는 사항에 관하여 국제연합회원국 또는 안전보장이사회 또는 이 양자에 대하여 권고할 수 있다.

제11조

1. 총회는 국제평화와 안전의 유지에 있어서의 협력의 일반원칙을, 군비축소 및 군비규제를 규율하는 원칙을 포함하여 심의하고, 그러한 원칙과 관련하여 회원국이나 안전보장이사회 또는 이 양자에 대하여 권고할 수 있다.
2. 총회는 국제연합회원국이나 안전보장이사회 또는 제35조제2항에 따라 국제연합회원국이 아닌 국가에 의하여 총회에 회부된 국제평화와 안전의 유지에 관한 어떠한 문제도 토의할 수 있으며, 제12조에 규정된 경우를 제외하고는 그러한 문제와 관련하여 1 또는 그 이상의 관계국이나 안전보장이사회 또는 이 양자에 대하여 권고할 수 있다. 그러한 문제로서 조치를 필요로 하는 것은 토의의 전 또는 후에 총회에 의하여 안전보장이사회에 회부된다.
3. 총회는 국제평화와 안전을 위태롭게 할 우려가 있는 사태에 대하여 안전보장이사회의 주의를 환기할 수 있다.
4. 이 조에 규정된 총회의 권한은 제10조의 일반적 범위를 제한하지 아니한다.

제12조

1. 안전보장이사회가 어떠한 분쟁 또는 사태와 관련하여 이 헌장에서 부여된 임무를 수행하고 있는 동안에는 총회는 이 분쟁 또는 사태에 관하

0237

여 안전보장이사회가 요청하지 아니하는 한 어떠한 권고도 하지 아니한다.

2. 사무총장은 안전보장이사회가 다루고 있는 국제평화와 안전의 유지에 관한 어떠한 사항도 안전보장이사회의 동의를 얻어 매 회기중 총회에 통고하며, 또한 사무총장은, 안전보장이사회가 그러한 사항을 다루는 것을 중지한 경우, 즉시 총회 또는 총회가 회기중이 아닐 경우에는 국제연합 회원국에 마찬가지로 통고한다.

제13조

1. 총회는 다음의 목적을 위하여 연구를 발의하고 권고한다.
   가. 정치적 분야에 있어서 국제협력을 촉진하고, 국제법의 점진적 발달 및 그 법전화를 장려하는 것
   나. 경제·사회·문화·교육 및 보건분야에 있어서 국제협력을 촉진하며 그리고 인종·성별·언어 또는 종교에 관한 차별없이 모든 사람을 위하여 인권 및 기본적 자유를 실현하는데 있어 원조하는 것
2. 전기 제1항나호에 규정된 사항에 관한 총회의 추가적 책임, 임무 및 권한은 제9장과 제10장에 규정된다.

제14조

제12조 규정에 따를 것을 조건으로 총회는 그 원인에 관계없이 일반적 복지 또는 국가간의 우호관계를 해할 우려가 있다고 인정되는 어떠한 사태도 이의 평화적 조정을 위한 조치를 권고할 수 있다. 이 사태는 국제연합의 목적 및 원칙을 정한 이 헌장규정의 위반으로부터 발생하는 사태를 포함한다.

제15조

1. 총회는 안전보장이사회로부터 연례보고와 특별보고를 받아 심의한다. 이 보고는 안전보장이사회가 국제평화와 안전을 유지하기 위하여 결정하거나 또는 취한 조치의 설명을 포함한다.
2. 총회는 국제연합의 다른 기관으로부터 보고를 받아 심의한다.

제16조

총회는 제12장과 제13장에 의하여 부과된 국제신탁통치제도에 관한 임무를 수행한다. 이 임무는 전략지역으로 지정되지 아니한 지역에 관한 신탁통치 협정의 승인을 포함한다.

제17조

1. 총회는 기구의 예산을 심의하고 승인한다.
2. 기구의 경비는 총회에서 배정한 바에 따라 회원국이 부담한다.
3. 총회는 제57조에 규정된 전문기구와의 어떠한 재정약정 및 예산약정도 심의하고 승인하며, 당해 전문기구에 권고할 목적으로 그러한 전문기구의 행정적 예산을 검사한다.

표 결

제18조

1. 총회의 각 구성국은 1개의 투표권을 가진다.
2. 중요문제에 관한 총회의 결정은 출석하여 투표하는 구성국의 3분의 2의 다수로 한다. 이러한 문제는 국제평화와 안전의 유지에 관한 권고, 안전보장이사회의 비상임이사국의 선출, 경제사회이사회의 이사국의 선출, 제86조제1항다호에 의한 신탁통치이사회의 이사국의 선출, 신회원국의 국제연합 가입의 승인, 회원국으로서의 권리 및 특권의 정지, 회원국의 제명, 신탁통치제도의 운영에 관한 문제 및 예산문제를 포함한다.
3. 기타 문제에 관한 결정은 3분의 2의 다수로 결정될 문제의 추가적 부문의 결정을 포함하여 출석하여 투표하는 구성국의 과반수로 한다.

제19조

기구에 대한 재정적 분담금의 지불을 연체한 국제연합회원국은 그 연체금액이 그때까지의 만2년간 그 나라가 지불하였어야 할 분담금의 금액과 같거나 또는 초과하는 경우 총회에서 투표권을 가지지 못한다. 그럼에도 총회는 지불의 불이행이 그 회원국이 제어할 수 없는 사정에 의한 것임이 인정되는 경우 그 회원국의 투표를 허용할 수 있다.

절 차

제20조

총회는 연례정기회기 및 필요한 경우에는 특별회기로서 모인다. 특별회기는 안전보장이사회의 요청 또는 국제연합회원국의 과반수의 요청에 따라 사무총장이 소집한다.

제21조

총회는 그 자체의 의사규칙을 채택한다. 총회는 매회기마다 의장을 선출한다.

제22조

총회는 그 임무의 수행에 필요하다고 인정되는 보조기관을 설치할 수 있다. 0238

제5장 안전보장이사회

구 성

제23조

1. 안전보장이사회는 15개 국제연합회원국으로 구성된다. 중화민국·불란서·소비에트사회주의공화국연방·영국 및 미합중국은 안전보장이사회의 상임이사국이다. 총회는 먼저 국제평화와 안전의 유지 및 기구의 기타 목적에 대한 국제연합회원국의 공헌과 또한 공평한 지리적 배분을 특별히 고려하여 그외 10개의 국제연합회원국을 안전보장이사회의 비상임이사국으로 선출한다.
2. 안전보장이사회의 비상임이사국은 2년의 임기로 선출된다. 안전보장이사회의 이사국이 11개국에서 15개국으로 증가된 후 최초의 비상임이사국 선출에서는, 추가된 4개이사국중 2개이사국은 1년의 임기로 선출된다. 퇴임이사국은 연이어 재선될 자격을 가지지 아니한다.
3. 안전보장이사회의 각 이사국은 1인의 대표를 가진다.

임무와 권한

제24조

1. 국제연합의 신속하고 효과적인 조치를 확보하기 위하여, 국제연합 회원국은 국제평화와 안전의 유지를 위한 일차적 책임을 안전보장이사회에 부여하며, 또한 안전보장이사회가 그 책임하에 의무를 이행함에 있어 회원국을 대신하여 활동하는 것에 동의한다.
2. 이러한 의무를 이행함에 있어 안전보장이사회는 국제연합의 목적과 원칙에 따라 활동한다. 이러한 의무를 이행하기 위하여 안전보장이사회에 부여된 특정한 권한은 제6장, 제7장, 제8장 및 제12장에 규정된다.
3. 안전보장이사회는 연례보고 및 필요한 경우 특별보고를 총회에 심의하도록 제출한다.

제25조

국제연합회원국은 안전보장이사회의 결정을 이 헌장에 따라 수락하고 이행할 것을 동의한다.

제26조

세계의 인적 및 경제적 자원을 군비를 위하여 최소한으로 전용함으로써 국제평화와 안전의 확립 및 유지를 촉진하기 위하여, 안전보장이사회는 군비규제체제의 확립을 위하여 국제연합회원국에 제출되는 계획을 제47조에 규정된 군사참모위원회의 원조를 받아 작성할 책임을 진다.

표 결

제27조

1. 안전보장이사회의 각 이사국은 1개의 투표권을 가진다.
2. 절차사항에 관한 안전보장이사회의 결정은 9개 이사국의 찬성투표로써 한다.
3. 그외 모든 사항에 관한 안전보장이사회의 결정은 상임이사국의 동의 투표를 포함한 9개이사국의 찬성투표로써 한다. 다만, 제6장 및 제52조제3항에 의한 결정에 있어서는 분쟁당사국은 투표를 기권한다.

절 차

제28조

1. 안전보장이사회는 계속적으로 임무를 수행할 수 있도록 조직된다. 이를 위하여 안전보장이사회의 각 이사국은 기구의 소재지에 항상 대표를 둔다.
2. 안전보장이사회는 정기회의를 개최한다. 이 회의에 각 이사국은 희망하는 경우, 각료 또는 특별히 지명된 다른 대표에 의하여 대표될 수 있다.
3. 안전보장이사회는 그 사업을 가장 쉽게 할 수 있다고 판단되는 기구의 소재지외의 장소에서 회의를 개최할 수 있다.

제29조

안전보장이사회는 그 임무의 수행에 필요하다고 인정되는 보조기관을 설치할 수 있다.

제30조

안전보장이사회는 의장선출방식을 포함한 그 자체의 의사규칙을 채택한다.

제31조

안전보장이사회의 이사국이 아닌 어떠한 국제연합회원국도 안전보장이사회가 그 회원국의 이해에 특히 영향이 있다고 인정하는 때에는 언제든지 안전보장이사회에 회부된 어떠한 문제의 토의에도 투표권없이 참가할 수 있다.

제32조

안전보장이사회의 이사국이 아닌 국제연합회원국 또는 국제연합회원국이 아닌 어떠한 국가도 안전보장이사회에서 심의중인 분쟁의 당사자인 경우에는 이 분쟁에 관한 토의에 투표권없이 참가하도록 초청된다. 안전보장이사회는 국제연합회원국이 아닌 국가의 참가에 공정하다고 인정되는 조건을 정한다.

0239

제6장 분쟁의 평화적 해결

제33조

1. 어떠한 분쟁도 그의 계속이 국제평화와 안전의 유지를 위태롭게 할 우려가 있는 것일 경우, 그 분쟁의 당사자는 우선 교섭·심사·중개·조정·중재재판·사법적해결·지역적 기관 또는 지역적 약정의 이용 또는 당사자가 선택하는 다른 평화적 수단에 의한 해결을 구한다.
2. 안전보장이사회는 필요하다고 인정하는 경우 당사자에 대하여 그 분쟁을 그러한 수단에 의하여 해결하도록 요청한다.

제34조

안전보장이사회는 어떠한 분쟁에 관하여도, 또는 국제적 마찰이 되거나 분쟁을 발생하게 할 우려가 있는 어떠한 사태에 관하여도, 그 분쟁 또는 사태의 계속이 국제평화와 안전의 유지를 위태롭게 할 우려가 있는지 여부를 결정하기 위하여 조사할 수 있다.

제35조

1. 국제연합회원국은 어떠한 분쟁에 관하여도, 또는 제34조에 규정된 성격의 어떠한 사태에 관하여도, 안전보장이사회 또는 총회의 주의를 환기할 수 있다.
2. 국제연합회원국이 아닌 국가는 자국이 당사자인 어떠한 분쟁에 관하여도, 이 헌장에 규정된 평화적 해결의 의무를 그 분쟁에 관하여 미리 수락하는 경우에는 안전보장이사회 또는 총회의 주의를 환기할 수 있다.
3. 이 조에 의하여 주의가 환기된 사항에 관한 총회의 절차는 제11조 및 제12조의 규정에 따른다.

제36조

1. 안전보장이사회는 제33조에 규정된 성격의 분쟁 또는 유사한 성격의 사태의 어떠한 단계에 있어서도 적절한 조정절차 또는 조정방법을 권고할 수 있다.
2. 안전보장이사회는 당사자가 이미 채택한 분쟁해결절차를 고려하여야 한다.
3. 안전보장이사회는, 이 조에 의하여 권고를 함에 있어서, 일반적으로 법률적 분쟁이 국제사법재판소규정의 규정에 따라 당사자에 의하여 동 재판소에 회부되어야 한다는 점도 또한 고려하여야 한다.

제37조

1. 제33조에 규정된 성격의 분쟁당사자는, 동조에 규정된 수단에 의하여 분쟁을 해결하지 못하는 경우, 이를 안전보장이사회에 회부한다.
2. 안전보장이사회는 분쟁의 계속이 국제평화와 안전의 유지를 위태롭게 할 우려가 실제로 있다고 인정하는 경우 제36조에 의하여 조치를 취할 것인지 또는 적절하다고 인정되는 해결조건을 권고할 것인지를 결정한다.

제38조

제33조 내지 제37조의 규정을 해하지 아니하고, 안전보장이사회는 어떠한 분쟁에 관하여도 분쟁의 모든 당사자가 요청하는 경우 그 분쟁의 평화적 해결을 위하여 그 당사자에게 권고할 수 있다.

제7장 평화에 대한 위협, 평화의 파괴 및 침략행위에 관한 조치

제39조

안전보장이사회는 평화에 대한 위협, 평화의 파괴 또는 침략행위의 존재를 결정하고, 국제평화와 안전을 유지하거나 이를 회복하기 위하여 권고하거나, 또는 제41조 및 제42조에 따라 어떠한 조치를 취할 것인지를 결정한다.

제40조

사태의 악화를 방지하기 위하여 안전보장이사회는 제39조에 규정된 권고를 하거나 조치를 결정하기 전에 필요하거나 바람직하다고 인정되는 잠정조치에 따르도록 관계당사자에게 요청할 수 있다. 이 잠정조치는 관계당사자의 권리, 청구권 또는 지위를 해하지 아니한다. 안전보장이사회는 그러한 잠정조치의 불이행을 적절히 고려한다.

제41조

안전보장이사회는 그의 결정을 집행하기 위하여 병력의 사용을 수반하지 아니하는 어떠한 조치를 취하여야 할 것인지를 결정할 수 있으며, 또한 국제연합회원국에 대하여 그러한 조치를 적용하도록 요청할 수 있다. 이 조치는 경제관계 및 철도·항해·항공·우편·전신·무선통신 및 다른 교통통신수단의 전부 또는 일부의 중단과 외교관계의 단절을 포함할 수 있다.

제42조

안전보장이사회는 제41조에 규정된 조치가 불충분할 것으로 인정하거나 또는 불충분한 것으로 판명되었다고 인정하는 경우에는, 국제평화와 안전의 유지 또는 회복에 필요한 공군·해군 또는 육군에 의한 조치를 취할 수 있다. 그러한 조치는 국제연

합회원국의 공군·해군 또는 육군에 의한 시위·봉쇄 및 다른 작전을 포함할 수 있다.

제43조

1. 국제평화와 안전의 유지에 공헌하기 위하여 모든 국제연합회원국은 안전보장이사회의 요청에 의하여 그리고 1 또는 그 이상의 특별협정에 따라, 국제평화와 안전의 유지 목적상 필요한 병력·원조 및 통과권을 포함한 편의를 안전보장이사회에 이용하게 할 것을 약속한다.
2. 그러한 협정은 병력의 수 및 종류, 그 준비정도 및 일반적 배치와 제공될 편의 및 원조의 성격을 규율한다.
3. 그 협정은 안전보장이사회의 발의에 의하여 가능한 한 신속히 교섭되어야 한다. 이 협정은 안전보장이사회와 회원국간에 또는 안전보장이사회와 회원국집단간에 체결되며, 서명국 각자의 헌법상의 절차에 따라 동 서명국에 의하여 비준되어야 한다.

제44조

안전보장이사회는 무력을 사용하기로 결정한 경우 이사회에서 대표되지 아니하는 회원국에게 제43조에 따라 부과된 의무의 이행으로서 병력의 제공을 요청하기 전에 그 회원국이 희망한다면 그 회원국 병력중 파견부대의 사용에 관한 안전보장이사회의 결정에 참여하도록 그 회원국을 초청한다.

제45조

국제연합이 긴급한 군사조치를 취할 수 있도록 하기 위하여, 회원국은 합동의 국제적 강제조치를 위하여 자국의 공군파견부대를 즉시 이용할 수 있도록 유지한다. 이러한 파견부대의 전력과 준비정도 및 합동조치를 위한 계획은 제43조에 규정된 1 또는 그 이상의 특별협정에 규정된 범위안에서 군사참모위원회의 도움을 얻어 안전보장이사회가 결정한다.

제46조

병력사용계획은 군사참모위원회의 도움을 얻어 안전보장이사회가 작성한다.

제47조

1. 국제평화와 안전의 유지를 위한 안전보장이사회의 군사적 필요, 안전보장이사회의 재량에 맡기어진 병력의 사용 및 지휘, 군비규제 그리고 가능한 군비축소에 관한 모든 문제에 관하여 안전보장이사회에 조언하고 도움을 주기 위하여 군사참모위원회를 설치한다.
2. 군사참모위원회는 안전보장이사회 상임이사국의 참모총장 또는 그의 대표로 구성된다. 이 위원회에 상임위원으로서 대표되지 아니하는 국제연합회원국은 위원회의 책임의 효과적인 수행을 위하여 위원회의 사업에 동 회원국의 참여가 필요한 경우에는 위원회에 의하여 그와 제휴하도록 초청된다.
3. 군사참모위원회는 안전보장이사회하에 안전보장이사회의 재량에 맡기어진 병력의 전략적 지도에 대하여 책임을 진다. 그러한 병력의 지휘에 관한 문제는 추후에 해결한다.
4. 군사참모위원회는 안전보장이사회의 허가를 얻어 그리고 적절한 지역기구와 협의한 후 지역소위원회를 설치할 수 있다.

제48조

1. 국제평화와 안전의 유지를 위한 안전보장이사회의 결정을 이행하는 데 필요한 조치는 안전보장이사회가 정하는 바에 따라 국제연합회원국의 전부 또는 일부에 의하여 취하여진다.
2. 그러한 결정은 국제연합회원국에 의하여 직접적으로 또한 국제연합회원국이 그 구성국인 적절한 국제기관에 있어서의 이들 회원국의 조치를 통하여 이행된다.

제49조

국제연합회원국은 안전보장이사회가 결정한 조치를 이행함에 있어 상호원조를 제공하는 데에 참여한다.

제50조

안전보장이사회가 어느 국가에 대하여 방지조치 또는 강제조치를 취하는 경우, 국제연합회원국인지 아닌지를 불문하고 어떠한 다른 국가도 자국이 이 조치의 이행으로부터 발생하는 특별한 경제문제에 직면한 것으로 인정하는 경우, 동 문제의 해결에 관하여 안전보장이사회와 협의할 권리를 가진다.

제51조

이 헌장의 어떠한 규정도 국제연합회원국에 대하여 무력공격이 발생한 경우, 안전보장이사회가 국제평화와 안전을 유지하기 위하여 필요한 조치를 취할 때까지 개별적 또는 집단적 자위의 고유한 권리를 침해하지 아니한다. 자위권을 행사함에 있어 회원국이 취한 조치는 즉시 안전보장이사회에 보고된다. 또한 이 조치는, 안전보장이사회가 국제

0241

평화와 안전의 유지 또는 회복을 위하여 필요하다고 인정하는 조치를 언제든지 취한다는, 이 헌장에 의한 안전보장이사회의 권한과 책임에 어떠한 영향도 미치지 아니한다.

제8장 지역적 약정

제52조

1. 이 헌장의 어떠한 규정도, 국제평화와 안전의 유지에 관한 사항으로서 지역적 조치에 적합한 사항을 처리하기 위하여 지역적 약정 또는 지역적 기관이 존재하는 것을 배제하지 아니한다. 다만, 이 약정 또는 기관 및 그 활동이 국제연합의 목적과 원칙에 일치하는 것을 조건으로 한다.
2. 그러한 약정을 체결하거나 그러한 기관을 구성하는 국제연합회원국은 지역적 분쟁을 안전보장이사회에 회부하기 전에 이 지역적 약정 또는 지역적 기관에 의하여 그 분쟁의 평화적 해결을 성취하기 위하여 모든 노력을 다한다.
3. 안전보장이사회는 관계국의 발의에 의하거나 안전보장이사회의 회부에 의하여 그러한 지역적 약정 또는 지역적 기관에 의한 지역적 분쟁의 평화적 해결의 발달을 장려한다.
4. 이 조는 제34조 및 제35조의 적용을 결코 해하지 아니한다.

제53조

1. 안전보장이사회는 그 권위하에 취하여지는 강제조치를 위하여 적절한 경우에는 그러한 지역적 약정 또는 지역적 기관을 이용한다. 다만, 안전보장이사회의 허가없이는 어떠한 강제조치도 지역적 약정 또는 지역적 기관에 의하여 취하여져서는 아니된다. 그러나 이 조 제2항에 규정된 어떠한 적국에 대한 조치이든지 제107조에 따라 규정된 것 또는 적국에 의한 침략정책의 재현에 대비한 지역적 약정에 규정된 것은, 관계정부의 요청에 따라 기구가 그 적국에 의한 새로운 침략을 방지할 책임을 질 때까지는 예외로 한다.
2. 이 조 제1항에서 사용된 적국이라는 용어는 제2차 세계대전중에 이 헌장서명국의 적국이었던 어떠한 국가에도 적용된다.

제54조

안전보장이사회는 국제평화와 안전의 유지를 위하여 지역적 약정 또는 지역적 기관에 의하여 착수되었거나 또는 계획되고 있는 활동에 대하여 항상 충분히 통보받는다.

제9장 경제적 및 사회적 국제협력

제55조

사람의 평등권 및 자결원칙의 존중에 기초한 국가간의 평화롭고 우호적인 관계에 필요한 안정과 복지의 조건을 창조하기 위하여, 국제연합은 다음을 촉진한다.

가. 보다 높은 생활수준, 완전고용 그리고 경제적 및 사회적 진보와 발전의 조건
나. 경제·사회·보건 및 관련국제문제의 해결 그리고 문화 및 교육상의 국제협력
다. 인종·성별·언어 또는 종교에 관한 차별이 없는 모든 사람을 위한 인권 및 기본적 자유의 보편적 존중과 준수

제56조

모든 회원국은 제55조에 규정된 목적의 달성을 위하여 기구와 협력하여 공동의 조치 및 개별적 조치를 취할 것을 약속한다.

제57조

1. 정부간 협정에 의하여 설치되고 경제·사회·문화·교육·보건분야 및 관련분야에 있어서 기본적 문서에 정한대로 광범위한 국제적 책임을 지는 각종 전문기구는 제63조의 규정에 따라 국제연합과 제휴관계를 설정한다.
2. 이와같이 국제연합과 제휴관계를 설정한 기구는 이하 전문기구라 한다.

제58조

기구는 전문기구의 정책과 활동을 조정하기 위하여 권고한다.

제59조

기구는 적절한 경우 제55조에 규정된 목적의 달성에 필요한 새로운 전문기구를 창설하기 위하여 관계국간의 교섭을 발의한다.

제60조

이 장에서 규정된 기구의 임무를 수행할 책임은 총회와 총회의 권위하에 경제사회이사회에 부과된다. 경제사회이사회는 이 목적을 위하여 제10장에 규정된 권한을 가진다.

제10장 경제사회이사회

구 성

제61조

1. 경제사회이사회는 총회에 의하여 선출된 54개 국제연합회원국으로 구성된다.
2. 제3항의 규정에 따를 것을 조건으로, 경제사회이사회의 18개 이사국은 3년의 임기로 매년 선

출된다. 퇴임이사국은 연이어 재선될 자격이 있다.

3. 경제사회이사회의 이사국이 27개국에서 54개국으로 증가된 후 최초의 선거에서는, 그 해 말에 임기가 종료되는 9개 이사국을 대신하여 선출되는 이사국에 더하여, 27개 이사국이 추가로 선출된다. 총회가 정한 약정에 따라, 이러한 추가의 27개 이사국중 그렇게 선출된 9개 이사국의 임기는 1년의 말에 종료되고, 다른 9개 이사국의 임기는 2년의 말에 종료된다.
4. 경제사회이사회의 각 이사국은 1인의 대표를 가진다.

임무와 권한

제62조

1. 경제사회이사회는 경제·사회·문화·교육·보건 및 관련국제사항에 관한 연구 및 보고를 하거나 또는 발의할 수 있으며, 아울러 그러한 사항에 관하여 총회, 국제연합회원국 및 관계전문기구에 권고할 수 있다.
2. 이사회는 모든 사람을 위한 인권 및 기본적 자유의 존중과 준수를 촉진하기 위하여 권고할 수 있다.
3. 이사회는 그 권한에 속하는 사항에 관하여 총회에 제출하기 위한 협약안을 작성할 수 있다.
4. 이사회는 국제연합이 정한 규칙에 따라 그 권한에 속하는 사항에 관하여 국제회의를 소집할 수 있다.

제63조

1. 경제사회이사회는 제57조에 규정된 어떠한 기구와도, 동 기구가 국제연합과 제휴관계를 설정하는 조건을 규정하는 협정을 체결할 수 있다. 그러한 협정은 총회의 승인을 받아야 한다.
2. 이사회는 전문기구와의 협의, 전문기구에 대한 권고 및 총회와 국제연합회원국에 대한 권고를 통하여 전문기구의 활동을 조정할 수 있다.

제64조

1. 경제사회이사회는 전문기구로부터 정기보고를 받기 위한 적절한 조치를 취할 수 있다. 이사회는, 이사회의 권고와 이사회의 권한에 속하는 사항에 관한 총회의 권고를 실시하기 위하여 취하여진 조치에 관하여 보고를 받기 위하여, 국제연합회원국 및 전문기구와 약정을 체결할 수 있다.
2. 이사회는 이러한 보고에 관한 의견을 총회에 통보할 수 있다.

제65조

경제사회이사회는 안전보장이사회에 정보를 제공할 수 있으며, 안전보장이사회의 요청이 있을 때에는 이를 원조한다.

제66조

1. 경제사회이사회는 총회의 권고의 이행과 관련하여 그 권한에 속하는 임무를 수행한다.
2. 이사회는 국제연합회원국의 요청이 있을 때와 전문기구의 요청이 있을 때에는 총회의 승인을 얻어 용역을 제공할 수 있다.
3. 이사회는 이 헌장의 다른 곳에 규정되거나 총회에 의하여 이사회에 부과된 다른 임무를 수행한다.

표 결

제67조

1. 경제사회이사회의 각 이사국은 1개의 투표권을 가진다.
2. 경제사회이사회의 결정은 출석하여 투표하는 이사국의 과반수에 의한다.

절 차

제68조

경제사회이사회는 경제적 및 사회적 분야의 위원회, 인권의 신장을 위한 위원회 및 이사회의 임무수행에 필요한 다른 위원회를 설치한다.

제69조

경제사회이사회는 어떠한 국제연합회원국에 대하여도, 그 회원국과 특히 관계가 있는 사항에 관한 심의에 투표권없이 참가하도록 초청한다.

제70조

경제사회이사회는 전문기구의 대표가 이사회의 심의 및 이사회가 설치한 위원회의 심의에 투표권없이 참가하기 위한 약정과 이사회의 대표가 전문기구의 심의에 참가하기 위한 약정을 체결할 수 있다.

제71조

경제사회이사회는 그 권한내에 있는 사항과 관련이 있는 비정부간 기구와의 협의를 위하여 적절한 약정을 체결할 수 있다. 그러한 약정은 국제기구와 체결할 수 있으며 적절한 경우에는 관련 국제연합회원국과의 협의후에 국내기구와도 체결할 수 있다.

제72조

1. 경제사회이사회는 의장의 선정방법을 포함한 그 자체의 의사규칙을 채택한다.

0243

2. 경제사회이사회는 그 규칙에 따라 필요한 때에 회합하며, 동 규칙은 이사국 과반수의 요청에 의한 회의소집의 규정을 포함한다.

제11장 비자치지역에 관한 선언

제73조

주민이 아직 완전한 자치를 행할 수 있는 상태에 이르지 못한 지역의 시정(施政)의 책임을 지거나 또는 그 책임을 맡는 국제연합회원국은, 그 지역주민의 이익이 가장 중요하다는 원칙을 승인하고, 그 지역주민의 복지를 이 헌장에 의하여 확립된 국제평화와 안전의 체제안에서 최고도로 증진시킬 의무와 이를 위하여 다음을 행할 의무를 신성한 신탁으로서 수락한다.

가. 관계주민의 문화를 적절히 존중함과 아울러 그들의 정치적·경제적·사회적 및 교육적 발전, 공정한 대우, 그리고 학대로부터의 보호를 확보한다.

나. 각지역 및 그 주민의 특수사정과 그들의 서로다른 발전단계에 따라 자치를 발달시키고, 주민의 정치적 소망을 적절히 고려하며, 또한 주민의 자유로운 정치제도의 점진적 발달을 위하여 지원한다.

다. 국제평화와 안전을 증진한다.

라. 이 조에 규정된 사회적·경제적 및 과학적 목적을 실제적으로 달성하기 위하여 건설적인 발전조치를 촉진하고 연구를 장려하며 상호간 및 적절한 경우에는 전문적 국제단체와 협력한다.

마. 제12장과 제13장이 적용되는 지역외의 위의 회원국이 각각 책임을 지는 지역에서서의 경제적·사회적 및 교육적 조건에 관한 기술적 성격의 통계 및 다른 정보를, 안전보장과 헌법상의 고려에 따라 필요한 제한을 조건으로 하여, 정보용으로 사무총장에 정기적으로 송부한다.

제74조

국제연합회원국은 이 장이 적용되는 지역에 관한 정책이, 그 본국지역에 관한 정책과 마찬가지로 세계의 다른 지역의 이익과 복지가 적절히 고려되는 가운데에, 사회적·경제적 및 상업적 사항에 관하여 선린주의의 일반원칙에 기초하여야 한다는 점에 또한 동의한다.

제12장 국제신탁통치제도

제75조

국제연합은 금후의 개별적 협정에 의하여 이 제도하에 두게 될 수 있는 지역의 시정 및 감독을 위하여 그 권위하에 국제신탁통치제도를 확립한다. 이 지역은 이하 신탁통치지역이라 한다.

제76조

신탁통치제도의 기본적 목적은 이 헌장 제1조에 규정된 국제연합의 목적에 따라 다음과 같다.

가. 국제평화와 안전을 증진하는 것.

나. 신탁통치지역 주민의 정치적·경제적·사회적 및 교육적 발전을 촉진하고, 각 지역 및 그 주민의 특수사정과 관계주민이 자유롭게 표명한 소망에 적합하도록, 그리고 각 신탁통치협정의 조항이 규정하는 바에 따라 자치 또는 독립을 향한 주민의 점진적 발달을 촉진하는 것.

다. 인종·성별·언어 또는 종교에 관한 차별없이 모든 사람을 위한 인권과 기본적 자유에 대한 존중을 장려하고, 전세계 사람들의 상호의존의 인식을 장려하는 것.

라. 위의 목적의 달성에 영향을 미치지아니하고 제80조의 규정에 따를 것을 조건으로, 모든 국제연합회원국 및 그 국민을 위하여 사회적·경제적 및 상업적 사항에 대한 평등한 대우 그리고 또한 그 국민을 위한 사법상의 평등한 대우를 확보하는 것.

제77조

1. 신탁통치제도는 신탁통치협정에 의하여 이 제도하에 두게 될 수 있는 다음과 같은 범주의 지역에 적용된다.
   가. 현재 위임통치하에 있는 지역
   나. 제2차 세계대전의 결과로서 적국으로부터 분리될 수 있는 지역
   다. 시정에 책임을 지는 국가가 자발적으로 그 제도하에 두는 지역
2. 위의 범주안의 어떠한 지역을 어떠한 조건으로 신탁통치제도하에 두게 될 것인가에 관하여는 금후의 협정에서 정한다.

제78조

국제연합회원국간의 관계는 주권평등원칙의 존중에 기초하므로 신탁통치제도는 국제연합회원국이 된 지역에 대하여는 적용하지 아니한다.

제79조

신탁통치제도하에 두게 되는 각 지역에 관한 신탁통치의 조항은, 어떤 변경 또는 개정을 포함하여 직접 관계국에 의하여 합의되며, 제83조 및 제85조

0244

에 규정된 바에 따라 승인된다. 이 직접 관계국은 국제연합회원국의 위임통치하에 있는 지역의 경우, 수임국을 포함한다.

제80조

1. 제77조, 제79조 및 제81조에 의하여 체결되고, 각 지역을 신탁통치제도하에 두는 개별적인 신탁통치협정에서 합의되는 경우를 제외하고 그리고 그러한 협정이 체결될 때까지, 이 헌장의 어떠한 규정도 어느 국가 또는 국민의 어떠한 권리, 또는 국제연합회원국이 각기 당사국으로 되는 기존의 국제문서의 조항도 어떠한 방법으로도 변경하는 것으로 직접 또는 간접으로 해석되지 아니한다.
2. 이 조 제1항은 제77조에 규정한 바에 따라 위임통치지역 및 기타지역을 신탁통치제도하에 두기 위한 협정의 교섭 및 체결의 지체 또는 연기를 위한 근거를 부여하는 것으로 해석되지 아니한다.

제81조

신탁통치협정은 각 경우에 있어 신탁통치지역을 시정하는 조건을 포함하며, 신탁통치지역의 시정을 행할 당국을 지정한다. 그러한 당국은 이하 시정권자라 하며 1 또는 그 이상의 국가, 또는 기구 자체일 수 있다.

제82조

어떠한 신탁통치협정에 있어서도 제43조에 의하여 체결되는 특별협정을 해하지 아니하고 협정이 적용되는 신탁통치지역의 일부 또는 전부를 포함하는 1 또는 그 이상의 전략지역을 지정할 수 있다.

제83조

1. 전략지역에 관한 국제연합의 모든 임무는 신탁통치협정의 조항과 그 변경 또는 개정의 승인을 포함하여 안전보장이사회가 행한다.
2. 제76조에 규정된 기본목적은 각 전략지역의 주민에 적용된다.
3. 안전보장이사회는, 신탁통치협정의 규정에 따를 것을 조건으로 또한 안전보장에 대한 고려에 영향을 미치지 아니하고, 전략지역에서의 정치적·경제적·사회적 및 교육적 사항에 관한 신탁통치제도하의 국제연합의 임무를 수행하기 위하여 신탁통치이사회의 원조를 이용한다.

제84조

신탁통치지역이 국제평화와 안전유지에 있어 그 역할을 하는 것을 보장하는 것이 시정권자의 의무이다. 이 목적을 위하여, 시정권자는 이점에 관하여 시정권자가 안전보장이사회에 대하여 부담하는 의무를 이행함에 있어서 또한 지역적 방위 및 신탁통치지역안에서의 법과 질서의 유지를 위하여 신탁통치지역의 의용군, 편의 및 원조를 이용할 수 있다.

제85조

1. 전략지역으로 지정되지 아니한 모든 지역에 대한 신탁통치협정과 관련하여 국제연합의 임무는, 신탁통치협정의 조항과 그 변경 또는 개정의 승인을 포함하여, 총회가 수행한다.
2. 총회의 권위하에 운영되는 신탁통치이사회는 이러한 임무의 수행에 있어 총회를 원조한다.

제13장 신탁통치이사회

구 성

제86조

1. 신탁통치이사회는 다음의 국제연합회원국으로 구성한다.
   가. 신탁통치지역을 시정하는 회원국
   나. 신탁통치지역을 시정하지 아니하나 제23조에 국명이 언급된 회원국
   다. 총회에 의하여 3년의 임기로 선출된 다른 회원국. 그 수는 신탁통치이사회의 이사국의 총수를 신탁통치지역을 시정하는 국제연합회원국과 시정하지 아니하는 회원국간에 균분하도록 확보하는 데 필요한 수로 한다.
2. 신탁통치이사회의 각 이사국은 이사회에서 자국을 대표하도록 특별한 자격을 가지는 1인을 지명한다.

임무와 권한

제87조

총회와, 그 권위하의 신탁통치이사회는 그 임무를 수행함에 있어 다음을 할 수 있다.

가. 시정권자가 제출하는 보고서를 심의하는 것
나. 청원의 수리 및 시정권자와 협의하여 이를 심사하는 것
다. 시정권자와 합의한 때에 각 신탁통치지역을 정기적으로 방문하는 것
라. 신탁통치협정의 조항에 따라 이러한 조치 및 다른 조치를 취하는 것

제88조

신탁통치이사회는 각 신탁통치지역 주민의 정치적·경제적·사회적 및 교육적 발전에 관한 질문서를 작성하며, 또한 총회의 권능안에 있는 각 신탁

통치지역의 시정권자는 그러한 질문서에 기초하여 총회에 연례보고를 행한다.

표 결

제89조

1. 신탁통치이사회의 각 이사국은 1개의 투표권을 가진다.
2. 신탁통치이사회의 결정은 출석하여 투표하는 이사국의 과반수로 한다.

절 차

제90조

1. 신탁통치이사회는 의장 선출방식을 포함한 그 자체의 의사규칙을 채택한다.
2. 신탁통치이사회는 그 규칙에 따라 필요한 경우 회합하며, 그 규칙은 이사국 과반수의 요청에 의한 회의의 소집에 관한 규정을 포함한다.

제91조

신탁통치이사회는 적절한 경우 경제사회이사회 그리고 전문기구가 각각 관련된 사항에 관하여 전문기구의 원조를 이용한다.

제14장 국제사법재판소

제92조

국제사법재판소는 국제연합의 주요한 사법기관이다. 재판소는 부속된 규정에 따라 임무를 수행한다. 이 규정은 상설국제사법재판소 규정에 기초하며, 이 헌장의 불가분의 일부를 이룬다.

제93조

1. 모든 국제연합회원국은 국제사법재판소 규정의 당연 당사국이다.
2. 국제연합회원국이 아닌 국가는 안전보장이사회의 권고에 의하여 총회가 각 경우에 결정하는 조건으로 국제사법재판소 규정의 당사국이 될 수 있다.

제94조

1. 국제연합의 각 회원국은 자국이 당사자가 되는 어떤 사건에 있어서도 국제사법재판소의 결정에 따를 것을 약속한다.
2. 사건의 당사자가 재판소가 내린 판결에 따라 자국이 부담하는 의무를 이행하지 아니하는 경우에는 타방의 당사자는 안전보장이사회에 제소할 수 있다. 안전보장이사회는 필요하다고 인정하는 경우 판결을 집행하기 위하여 권고하거나 취하여야 할 조치를 결정할 수 있다.

제95조

이 헌장의 어떠한 규정도 국제연합회원국이 그들간의 분쟁의 해결을 이미 존재하거나 장래에 체결될 협정에 의하여 다른 법원에 의뢰하는 것을 방해하지 아니한다.

제96조

1. 총회 또는 안전보장이사회는 어떠한 법적 문제에 관하여도 권고적 의견을 줄 것을 국제사법재판소에 요청할 수 있다.
2. 총회에 의하여 그러한 권한이 부여될 수 있는 국제연합의 다른 기관 및 전문기구도 언제든지 그 활동범위안에서 발생하는 법적 문제에 관하여 재판소의 권고적 의견을 또한 요청할 수 있다.

제15장 사무국

제97조

사무국은 1인의 사무총장과 기구가 필요로 하는 직원으로 구성한다. 사무총장은 안전보장이사회의 권고로 총회가 임명한다. 사무총장은 기구의 수석행정직원이다.

제98조

사무총장은 총회·안전보장이사회·경제사회이사회 및 신탁통치이사회의 모든 회의에 사무총장의 자격으로 활동하며, 이러한 기관에 의하여 그에게 위임된 다른 임무를 수행한다. 사무총장은 기구의 사업에 관하여 총회에 연례보고를 한다.

제99조

사무총장은 국제평화와 안전의 유지를 위협한다고 그 자신이 인정하는 어떠한 사항에도 안전보장이사회의 주의를 환기할 수 있다.

제100조

1. 사무총장과 직원은 그들의 임무수행에 있어서 어떠한 정부 또는 기구외의 어떠한 다른 당국으로부터도 지시를 구하거나 받지 아니한다. 사무총장과 직원은 기구에 대하여만 책임을 지는 국제공무원으로서의 지위를 손상할 우려가 있는 어떠한 행동도 삼간다.
2. 각 국제연합회원국은 사무총장 및 직원의 책임의 전적으로 국제적인 성격을 존중할 것과 그들의 책임수행에 있어서 그들에게 영향력을 행사하려 하지 아니할 것을 약속한다.

제101조

1. 직원은 총회가 정한 규칙에 따라 사무총장에 의하여 임명된다.
2. 경제사회이사회·신탁통치이사회 그리고 필요한 경우에는 국제연합의 다른 기관에 적절한 직원

이 상임으로 배속된다. 이 직원은 사무국의 일부를 구성한다.

3. 직원의 고용과 근무조건의 결정에 있어서 가장 중요한 고려사항은 최고수준의 능률, 능력 및 성실성을 확보할 필요성이다. 가능한 한 광범위한 지리적 기초에 근거하여 직원을 채용하는 것의 중요성에 관하여 적절히 고려한다.

제16장 잡 칙

제102조

1. 이 헌장이 발효한 후 국제연합회원국이 체결하는 모든 조약과 모든 국제협정은 가능한 한 신속히 사무국에 등록되고 사무국에 의하여 공표된다.
2. 이 조 제1항의 규정에 따라 등록되지 아니한 조약 또는 국제협정의 당사국은 국제연합의 어떠한 기관에 대하여도 그 조약 또는 협정을 원용할 수 없다.

제103조

국제연합회원국의 헌장상의 의무와 다른 국제협정상의 의무가 상충되는 경우에는 이 헌장상의 의무가 우선한다.

제104조

기구는 그 임무의 수행과 그 목적의 달성을 위하여 필요한 법적 능력을 각 회원국의 영역안에서 향유한다.

제105조

1. 기구는 그 목적의 달성에 필요한 특권 및 면제를 각 회원국의 영역안에서 향유한다.
2. 국제연합회원국의 대표 및 기구의 직원은 기구와 관련된 그들의 임무를 독립적으로 수행하기 위하여 필요한 특권과 면제를 마찬가지로 향유한다.
3. 총회는 이 조 제1항 및 제2항의 적용세칙을 결정하기 위하여 권고하거나 이 목적을 위하여 국제연합회원국에게 협약을 제안할 수 있다.

제17장 과도적 안전보장조치

제106조

안전보장이사회가 제42조상의 책임의 수행을 개시할 수 있다고 인정하는 제43조에 규정된 특별협정이 발효할 때까지, 1943년10월30일에 모스크바에서 서명된 4개국 선언의 당사국 및 불란서는 그 선언 제5항의 규정에 따라 국제평화와 안전의 유지를 위하여 필요한 공동조치를 기구를 대신하여 취하기 위하여 상호간 및 필요한 경우 다른 국제연합회원국과 협의한다.

제107조

이 헌장의 어떠한 규정도 제2차 세계대전중 이 헌장 서명국의 적이었던 국가에 관한 조치로서, 그러한 조치에 대하여 책임을 지는 정부가 그 전쟁의 결과로서 취하였거나 허가한 것을 무효로 하거나 배제하지 아니한다.

제18장 개 정

제108조

이 헌장의 개정은 총회 구성국의 3분의 2의 투표에 의하여 채택되고, 안전보장이사회의 모든 상임이사국을 포함한 국제연합회원국의 3분의 2에 의하여 각자의 헌법상 절차에 따라 비준되었을 때, 모든 국제연합회원국에 대하여 발효한다.

제109조

1. 이 헌장을 재심의하기 위한 국제연합회원국 전체회의는 총회 구성국의 3분의 2의 투표와 안전보장이사회의 9개 이사국의 투표에 의하여 결정되는 일자 및 장소에서 개최될 수 있다. 각 국제연합회원국은 이 회의에서 1개의 투표권을 가진다.
2. 이 회의의 3분의 2의 투표에 의하여 권고된 이 헌장의 어떠한 변경도, 안전보장이사회의 모든 상임이사국을 포함한 국제연합회원국의 3분의 2에 의하여 그들 각자의 헌법상 절차에 따라 비준되었을 때 발효한다.
3. 그러한 회의가 이 헌장의 발효후 총회의 제10차 연례회기까지 개최되지 아니하는 경우에는 그러한 회의를 소집하는 제안이 총회의 동 회기의 의제에 포함되어야 하며, 회의는 총회 구성국의 과반수의 투표와 안전보장이사회의 7개 이사국의 투표에 의하여 결정되는 경우에 개최된다.

제19장 비준 및 서명

제110조

1. 이 헌장은 서명국에 의하여 그들 각자의 헌법상 절차에 따라 비준된다.
2. 비준서는 미합중국 정부에 기탁되며, 동 정부는 모든 서명국과 기구의 사무총장이 임명된 경우에는 사무총장에게 각 기탁을 통고한다.
3. 이 헌장은 중화민국·불란서·소비에트사회주의공화국연방·영국과 미합중국 및 다른 서명국의 과반수가 비준서를 기탁한 때에 발효한다. 비준서 기탁 의정서는 발효시 미합중국 정부가 작성하여 그 등본을 모든 서명국에 송부한다.

4. 이 헌장이 발효한 후에 이를 비준하는 이 헌장의 서명국은 각자의 비준서 기탁일에 국제연합의 원회원국이 된다.

제111조

중국어·불어·러시아어·영어 및 스페인어본이 동등하게 정본인 이 헌장은 미합중국 정부의 문서보관소에 기탁된다. 이 헌장의 인증등본은 동 정부가 다른 서명국 정부에 송부한다.

이상의 증거로서, 연합국 정부의 대표들은 헌장에 서명하였다.

일천구백사십오년 유월 이십육일 샌프란시스코시에서 작성하였다.

국제사법재판소규정

제1조

국제연합의 주요한 사법기관으로서 국제연합헌장에 의하여 설립되는 국제사법재판소는 재판소규정의 규정들에 따라 조직되며 임무를 수행한다.

제1장 재판소의 조직

제2조

재판소는 덕망이 높은 자로서 각국가에서 최고법관으로 임명되는데 필요한 자격을 가진 자 또는 국제법에 정통하다고 인정된 법률가중에서 국적에 관계없이 선출되는 독립적 재판관의 일단으로 구성된다.

제3조

1. 재판소는 15인의 재판관으로 구성된다. 다만, 2인이상이 동일국의 국민이어서는 아니된다.
2. 재판소에서 재판관의 자격을 정함에 있어서 2이상의 국가의 국민으로 인정될 수 있는 자는 그가 통상적으로 시민적 및 정치적 권리를 행사하는 국가의 국민으로 본다.

제4조

1. 재판소의 재판관은 상설중재재판소의 국별재판관단이 지명한 자의 명부중에서 다음의 규정들에 따라 총회 및 안전보장이사회가 선출한다.
2. 상설중재재판소에서 대표되지 아니하는 국제연합회원국의 경우에는, 재판관후보자는 상설중재재판소 재판관에 관하여 국제분쟁의 평화적 해결을 위한 1907년 헤이그협약 제44조에 규정된 조건과 동일한 조건에 따라 각국정부가 임명하는 국별재판관단이 지명한다.
3. 재판소규정의 당사국이지만 국제연합의 비회원국인 국가가 재판소의 재판관 선거에 참가할 수 있는 조건은, 특별한 협정이 없는 경우에는, 안전보장이사회의 권고에 따라 총회가 정한다.

제5조

1. 선거일부터 적어도 3월전에 국제연합사무총장은, 재판소규정의 당사국인 국가에 속하는 상설중재재판소 재판관 및 제4조제2항에 의하여 임명되는 국별재판관단의 구성원에게, 재판소의 재판관의 직무를 수락할 지위에 있는 자의 지명을 일정한 기간내에 각 국별재판관단마다 행할 것을 서면으로 요청한다.
2. 어떠한 국별재판관단도 4인을 초과하여 후보자를 지명할 수 없으며, 그중 3인이상이 자국국적의 소유자이어서도 아니된다. 어떠한 경우에도 하나의 국별재판관단이 지명하는 후보자의 수는 충원할 재판관석 수의 2배를 초과하여서는 아니된다.

제6조

이러한 지명을 하기 전에 각 국별재판관단은 자국의 최고법원·법과대학·법률학교 및 법률연구에 종사하는 학술원 및 국제학술원의 자국지부와 협의하도록 권고받는다.

제7조

1. 사무총장은 이와 같이 지명된 모든 후보자의 명부를 알파벳순으로 작성한다.
   제12조제2항에 규정된 경우를 제외하고 이 후보자들만이 피선될 자격을 가진다.
2. 사무총장은 이 명부를 총회 및 안전보장이사회에 제출한다.

제8조

총회 및 안전보장이사회는 각각 독자적으로 재판소의 재판관을 선출한다.

제9조

모든 선거에 있어서 선거인은 피선거인이 개인적으로 필요한 자격을 가져야 할 뿐만 아니라 전체적으로 재판관단이 세계의 주요문명형태 및 주요법체계를 대표하여야 함에 유념한다.

제10조

1. 총회 및 안전보장이사회에서 절대다수표를 얻은 후보자는 당선된 것으로 본다.
2. 안전보장이사회의 투표는, 재판관의 선거를 위한 것이든지 또는 제12조에 규정된 협의회의 구성원의 임명을 위한 것이든지, 안전보장이사회의 상임이사국과 비상임이사국간에 구별없이 이루어진다.
3. 2인이상의 동일국가 국민이 총회 및 안전보장이

0248

15

사회의 투표에서 모두 절대다수표를 얻은 경우에는 그중 최연장자만이 당선된 것으로 본다.

제11조

선거를 위하여 개최된 제1차 회의후에도 충원되어야 할 1 또는 그 이상의 재판관석이 남는 경우에는 제2차 회의가, 또한 필요한 경우 제3차 회의가 개최된다.

제12조

1. 제3차 회의후에도 충원되지 아니한 1 또는 그 이상의 재판관석이 여전히 남는 경우에는, 3인은 총회가, 3인은 안전보장이사회가 임명하는 6명으로 구성되는 합동협의회가 각공석당 1인을 절대다수표로써 선정하여 총회 및 안전보장이사회가 각각 수락하도록 하기 위하여 총회 또는 안전보장이사회중 어느 일방의 요청에 의하여 언제든지 설치될 수 있다.
2. 요구되는 조건을 충족한 자에 대하여 합동협의회가 전원일치로 동의한 경우에는, 제7조에 규정된 지명명부중에 기재되지 아니한 자라도 협의회의 명부에 기재될 수 있다.
3. 합동협의회가 당선자를 확보할 수 없다고 인정하는 경우에는 이미 선출된 재판소의 재판관들은 총회 또는 안전보장이사회중 어느 일방에서라도 득표한 후보자 중에서 안전보장이사회가 정하는 기간내에 선정하여 공석을 충원한다.
4. 재판관간의 투표가 동수인 경우에는 최연장재판관이 결정투표권을 가진다.

제13조

1. 재판소의 재판관은 9년의 임기로 선출되며 재선될 수 있다. 다만, 제1회선거에서 선출된 재판관중 5인의 재판관의 임기는 3년후에 종료되며, 다른 5인의 재판관의 임기는 6년후에 종료된다.
2. 위에 규정된 최초의 3년 및 6년의 기간후에 임기가 종료되는 재판관은 제1회 선거가 완료된 직후 사무총장이 추첨으로 선정한다.
3. 재판소의 재판관은 후임자가 충원될 때까지 계속 직무를 수행한다. 충원후에도 재판관은 이미 착수한 사건을 완결한다.
4. 재판소의 재판관이 사임하는 경우 사표는 재판소장에게 제출되며, 사무총장에게 전달된다. 이러한 최후의 통고에 의하여 공석이 생긴다.

제14조

공석은 후단의 규정에 따를 것을 조건으로 제1회 선거에 관하여 정한 방법과 동일한 방법으로 충원된다. 사무총장은 공석이 발행한 후 1월이내에 제5조에 규정된 초청장을 발송하며, 선거일은 안전보장이사회가 정한다.

제15조

임기가 종료되지 아니한 재판관을 교체하기 위하여 선출된 재판소의 재판관은 전임자의 잔임기간동안 재직한다.

제16조

1. 재판소의 재판관은 정치적 또는 행정적인 어떠한 임무도 수행할 수 없으며, 또는 전문적 성질을 가지는 다른 어떠한 직업에도 종사할 수 없다.
2. 이 점에 관하여 의문이 있는 경우에는 재판소의 결정에 의하여 해결한다.

제17조

1. 재판소의 재판관은 어떠한 사건에 있어서도 대리인·법률고문 또는 변호인으로서 행동할 수 없다.
2. 재판소의 재판관은 일방당사자의 대리인·법률고문 또는 변호인으로서, 국내법원 또는 국제법원의 법관으로서, 조사위원회의 위원으로서, 또는 다른 어떠한 자격으로서도, 이전에 그가 관여하였던 사건의 판결에 참여할 수 없다.
3. 이 점에 관하여 의문이 있는 경우에는 재판소의 결정에 의하여 해결한다.

제18조

1. 재판소의 재판관은, 다른 재판관들이 전원일치의 의견으로써 그가 요구되는 조건을 충족하지 못하게 되었다고 인정하는 경우를 제외하고는, 해임될 수 없다.
2. 해임의 정식통고는 재판소서기가 사무총장에게 한다.
3. 이러한 통고에 의하여 공석이 생긴다.

제19조

재판소의 재판관은 재판소의 업무에 종사하는 동안 외교특권 및 면제를 향유한다.

제20조

재판소의 모든 재판관은 직무를 개시하기 전에 자기의 직권을 공평하고 양심적으로 행사할 것을 공개된 법정에서 엄숙히 선언한다.

제21조

1. 재판소는 3년 임기로 재판소장 및 재판소부소장

0249

을 선출한다. 그들은 재선될 수 있다.

2. 재판소는 재판소서기를 임명하며 필요한 다른 직원의 임명에 관하여 규정할 수 있다.

제22조

1. 재판소의 소재지는 헤이그로 한다. 다만, 재판소가 바람직하다고 인정하는 때에는 다른 장소에서 개정하여 그 임무를 수행할 수 있다.
2. 재판소장 및 재판소서기는 재판소의 소재지에 거주한다.

제23조

1. 재판소는 재판소가 휴가중인 경우를 제외하고는 항상 개정하며, 휴가의 시기 및 기간은 재판소가 정한다.
2. 재판소의 재판관은 정기휴가의 권리를 가진다. 휴가의 시기 및 기간은 헤이그와 각 재판관의 가정간의 거리를 고려하여 재판소가 정한다.
3. 재판소의 재판관은 휴가중에 있는 경우이거나 질병 또는 재판소장에 대하여 정당하게 해명할 수 있는 다른 중대한 사유로 인하여 출석할 수 없는 경우를 제외하고는 항상 재판소의 명에 따라야 할 의무를 진다.

제24조

1. 재판소의 재판관은 특별한 사유로 인하여 특정사건의 결정에 자신이 참여하여서는 아니된다고 인정하는 경우에는 재판소장에게 그 점에 관하여 통보한다.
2. 재판소장은 재판소의 재판관중의 한 사람이 특별한 사유로 인하여 특정사건에 참여하여서는 아니된다고 인정하는 경우에는 그에게 그 점에 관하여 통보한다.
3. 그러한 모든 경우에 있어서 재판소의 재판관과 재판소장의 의견이 일치하지 아니하는 때에는 그 문제는 재판소의 결정에 의하여 해결한다.

제25조

1. 재판소규정에 달리 명문의 규정이 있는 경우를 제외하고는 재판소는 전원이 출석하여 개정한다.
2. 재판소를 구성하기 위하여 응할 수 있는 재판관의 수가 11인 미만으로 감소되지 아니할 것을 조건으로, 재판소규칙은 상황에 따라서 또한 윤번으로 1인 또는 그 이상의 재판관의 출석을 면제할 수 있음을 규정할 수 있다.
3. 재판소를 구성하는데 충분한 재판관의 정족수는 9인으로 한다.

제26조

1. 재판소는 특정한 부류의 사건, 예컨대 노동사건과 통과 및 운수통신에 관한 사건을 처리하기 위하여 재판소가 결정하는 바에 따라 3인 또는 그 이상의 재판관으로 구성되는 1 또는 그 이상의 소재판부를 수시로 설치할 수 있다.
2. 재판소는 특정사건을 처리하기 위한 소재판부를 언제든지 설치할 수 있다. 그러한 소재판부를 구성하는 재판관의 수는 당사자의 승인을 얻어 재판소가 결정한다.
3. 당사자가 요청하는 경우에는 이 조에서 규정된 소재판부가 사건을 심리하고 결정한다.

제27조

제26조 및 제29조에 규정된 소재판부가 선고한 판결은 재판소가 선고한 것으로 본다.

제28조

제26조 및 제29조에 규정된 소재판부는 당사자의 동의를 얻어 헤이그외의 장소에서 개정하여, 그 임무를 수행할 수 있다.

제29조

업무의 신속한 처리를 위하여 재판소는, 당사자의 요청이 있는 경우 간이소송절차로 사건을 심리하고 결정할 수 있는, 5인의 재판관으로 구성되는 소재판부를 매년 설치한다. 또한 출석할 수 없는 재판관을 교체하기 위하여 2인의 재판관을 선정한다.

제30조

1. 재판소는 그 임무를 수행하기 위하여 규칙을 정한다. 재판소는 특히 소송절차규칙을 정한다.
2. 재판소규칙은 재판소 또는 그 소재판부에 투표권없이 출석하는 보좌인에 관하여 규정할 수 있다.

제31조

1. 각 당사자의 국적재판관은 재판소에 제기된 사건에 출석할 권리를 가진다.
2. 재판소가 그 재판관석에 당사자중 1국의 국적재판관을 포함시키는 경우에는 다른 어느 당사자도 재판관으로서 출석할 1인을 선정할 수 있다. 다만, 그러한 자는 되도록이면 제4조 및 제5조에 규정된 바에 따라 후보자로 지명된 자중에서 선정된다.
3. 재판소가 그 재판관석에 당사자의 국적재판관을 포함시키지 아니한 경우에는 각 당사자는 제2항에 규정된 바에 따라 재판관을 선정할 수 있다.

4. 이 조의 규정은 제26조 및 제29조의 경우에 적용된다. 그러한 경우에 재판소장은 소재판부를 구성하고 있는 재판관중 1인 또는 필요한 때에는 2인에 대하여, 관계당사자의 국적재판관에게 또한 그러한 국적재판관이 없거나 출석할 수 없는 때에는 당사자가 특별히 선정하는 재판관에게, 재판관석을 양보할 것을 요청한다.
5. 동일한 이해관계를 가진 수개의 당사자가 있는 경우에, 그 수개의 당사자는 위 규정들의 목적상 단일당사자로 본다. 이 점에 관하여 의문이 있는 경우에는 재판소의 결정에 의하여 해결한다.
6. 제2항·제3항 및 제4항에 규정된 바에 따라 선정되는 재판관은 재판소규정의 제2조·제17조(제2항)·제20조 및 제24조가 요구하는 조건을 충족하여야 한다. 그러한 재판관은 자기의 동료와 완전히 평등한 조건으로 결정에 참여한다.

제32조

1. 재판소의 각재판관은 연봉을 받는다.
2. 재판소장은 특별년차수당을 받는다.
3. 재판소부소장은 재판소장으로서 활동하는 모든 날자에 대하여 특별수당을 받는다.
4. 제31조에 의하여 선정된 재판관으로서 재판소의 재판관이 아닌 자는 자기의 임무를 수행하는 각 날자에 대하여 보상을 받는다.
5. 이러한 봉급·수당 및 보상은 총회가 정하여 임기중 감액될 수 없다.
6. 재판소서기의 봉급은 재판소의 제의에 따라 총회가 정한다.
7. 재판소의 재판관 및 재판소서기에 대하여 퇴직연금이 지급되는 조건과 재판소의 재판관 및 재판소서기가 그 여비를 상환받는 조건은 총회가 제정하는 규칙에서 정하여진다.
8. 위의 봉급·수당 및 보상은 모든 과세로부터 면제된다.

제33조

재판소의 경비는 총회가 정하는 방식에 따라 국제연합이 부담한다.

제2장 재판소의 관할

제34조

1. 국가만이 재판소에 제기되는 사건의 당사자가 될 수 있다.
2. 재판소는 재판소규칙이 정하는 조건에 따라 공공 국제기구에게 재판소에 제기된 사건과 관련된 정보를 요청할 수 있으며, 또한 그 국제기구가 자발적으로 제공하는 정보를 수령한다.
3. 공공 국제기구의 설립문서 또는 그 문서에 의하여 채택된 국제협약의 해석이 재판소에 제기된 사건에서 문제로 된 때에는 재판소서기는 당해 공공 국제기구에 그 점에 관하여 통고하며, 소송절차상의 모든 서류의 사본을 송부한다.

제35조

1. 재판소는 재판소규정의 당사국에 대하여 개방된다.
2. 재판소를 다른 국가에 대하여 개방하기 위한 조건은 현행 제조약의 특별한 규정에 따를 것을 조건으로 안전보장이사회가 정한다. 다만, 어떠한 경우에도 그러한 조건은 당사자들을 재판소에 있어서 불평등한 지위에 두게 하는 것이어서는 아니된다.
3. 국제연합의 회원국이 아닌 국가가 사건의 당사자인 경우에는 재판소는 그 당사자가 재판소의 경비에 대하여 부담할 금액을 정한다. 그러한 국가가 재판소의 경비를 분담하고 있는 경우에는 적용되지 아니한다.

제36조

1. 재판소의 관할은 당사자가 재판소에 회부하는 모든 사건과 국제연합헌장 또는 현행의 제조약 및 협약에서 특별히 규정된 모든 사항에 미친다.
2. 재판소규정의 당사국은 다음 사항에 관한 모든 법률적 분쟁에 대하여 재판소의 관할을, 동일한 의무를 수락하는 모든 다른 국가와의 관계에 있어서 당연히 또한 특별한 합의없이도, 강제적인 것으로 인정한다는 것을 언제든지 선언할 수 있다.
   가. 조약의 해석
   나. 국제법상의 문제
   다. 확인되는 경우, 국제의무의 위반에 해당하는 사실의 존재
   라. 국제의무의 위반에 대하여 이루어지는 배상의 성질 또는 범위
3. 위에 규정된 선언은 무조건으로, 수개 국가 또는 일정 국가와의 상호주의의 조건으로, 또는 일정한 기간을 정하여 할 수 있다.
4. 그러한 선언서는 국제연합사무총장에게 기탁되며, 사무총장은 그 사본을 재판소규정의 당사국과 국제사법재판소서기에게 송부한다.
5. 상설국제사법재판소규정 제36조에 의하여 이루

어진 선언으로서 계속 효력을 가지는 것은, 재판소규정의 당사국사이에서는, 이 선언이 금후 존속하여야할 기간동안 그리고 이 선언의 조건에 따라 재판소의 강제적 관할을 수락한 것으로 본다.

6. 재판소가 관할권을 가지는지의 여부에 관하여 분쟁이 있는 경우에는, 그 문제는 재판소의 결정에 의하여 해결된다.

제37조

현행의 조약 또는 협약이 국제연맹이 설치한 재판소 또는 상설국제사법재판소에 어떤 사항을 회부하는 것을 규정하고 있는 경우에 그 사항은 재판소규정의 당사국사이에서는 국제사법재판소에 회부된다.

제38조

1. 재판소는 재판소에 회부된 분쟁을 국제법에 따라 재판하는 것을 임무로하며, 다음을 적용한다.
   가. 분쟁국에 의하여 명백히 인정된 규칙을 확립하고 있는 일반적인 또는 특별한 국제협약
   나. 법으로 수락된 일반관행의 증거로서의 국제관습
   다. 문명국에 의하여 인정된 법의 일반원칙
   라. 법칙결정의 보조수단으로서의 사법판결 및 제국의 가장 우수한 국제법학자의 학설. 다만, 제59조의 규정에 따를 것을 조건으로 한다.
2. 이 규정은 당사자가 합의하는 경우에 재판소가 형평과 선에 따라 재판하는 권한을 해하지 아니한다.

제3장 소송절차

제39조

1. 재판소의 공용어는 불어 및 영어로 한다. 당사자가 사건을 불어로 처리하는 것에 동의하는 경우 판결은 불어로 한다. 당사자가 사건을 영어로 처리하는 것에 동의하는 경우 판결은 영어로 한다.
2. 어떤 공용어를 사용할 것인지에 대한 합의가 없는 경우에, 각당사자는 자국이 선택하는 공용어를 변론절차에서 사용할 수 있으며, 재판소의 판결은 불어 및 영어로 한다. 이러한 경우에 재판소는 두개의 본문중 어느 것을 정본으로 할 것인가를 아울러 결정한다.
3. 재판소는 당사자의 요청이 있는 경우 그 당사자가 불어 또는 영어외의 언어를 사용하도록 허가한다.

제40조

1. 재판소에 대한 사건의 제기는 각 경우에 따라 재판소서기에게 하는 특별한 합의의 통고에 의하여 또는 서면신청에 의하여 이루어진다. 어느 경우에도 분쟁의 주제 및 당사자가 표시된다.
2. 재판소서기는 즉시 그 신청을 모든 이해관계자에게 통보한다.
3. 재판소서기는 사무총장을 통하여 국제연합회원국에게도 통고하며, 또한 재판소에 출석할 자격이 있는 어떠한 다른 국가에게도 통고한다.

제41조

1. 재판소는 사정에 의하여 필요하다고 인정하는 때에는 각당사자의 각각의 권리를 보전하기 위하여 취하여져야 할 잠정조치를 제시할 권한을 가진다.
2. 종국판결이 있을 때까지, 제시되는 조치는 즉시 당사자 및 안전보장이사회에 통지된다.

제42조

1. 당사자는 대리인에 의하여 대표된다.
2. 당사자는 재판소에서 법률고문 또는 변호인의 조력을 받을 수 있다.
3. 재판소에서 당사자의 대리인·법률고문 및 변호인은 자기의 직무를 독립적으로 수행하는데 필요한 특권 및 면제를 향유한다.

제43조

1. 소송절차는 서면소송절차 및 구두소송절차의 두 부분으로 구성된다.
2. 서면소송절차는 준비서면·답변서 및 필요한 경우 항변서와 원용할 수 있는 모든 문서 및 서류를 재판소와 당사자에게 송부하는 것으로 이루어진다.
3. 이러한 송부는 재판소가 정하는 순서에 따라 재판소가 정하는 기간내에 재판소서기를 통하여 이루어진다.
4. 일방당사자가 제출한 모든 서류의 인증사본 1통은 타방당사자에게 송부된다.
5. 구두소송절차는 재판소가 증인·감정인·대리인·법률고문 및 변호인에 대하여 심문하는 것으로 이루어진다.

제44조

1. 재판소는 대리인·법률고문 및 변호인외의 자에 대한 모든 통지의 송달을, 그 통지가 송달될 지역이 속하는 국가의 정부에게 직접한다.
2. 위의 규정은 현장에서 증거를 수집하기 위한 조

치를 취하여야 할 경우에도 동일하게 적용된다.

제45조

심리는 재판소장 또는 재판소장이 주재할 수 없는 경우에는 재판소부소장이 지휘한다. 그들 모두가 주재할 수 없을 때에는 출석한 선임재판관이 주재한다.

제46조

재판소에서의 심리는 공개된다. 다만, 재판소가 달리 결정하는 경우 또는 당사자들이 공개하지 아니할 것을 요구하는 경우에는 그러하지 아니하다.

제47조

1. 매 심리마다 조서를 작성하고 재판소서기 및 재판소장이 서명한다.
2. 이 조서만이 정본이다.

제48조

재판소는 사건의 진행을 위한 명령을 발하고, 각당사자가 각각의 진술을 종결하여야 할 방식 및 시기를 결정하며, 증거조사에 관련되는 모든 조치를 취한다.

제49조

재판소는 심리의 개시전에도 서류를 제출하거나 설명을 할 것을 대리인에게 요청할 수 있다. 거절하는 경우에는 정식으로 이를 기록하여 둔다.

제50조

재판소는 재판소가 선정하는 개인·단체·관공서·위원회 또는 다른 조직에게 조사의 수행 또는 감정의견의 제출을 언제든지 위탁할 수 있다.

제51조

심리중에는 제30조에 규정된 소송절차규칙에서 재판소가 정한 조건에 따라 증인 및 감정인에게 관련된 모든 질문을 한다.

제52조

재판소는 그 목적을 위하여 정하여진 기간내에 증거 및 증언을 수령한 후에는, 타방당사자가 동의하지 아니하는 한, 일방당사자가 제출하고자 하는 어떠한 새로운 인증 또는 서증도 그 수리를 거부할 수 있다.

제53조

1. 일방당사자가 재판소에 출석하지 아니하거나 또는 그 사건을 방어하지 아니하는 때에는 타방당사자는 자기의 청구에 유리하게 결정할 것을 재판소에 요청할 수 있다.
2. 재판소는, 그렇게 결정하기 전에, 제36조 및 제37조에 따라 재판소가 관할권을 가지고 있을 뿐만 아니라 그 청구가 사실 및 법에 충분히 근거하고 있음을 확인하여야 한다.

제54조

1. 재판소의 지휘에 따라 대리인·법률고문 및 변호인이 사건에 관한 진술을 완료한 때에는 재판소장은 심리가 종결되었음을 선언한다.
2. 재판소는 판결을 심의하기 위하여 퇴정한다.
3. 재판소의 평의는 비공개로 이루어지며 비밀로 한다.

제55조

1. 모든 문제는 출석한 재판관의 과반수로 결정된다.
2. 가부동수인 경우에는 재판소장 또는 재판소장을 대리하는 재판관이 결정투표권을 가진다.

제56조

1. 판결에는 판결이 기초하고 있는 이유를 기재한다.
2. 판결에는 결정에 참여한 재판관의 성명이 포함된다.

제57조

판결이 전부 또는 부분적으로 재판관 전원일치의 의견을 나타내지 아니한 때에는 어떠한 재판관도 개별의견을 제시할 권리를 가진다.

제58조

판결에는 재판소장 및 재판소서기가 서명한다. 판결은 대리인에게 적절히 통지된 후 공개된 법정에서 낭독된다.

제59조

재판소의 결정은 당사자사이와 그 특정사건에 관하여서만 구속력을 가진다.

제60조

판결은 종국적이며 상소할 수 없다. 판결의 의미 또는 범위에 관하여 분쟁이 있는 경우에는 재판소는 당사자의 요청에 의하여 이를 해석한다.

제61조

1. 판결의 재심청구는 재판소 및 재심을 청구하는 당사자가 판결이 선고되었을 당시에는 알지 못하였던 결정적 요소로 될 성질을 가진 어떤 사실의 발견에 근거하는 때에 한하여 할 수 있다. 다만, 그러한 사실을 알지 못한 것이 과실에 의한 것이 아니었어야 한다.
2. 재심의 소송절차는 새로운 사실이 존재함을 명기하고, 그 새로운 사실이 사건을 재심할 성질의 것임을 인정하고, 또한 재심청구가 이러한 이유

로 허용될수 있음을 선언하고 있는 재판소의 판결에 의하여 개시된다.

3. 재판소는 재심의 소송절차를 허가하기 전에 원판결의 내용을 먼저 준수하도록 요청할 수 있다.
4. 재심청구는 새로운 사실을 발견한 때부터 늦어도 6월 이내에 이루어져야 한다.
5. 판결일부터 10년이 지난후에는 재심청구를 할 수 없다.

제62조

1. 사건의 결정에 의하여 영향을 받을 수 있는 법률적 성질의 이해관계가 있다고 인정하는 국가는 재판소에 그 소송에 참가하는 것을 허락하여 주도록 요청할 수 있다.
2. 재판소는 이 요청에 대하여 결정한다.

제63조

1. 사건에 관련된 국가 이외의 다른 국가가 당사국으로 있는 협약의 해석이 문제가 된 경우에는 재판소서기는 즉시 그러한 모든 국가에게 통고한다.
2. 그렇게 통고를 받은 모든 국가는 그 소송절차에 참가할 권리를 가진다. 다만, 이 권리를 행사한 경우에는 판결에 의하여 부여된 해석은 그 국가에 대하여도 동일한 구속력을 가진다.

제64조

재판소가 달리 결정하지 아니하는 한 각당사자는 각자의 비용을 부담한다.

제4장 권고적 의견

제65조

1. 재판소는 국제연합헌장에 의하여 또는 이 헌장에 따라 권고적 의견을 요청하는 것을 허가받은 기관이 그러한 요청을 하는 경우에 어떠한 법률문제에 관하여도 권고적 의견을 부여할 수 있다.
2. 재판소의 권고적 의견을 구하는 문제는, 그 의견을 구하는 문제에 대하여 정확하게 기술하고 있는 요청서에 의하여 재판소에 제기된다. 이 요청서에는 그 문제를 명확하게 할 수 있는 모든 서류를 첨부한다.

제66조

1. 재판소서기는 권고적 의견이 요청된 사실을 재판소에 출석할 자격이 있는 모든 국가에게 즉시 통지한다.
2. 재판소서기는 또한, 재판소에 출석할 자격이 있는 모든 국가에게, 또는 그 문제에 관한 정보를 제공할 수 있다고 재판소 또는 재판소가 개정중이 아닌 때에는 재판소장이 인정하는 국제기구에게, 재판소장이 정하는 기간내에, 재판소가 그 문제에 관한 진술서를 수령하거나 또는 그 목적을 위하여 열리는 공개법정에서 그 문제에 관한 구두진술을 청취할 준비가 되어 있음을 특별하고도 직접적인 통신수단에 의하여 통고한다.
3. 재판소에 출석할 자격이 있는 그러한 어떠한 국가도 제2항에 규정된 특별통지를 받지 아니하였을 때에는 진술서를 제출하거나 또는 구두로 진술하기를 희망한다는 것을 표명할 수 있다. 재판소는 이에 관하여 결정한다.
4. 서면 또는 구두진술 또는 양자 모두를 제출한 국가 및 기구는, 재판소 또는 재판소가 개정중이 아닌 때에는 재판소장이 각 특정사건에 있어서 정하는 형식·범위 및 기간내에 다른 국가 또는 기구가 한 진술에 관하여 의견을 개진하는 것이 허용된다. 따라서 재판소서기는 그러한 진술서를 이와 유사한 진술서를 제출한 국가 및 기구에게 적절한 시기에 송부한다.

제67조

재판소는 사무총장 및 직접 관계가 있는 국제연합회원국·다른 국가 및 국제기구의 대표에게 통지한 후 공개된 법정에서 그 권고적 의견을 발표한다.

제68조

권고적 임무를 수행함에 있어서 재판소는 재판소가 적용할 수 있다고 인정하는 범위안에서 쟁송사건에 적용되는 재판소규정의 규정들에 또한 따른다.

제5장 개 정

제69조

재판소규정의 개정은 국제연합헌장이 그 헌장의 개정에 관하여 규정한 절차와 동일한 절차에 의하여 이루어진다. 다만, 재판소규정의 당사국이면서 국제연합회원국이 아닌 국가의 참가에 관하여는 안전보장이사회의 권고에 의하여 총회가 채택한 규정에 따른다.

제70조

재판소는 제69조의 규정에 따른 심의를 위하여 재판소가 필요하다고 인정하는 재판소규정의 개정을, 사무총장에 대한 서면통보로써, 제안할 권한을 가진다.

0254

21

CHARTER OF THE UNITED NATIONS

WE, THE PEOPLES OF THE UNITED NATIONS,

DETERMINED

to save succeeding generations from the scourge of war, which twice in our lifetime has brought untold sorrow to mankind, and

to reaffirm faith in fundamental human rights, in the dignity and worth of the human person, in the equal rights of men and women and of nations large and small, and

to establish conditions under which justice and respect for the obligations arising from treaties and other sources of international law can be maintained, and

to promote social progress and better standards of life in larger freedom,

AND FOR THESE ENDS

to practice tolerance and live together in peace with one another as good neighbours, and

to unite our strength to maintain international peace and security, and

to ensure, by the acceptance of principles and the institution of methods, that armed force shall not be used, save in the common interest, and

to employ international machinery for the promotion of the economic and social advancement of all peoples,

HAVE RESOLVED TO COMBINE OUR EFFORTS

TO ACCOMPLISH THESE AIMS.

Accordingly, our respective Governments, through representatives assembled in the city of San Francisco, who have exhibited their full powers found to be in good and due form, have agreed to the present Charter of the United Nations and do hereby establish an international organization to be known as the United Nations.

CHAPTER I

PURPOSES AND PRINCIPLES

Article 1

The Purposes of the United Nations are:

1. To maintain international peace and security, and to that end: to take effective collective measures for the prevention and removal of threats to the peace, and for the suppression of acts of aggression or other breaches of the peace, and to bring about by peaceful means, and in conformity with the principles of justice and international law, adjustment or settlement of international disputes or situations which might lead to a breach of the peace;

2. To develop friendly relations among nations based on respect for the principle of equal rights and self-determination of peoples, and to take other appropriate measures to strengthen universal peace;

3. To achieve international co-operation in solving international problems of an economic, social, cultural, or humanitarian character, and in promoting and encouraging respect for human rights and for fundamental freedoms for all without distinction as to race, sex, language, or religion; and

4. To be a centre for harmonizing the actions of nations in the attainment of these common ends.

Article 2

The Organization and its Members, in pursuit of the Purposes stated in Article 1, shall act in accordance with the following Principles:

1. The Organization is based on the principle of the sovereign equality of all its Members.

2. All Members, in order to ensure to all of them the rights and benefits resulting from membership, shall fulfil in good faith the obligations assumed by them in accordance with the present Charter.

3. All Members shall settle their international disputes by peaceful means in such a manner that international peace and security, and justice, are not endangered.

4. All Members shall refrain in their international relations from the threat or use of force against the territorial integrity or political independence of any State, or in any other manner inconsistent with the Purposes of the United Nations.

5. All Members shall give the United Nations every assistance in any

action it takes in accordance with the present Charter, and shall refrain from giving assistance to any State against which the United Nations is taking preventive or enforcement action.

6. The Organization shall ensure that States which are not Members of the United Nations act in accordance with these Principles so far as may be necessary for the maintenance of international peace and security.

7. Nothing contained in the present Charter shall authorize the United Nations to intervene in matters which are essentially within the domestic jurisdiction of any State or shall require the Members to submit such matters to settlement under the present Charter; but this principle shall not prejudice the application of enforcement measures under Chapter VII.

CHAPTER II

MEMBERSHIP

Article 3

The original Members of the United Nations shall be the States which, having participated in the United Nations Conference on International Organization at San Francisco, or having previously signed the Declaration by United Nations of 1 January 1942, sign the present Charter and ratify it in accordance with Article 110.

Article 4

1. Membership in the United Nations is open to all other peace-loving States which accept the obligations contained in the present Charter and, in the judgment of the Organization, are able and willing to carry out these obligations.

2. The admission of any such State to membership in the United Nations will be effected by a decision of the General Assembly upon the recommendation of the Security Council.

Article 5

A Member of the United Nations against which preventive or enforcement action has been taken by the Security Council may be suspended from the exercise of the rights and privileges of membership by the General Assembly upon the recommendation of the Security Council. The exercise of these rights and privileges may be restored by the Security Council.

Article 6

A Member of the United Nations which has persistently violated the Principles contained in the present Charter may be expelled from the Organization by the General Assembly upon the recommendation of the Security Council.

CHAPTER III

ORGANS

Article 7

1. There are established as the principal organs of the United Nations: a General Assembly, a Security Council, an Economic and Social Council, a Trusteeship Council, an International Court of Justice, and a Secretariat.

2. Such subsidiary organs as may be found necessary may be established in accordance with the present Charter.

Article 8

The United Nations shall place no restrictions on the eligibility of men and women to participate in any capacity and under conditions of equality in its principal and subsidiary organs.

CHAPTER IV

THE GENERAL ASSEMBLY

Composition

Article 9

1. The General Assembly shall consist of all the Members of the United Nations.

2. Each Member shall have not more than five representatives in the General Assembly.

Functions and Powers

Article 10

The General Assembly may discuss any questions or any matters within the scope of the present Charter or relating to the powers and functions of any organs provided for in the present Charter, and, except as provided in Article 12, may make recommendations to the Members of the United Nations or to the Security Council or to both on any such questions or matters.

Article 11

1. The General Assembly may consider the general principles of co-operation in the maintenance of international peace and security, including the principles governing disarmament and the regulation of armaments, and may make recommendations with regard to such principles to the Members or to the Security Council or to both.

2. The General Assembly may discuss any questions relating to the maintenance of international peace and security brought before it by any Member of the United Nations, or by the Security Council, or by a State which is not a Member of the United Nations in accordance with Article 35, paragraph 2, and, except as provided in Article 12, may make recommendations with regard to any such questions to the State or States concerned or to the Security Council or to both. Any such question on which action is necessary shall be referred to the Security Council by the General Assembly either before or after discussion.

3. The General Assembly may call the attention of the Security Council to situations which are likely to endanger international peace and security.

4. The powers of the General Assembly set forth in this Article shall not limit the general scope of Article 10.

Article 12

1. While the Security Council is exercising in respect of any dispute or situation the functions assigned to it in the present Charter, the General Assembly shall not make any recommendation with regard to that dispute or situation unless the Security Council so requests.

2. The Secretary-General, with the consent of the Security Council, shall notify the General Assembly at each session of any matters relative to the maintenance of international peace and security which are being dealt with by the Security Council and shall similarly notify the General Assembly, or the Members of the United Nations if the General Assembly is not in session, immediately the Security Council ceases to deal with such matters.

Article 13

1. The General Assembly shall initiate studies and make recommendations for the purpose of:

(*a*) promoting international co-operation in the political field and encouraging the progressive development of international law and its codification;

(*b*) promoting international co-operation in the economic, social, cultural, educational, and health fields, and assisting in the realization of human rights and fundamental freedoms for all without distinction as to race, sex, language, or religion.

2. The further responsibilities, functions and powers of the General Assembly with respect to matters mentioned in paragraph 1 (*b*) above are set forth in Chapters IX and X.

Article 14

Subject to the provisions of Article 12, the General Assembly may recommend measures for the peaceful adjustment of any situation, regardless of origin, which it deems likely to impair the general welfare or friendly relations among nations, including situations resulting from a violation of the provisions of the present Charter setting forth the Purposes and Principles of the United Nations.

Article 15

1. The General Assembly shall receive and consider annual and special reports from the Security Council; these reports shall include an account of the measures that the Security Council has decided upon or taken to maintain international peace and security.

2. The General Assembly shall receive and consider reports from the other organs of the United Nations.

Article 16

The General Assembly shall perform such functions with respect to the international trusteeship system as are assigned to it under Chapters XII and XIII, including the approval of the trusteeship agreements for areas not designated as strategic.

Article 17

1. The General Assembly shall consider and approve the budget of the Organization.

2. The expenses of the Organization shall be borne by the Members as apportioned by the General Assembly.

3. The General Assembly shall consider and approve any financial and

budgetary arrangements with specialized agencies referred to in Article 57 and shall examine the administrative budgets of such specialized agencies with a view to making recommendations to the agencies concerned.

Voting

Article 18

1. Each member of the General Assembly shall have one vote.
2. Decisions of the General Assembly on important questions shall be made by a two-thirds majority of the members present and voting. These questions shall include: recommendations with respect to the maintenance of international peace and security, the election of the non-permanent members of the Security Council, the election of the members of the Economic and Social Council, the election of members of the Trusteeship Council in accordance with paragraph 1 *(c)* of Article 86, the admission of new Members to the United Nations, the suspension of the rights and privileges of membership, the expulsion of Members, questions relating to the operation of the trusteeship system, and budgetary questions.
3. Decisions on other questions, including the determination of additional categories of questions to be decided by a two-thirds majority, shall be made by a majority of the members present and voting.

Article 19

A Member of the United Nations which is in arrears in the payment of its financial contributions to the Organization shall have no vote in the General Assembly if the amount of its arrears equals or exceeds the amount of the contributions due from it for the preceding two full years. The General Assembly may, nevertheless, permit such a Member to vote if it is satisfied that the failure to pay is due to conditions beyond the control of the Member.

Procedure

Article 20

The General Assembly shall meet in regular annual sessions and in such special sessions as occasion may require. Special sessions shall be convoked by the Secretary-General at the request of the Security Council or of a majority of the Members of the United Nations.

Article 21

The General Assembly shall adopt its own rules of procedure. It shall elect its President for each session.

Article 22

The General Assembly may establish such subsidiary organs as it deems necessary for the performance of its functions.

CHAPTER V

THE SECURITY COUNCIL

Composition

Article 23

1. The Security Council shall consist of fifteen Members of the United Nations. The Republic of China, France, the Union of Soviet Socialist Republics, the United Kingdom of Great Britain and Northern Ireland, and the United States of America shall be permanent members of the Security Council. The General Assembly shall elect ten other Members of the United Nations to be non-permanent members of the Security Council, due regard being specially paid, in the first instance to the contribution of Members of the United Nations to the maintenance of international peace and security and to the other purposes of the Organization, and also to equitable geographical distribution.
2. The non-permanent members of the Security Council shall be elected for a term of two years. In the first election of the non-permanent members after the increase of the membership of the Security Council from eleven to fifteen, two of the four additional members shall be chosen for a term of one year. A retiring member shall not be eligible for immediate re-election.
3. Each member of the Security Council shall have one representative.

Functions and Powers

Article 24

1. In order to ensure prompt and effective action by the United Nations, its Members confer on the Security Council primary responsibility for the maintenance of international peace and security, and agree that in carrying

0258

out its duties under this responsibility the Security Council acts on their behalf.

2. In discharging these duties the Security Council shall act in accordance with the Purposes and Principles of the United Nations. The specific powers granted to the Security Council for the discharge of these duties are laid down in Chapters VI, VII, VIII, and XII.

3. The Security Council shall submit annual and, when necessary, special reports to the General Assembly for its consideration.

Article 25

The Members of the United Nations agree to accept and carry out the decisions of the Security Council in accordance with the present Charter.

Article 26

In order to promote the establishment and maintenance of international peace and security with the least diversion for armaments of the world's human and economic resources, the Security Council shall be responsible for formulating, with the assistance of the Military Staff Committee referred to in Article 47, plans to be submitted to the Members of the United Nations for the establishment of a system for the regulation of armaments.

Voting

Article 27

1. Each member of the Security Council shall have one vote.

2. Decisions of the Security Council on procedural matters shall be made by an affirmative vote of nine members.

3. Decisions of the Security Council on all other matters shall be made by an affirmative vote of nine members including the concurring votes of the permanent members; provided that, in decisions under Chapter VI, and under paragraph 3 of Article 52, a party to a dispute shall abstain from voting.

Procedure

Article 28

1. The Security Council shall be so organized as to be able to function continuously. Each member of the Security Council shall for this purpose be represented at all times at the seat of the Organization.

2. The Security Council shall hold periodic meetings at which each of its members may, if it so desires, be represented by a member of the government or by some other specially designated representative.

3. The Security Council may hold meetings at such places other than the seat of the Organization as in its judgment will best facilitate its work.

Article 29

The Security Council may establish such subsidiary organs as it deems necessary for the performance of its functions.

Article 30

The Security Council shall adopt its own rules of procedure, including the method of selecting its President.

Article 31

Any Member of the United Nations which is not a member of the Security Council may participate, without vote, in the discussion of any question brought before the Security Council whenever the latter considers that the interests of that Member are specially affected.

Article 32

Any Member of the United Nations which is not a member of the Security Council or any State which is not a Member of the United Nations, if it is a party to a dispute under consideration by the Security Council, shall be invited to participate, without vote, in the discussion relating to the dispute. The Security Council shall lay down such conditions as it deems just for the participation of a State which is not a Member of the United Nations.

CHAPTER VI

PACIFIC SETTLEMENT OF DISPUTES

Article 33

1. The parties to any dispute, the continuance of which is likely to endanger the maintenance of international peace and security, shall,

first of all, seek a solution by negotiation, enquiry, mediation, conciliation, arbitration, judicial settlement, resort to regional agencies or arrangements, or other peaceful means of their own choice.

2. The Security Council shall, when it deems necessary, call upon the parties to settle their dispute by such means.

Article 34

The Security Council may investigate any dispute, or any situation which might lead to international friction or give rise to a dispute, in order to determine whether the continuance of the dispute or situation is likely to endanger the maintenance of international peace and security.

Article 35

1. Any Member of the United Nations may bring any dispute, or any situation of the nature referred to in Article 34, to the attention of the Security Council or of the General Assembly.

2. A State which is not a Member of the United Nations may bring to the attention of the Security Council or of the General Assembly any dispute to which it is a party if it accepts in advance, for the purposes of the dispute, the obligations of pacific settlement provided in the present Charter.

3. The proceedings of the General Assembly in respect of matters brought to its attention under this Article will be subject to the provisions of Articles 11 and 12.

Article 36

1. The Security Council may, at any stage of a dispute of the nature referred to in Article 33 or of a situation of like nature, recommend appropriate procedures or methods of adjustment.

2. The Security Council should take into consideration any procedures for the settlement of the dispute which have already been adopted by the parties.

3. In making recommendations under this Article the Security Council should also take into consideration that legal disputes should as a general rule be referred by the parties to the International Court of Justice in accordance with the provisions of the Statute of the Court.

Article 37

1. Should the parties to a dispute of the nature referred to in Article 33 fail to settle it by the means indicated in that Article, they shall refer it to the Security Council.

2. If the Security Council deems that the continuance of the dispute is in fact likely to endanger the maintenance of international peace and security, it shall decide whether to take action under Article 36 or to recommend such terms of settlement as it may consider appropriate.

Article 38

Without prejudice to the provisions of Articles 33 to 37, the Security Council may, if all the parties to any dispute so request, make recommendations to the parties with a view to a pacific settlement of the dispute.

CHAPTER VII

ACTION WITH RESPECT TO THREATS TO THE PEACE, BREACHES OF THE PEACE, AND ACTS OF AGGRESSION

Article 39

The Security Council shall determine the existence of any threat to the peace, breach of the peace, or act of aggression and shall make recommendations, or decide what measures shall be taken in accordance with Articles 41 and 42, to maintain or restore international peace and security.

Article 40

In order to prevent an aggravation of the situation, the Security Council may, before making the recommendations or deciding upon the measures provided for in Article 39, call upon the parties concerned to comply with such provisional measures as it deems necessary or desirable. Such provisional measures shall be without prejudice to the rights, claims, or position of the parties concerned. The Security Council shall duly take account of failure to comply with such provisional measures.

Article 41

The Security Council may decide what measures not involving the use of armed force are to be employed to give effect to its decisions, and it may call upon the Members of the United Nations to apply such measures. These may include complete or partial interruption of economic relations and of rail, sea, air, postal, telegraphic, radio, and other means of communication, and the severance of diplomatic relations.

Article 42

Should the Security Council consider that measures provided for in Article 41 would be inadequate or have proved to be inadequate, it may take such action by air, sea, or land forces as may be necessary to maintain or restore international peace and security. Such action may include demonstrations, blockade, and other operations by air, sea, or land forces of Members of the United Nations.

Article 43

1. All Members of the United Nations, in order to contribute to the maintenance of international peace and security, undertake to make available to the Security Council, on its call and in accordance with a special agreement or agreements, armed forces, assistance, and facilities, including rights of passage, necessary for the purpose of maintaining international peace and security.

2. Such agreement or agreements shall govern the numbers and types of forces, their degree of readiness and general location, and the nature of the facilities and assistance to be provided.

3. The agreement or agreements shall be negotiated as soon as possible on the initiative of the Security Council. They shall be concluded between the Security Council and Members or between the Security Council and groups of Members and shall be subject to ratification by the signatory States in accordance with their respective constitutional processes.

Article 44

When the Security Council has decided to use force it shall, before calling upon a Member not represented on it to provide armed forces in fulfilment of the obligations assumed under Article 43, invite that Member, if the Member so desires, to participate in the decisions of the Security Council concerning the employment of contingents of that Member's armed forces.

Article 45

In order to enable the United Nations to take urgent military measures, Members shall hold immediately available national air-force contingents for combined international enforcement action. The strength and degree of readiness of these contingents and plans for their combined action shall be determined, within the limits laid down in the special agreement or agreements referred to in Article 43, by the Security Council with the assistance of the Military Staff Committee.

Article 46

Plans for the application of armed force shall be made by the Security Council with the assistance of the Military Staff Committee.

Article 47

1. There shall be established a Military Staff Committee to advise and assist the Security Council on all questions relating to the Security Council's military requirements for the maintenance of international peace and security, the employment and command of forces placed at its disposal, the regulation of armaments, and possible disarmament.

2. The Military Staff Committee shall consist of the Chiefs of Staff of the permanent members of the Security Council or their representatives. Any Member of the United Nations not permanently represented on the Committee shall be invited by the Committee to be associated with it when the efficient discharge of the Committee's responsibilities requires the participation of that Member in its work.

3. The Military Staff Committee shall be responsible under the Security Council for the strategic direction of any armed forces placed at the disposal of the Security Council. Questions relating to the command of such forces shall be worked out subsequently.

4. The Military Staff Committee, with the authorization of the Security Council and after consultation with appropriate regional agencies, may establish regional sub-committees.

Article 48

1. The action required to carry out the decisions of the Security Council for the maintenance of international peace and security shall be taken by all the Members of the United Nations or by some of them, as the Security Council may determine.

0261

2. Such decisions shall be carried out by the Members of the United Nations directly and through their action in the appropriate international agencies of which they are members.

Article 49

The Members of the United Nations shall join in affording mutual assistance in carrying out the measures decided upon by the Security Council.

Article 50

If preventive or enforcement measures against any State are taken by the Security Council, any other State, whether a Member of the United Nations or not, which finds itself confronted with special economic problems arising from the carrying out of those measures shall have the right to consult the Security Council with regard to a solution of those problems.

Article 51

Nothing in the present Charter shall impair the inherent right of individual or collective self-defence if an armed attack occurs against a Member of the United Nations, until the Security Council has taken measures necessary to maintain international peace and security. Measures taken by Members in the exercise of this right of self-defence shall be immediately reported to the Security Council and shall not in any way affect the authority and responsibility of the Security Council under the present Charter to take at any time such action as it deems necessary in order to maintain or restore international peace and security.

CHAPTER VIII

REGIONAL ARRANGEMENTS

Article 52

1. Nothing in the present Charter precludes the existence of regional arrangements or agencies for dealing with such matters relating to the maintenance of international peace and security as are appropriate for regional action, provided that such arrangements or agencies and their activities are consistent with the Purposes and Principles of the United Nations.

2. The Members of the United Nations entering into such arrangements or constituting such agencies shall make every effort to achieve pacific settlement of local disputes through such regional arrangements or by such regional agencies before referring them to the Security Council.

3. The Security Council shall encourage the development of pacific settlement of local disputes through such regional arrangements or by such regional agencies either on the initiative of the States concerned or by reference from the Security Council.

4. This Article in no way impairs the application of Articles 34 and 35.

Article 53

1. The Security Council shall, where appropriate, utilize such regional arrangements or agencies for enforcement action under its authority. But no enforcement action shall be taken under regional arrangements or by regional agencies without the authorization of the Security Council, with the exception of measures against any enemy State, as defined in paragraph 2 of this Article, provided for pursuant to Article 107 or in regional arrangements directed against renewal of aggressive policy on the part of any such State, until such time as the Organization may, on request of the Governments concerned, be charged with the responsibility for preventing further aggression by such a State.

2. The term "enemy State" as used in paragraph 1 of this Article applies to any State which during the Second World War has been an enemy of any signatory of the present Charter.

Article 54

The Security Council shall at all times be kept fully informed of activities undertaken or in contemplation under regional arrangements or by regional agencies for the maintenance of international peace and security.

CHAPTER IX

INTERNATIONAL ECONOMIC AND SOCIAL CO-OPERATION

Article 55

With a view to the creation of conditions of stability and well-being

0262

which are necessary for peaceful and friendly relations among nations based on respect for the principle of equal rights and self-determination of peoples, the United Nations shall promote:

(a) higher standards of living, full employment, and conditions of economic and social progress and development;
(b) solutions of international economic, social, health, and related problems; and international cultural and educational co-operation; and

(c) universal respect for, and observance of, human rights and fundamental freedoms for all without distinction as to race, sex, language, or religion.

Article 56

All Members pledge themselves to take joint and separate action in co-operation with the Organization for the achievement of the purposes set forth in Article 55.

Article 57

1. The various specialized agencies, established by intergovernmental agreement and having wide international responsibilities, as defined in their basic instruments, in economic, social, cultural, educational, health, and related fields, shall be brought into relationship with the United Nations in accordance with the provisions of Article 63.

2. Such agencies thus brought into relationship with the United Nations are hereinafter referred to as "specialized agencies".

Article 58

The Organization shall make recommendations for the co-ordination of the policies and activities of the specialized agencies.

Article 59

The Organization shall, where appropriate, initiate negotiations among the States concerned for the creation of any new specialized agencies required for the accomplishment of the purposes set forth in Article 55.

Article 60

Responsibility for the discharge of the functions of the Organization set forth in this Chapter shall be vested in the General Assembly and, under the authority of the General Assembly, in the Economic and Social Council, which shall have for this purpose the powers set forth in Chapter X.

CHAPTER X

THE ECONOMIC AND SOCIAL COUNCIL

Composition

Article 61

1. The Economic and Social Council shall consist of fifty-four Members of the United Nations elected by the General Assembly.

2. Subject to the provisions of paragraph 3, eighteen members of the Economic and Social Council shall be elected each year for a term of three years. A retiring member shall be eligible for immediate re-election.

3. At the first election after the increase in the membership of the Economic and Social Council from twenty-seven to fifty-four members, in addition to the members elected in place of the nine members whose term of office expires at the end of that year, twenty-seven additional members shall be elected. Of these twenty-seven additional members, the term of office of nine members so elected shall expire at the end of one year, and of nine other members at the end of two years, in accordance with arrangements made by the General Assembly.

4. Each member of the Economic and Social Council shall have one representative.

Functions and Powers

Article 62

1. The Economic and Social Council may make or initiate studies and reports with respect to international economic, social, cultural, educational, health, and related matters and may make recommendations with respect to any such matters to the General Assembly, to the Members of the United Nations, and to the specialized agencies concerned.

2. It may make recommendations for the purpose of promoting respect for, and observance of, human rights and fundamental freedoms for all.

3. It may prepare draft conventions for submission to the General

Assembly, with respect to matters falling within its competence.

4. It may call, in accordance with the rules prescribed by the United Nations, international conferences on matters falling within its competence.

Article 63

1. The Economic and Social Council may enter into agreements with any of the agencies referred to in Article 57, defining the terms on which the agency concerned shall be brought into relationship with the United Nations. Such agreements shall be subject to approval by the General Assembly.

2. It may co-ordinate the activities of the specialized agencies through consultation with and recommendations to such agencies and through recommendations to the General Assembly and to the Members of the United Nations.

Article 64

1. The Economic and Social Council may take appropriate steps to obtain regular reports from the specialized agencies. It may make arrangements with the Members of the United Nations and with the specialized agencies to obtain reports on the steps taken to give effect to its own recommendations and to recommendations on matters falling within its competence made by the General Assembly.

2. It may communicate its observations on these reports to the General Assembly.

Article 65

The Economic and Social Council may furnish information to the Security Council and shall assist the Security Council upon its request.

Article 66

1. The Economic and Social Council shall perform such functions as fall within its competence in connexion with the carrying out of the recommendations of the General Assembly.

2. It may, with the approval of the General Assembly, perform services at the request of Members of the United Nations and at the request of specialized agencies.

3. It shall perform such other functions as are specified elsewhere in the present Charter or as may be assigned to it by the General Assembly.

Voting

Article 67

1. Each member of the Economic and Social Council shall have one vote.

2. Decisions of the Economic and Social Council shall be made by a majority of the members present and voting.

Procedure

Article 68

The Economic and Social Council shall set up commissions in economic and social fields and for the promotion of human rights, and such other commissions as may be required for the performance of its functions.

Article 69

The Economic and Social Council shall invite any Member of the United Nations to participate, without vote, in its deliberations on any matter of particular concern to that Member.

Article 70

The Economic and Social Council may make arrangements for representatives of the specialized agencies to participate, without vote, in its deliberations and in those of the commissions established by it, and for its representatives to participate in the deliberations of the specialized agencies.

Article 71

The Economic and Social Council may make suitable arrangements for consultation with non-governmental organizations which are concerned with matters within its competence. Such arrangements may be made with international organizations and, where appropriate, with national organizations after consultation with the Member of the United Nations concerned.

Article 72

1. The Economic and Social Council shall adopt its own rules of procedure, including the method of selecting its President.

0264

2. The Economic and Social Council shall meet as required in accordance with its rules, which shall include provision for the convening of meetings on the request of a majority of its members.

CHAPTER XI

DECLARATION REGARDING NON-SELF-GOVERNING TERRITORIES

Article 73

Members of the United Nations which have or assume responsibilities for the administration of territories whose peoples have not yet attained a full measure of self-government recognize the principle that the interests of the inhabitants of these territories are paramount, and accept as a sacred trust the obligation to promote to the utmost, within the system of international peace and security established by the present Charter, the well-being of the inhabitants of these territories, and, to this end:

(a) to ensure, with due respect for the culture of the peoples concerned, their political, economic, social, and educational advancement, their just treatment, and their protection against abuses;

(b) to develop self-government, to take due account of the political aspirations of the peoples, and to assist them in the progressive development of their free political institutions, according to the particular circumstances of each territory and its peoples and their varying stages of advancement;

(c) to further international peace and security;

(d) to promote constructive measures of development, to encourage research, and to co-operate with one another and, when and where appropriate, with specialized international bodies with a view to the practical achievement of the social, economic, and scientific purposes set forth in this Article; and

(e) to transmit regularly to the Secretary-General for information purposes, subject to such limitation as security and constitutional considerations may require, statistical and other information of a technical nature relating to economic, social, and educational conditions in the territories for which they are respectively responsible other than those territories to which Chapters XII and XIII apply.

Article 74

Members of the United Nations also agree that their policy in respect of the territories to which this Chapter applies, no less than in respect of their metropolitan areas, must be based on the general principle of good-neighbourliness, due account being taken of the interests and well-being of the rest of the world, in social, economic, and commercial matters.

CHAPTER XII

INTERNATIONAL TRUSTEESHIP SYSTEM

Article 75

The United Nations shall establish under its authority an international trusteeship system for the administration and supervision of such territories as may be placed thereunder by subsequent individual agreements. These territories are hereinafter referred to as "trust territories".

Article 76

The basic objectives of the trusteeship system, in accordance with the Purposes of the United Nations laid down in Article 1 of the present Charter, shall be:

(a) to further international peace and security;

(b) to promote the political, economic, social, and educational advancement of the inhabitants of the trust territories, and their progressive development towards self-government or independence as may be appropriate to the particular circumstances of each territory and its peoples and the freely expressed wishes of the peoples concerned, and as may be provided by the terms of each trusteeship agreement;

(c) to encourage respect for human rights and for fundamental freedoms for all without distinction as to race, sex, language, or religion, and to encourage recognition of the interdependence of the peoples of the world; and

(d) to ensure equal treatment in social, economic, and commercial matters for all Members of the United Nations and their nationals, and also equal treatment for the latter in the administration of justice, without prejudice to the attainment of the foregoing objectives and subject to the provisions of Article 80.

Article 77

1. The trusteeship system shall apply to such territories in the following

categories as may be placed thereunder by means of trusteeship agreements:

(a) territories now held under mandate;
(b) territories which may be detached from enemy States as a result of the Second World War; and
(c) territories voluntarily placed under the system by States responsible for their administration.

2. It will be a matter for subsequent agreement as to which territories in the foregoing categories will be brought under the trusteeship system and upon what terms.

Article 78

The trusteeship system shall not apply to territories which have become Members of the United Nations, relationship among which shall be based on respect for the principle of sovereign equality.

Article 79

The terms of trusteeship for each territory to be placed under the trusteeship system, including any alteration or amendment, shall be agreed upon by the States directly concerned, including the mandatory power in the case of territories held under mandate by a Member of the United Nations, and shall be approved as provided for in Articles 83 and 85.

Article 80

1. Except as may be agreed upon in individual trusteeship agreements, made under Articles 77, 79, and 81, placing each territory under the trusteeship system, and until such agreements have been concluded, nothing in this Chapter shall be construed in or of itself to alter in any manner the rights whatsoever of any States or any peoples or the terms of existing international instruments to which Members of the United Nations may respectively be parties.

2. Paragraph 1 of this Article shall not be interpreted as giving grounds for delay or postponement of the negotiation and conclusion of agreements for placing mandated and other territories under the trusteeship system as provided for in Article 77.

Article 81

The trusteeship agreement shall in each case include the terms under which the trust territory will be administered and designate the authority which will exercise the administration of the trust territory. Such authority, hereinafter called the "administering authority", may be one or more States or the Organization itself.

Article 82

There may be designated, in any trusteeship agreement, a strategic area or areas which may include part or all of the trust territory to which the agreement applies, without prejudice to any special agreement or agreements made under Article 43.

Article 83

1. All functions of the United Nations relating to strategic areas, including the approval of the terms of the trusteeship agreements and of their alteration or amendment, shall be exercised by the Security Council.

2. The basic objectives set forth in Article 76 shall be applicable to the people of each strategic area.

3. The Security Council shall, subject to the provisions of the trusteeship agreements and without prejudice to security considerations, avail itself of the assistance of the Trusteeship Council to perform those functions of the United Nations under the trusteeship system relating to political, economic, social, and educational matters in the strategic areas.

Article 84

It shall be the duty of the administering authority to ensure that the trust territory shall play its part in the maintenance of international peace and security. To this end the administering authority may make use of volunteer forces, facilities, and assistance from the trust territory in carrying out the obligations towards the Security Council undertaken in this regard by the administering authority, as well as for local defence and the maintenance of law and order within the trust territory.

Article 85

1. The functions of the United Nations with regard to trusteeship agreements for all areas not designated as strategic, including the approval of the terms of the trusteeship agreements and of their alteration or amendment, shall be exercised by the General Assembly.

0266

2. The Trusteeship Council, operating under the authority of the General Assembly, shall assist the General Assembly in carrying out these functions.

CHAPTER XIII

THE TRUSTEESHIP COUNCIL

Composition

Article 86

1. The Trusteeship Council shall consist of the following Members of the United Nations:

(*a*) those Members administering trust territories;
(*b*) such of those Members mentioned by name in Article 23 as are not administering trust territories; and
(*c*) as many other Members elected for three-year terms by the General Assembly as may be necessary to ensure that the total number of members of the Trusteeship Council is equally divided between those Members of the United Nations which administer trust territories and those which do not.

2. Each member of the Trusteeship Council shall designate one specially qualified person to represent it therein.

Functions and Powers

Article 87

The General Assembly and, under its authority, the Trusteeship Council, in carrying out their functions, may:

(*a*) consider reports submitted by the administering authority;

(*b*) accept petitions and examine them in consultation with the administering authority;
(*c*) provide for periodic visits to the respective trust territories at times agreed upon with the administering authority; and
(*d*) take these and other actions in conformity with the terms of the trusteeship agreements.

Article 88

The Trusteeship Council shall formulate a questionnaire on the political, economic, social, and educational advancement of the inhabitants of each trust territory, and the administering authority for each trust territory within the competence of the General Assembly shall make an annual report to the General Assembly upon the basis of such questionnaire.

Voting

Article 89

1. Each member of the Trusteeship Council shall have one vote.
2. Decisions of the Trusteeship Council shall be made by a majority of the members present and voting.

Procedure

Article 90

1. The Trusteeship Council shall adopt its own rules of procedure, including the method of selecting its President.
2. The Trusteeship Council shall meet as required in accordance with its rules, which shall include provision for the convening of meetings on the request of a majority of its members.

Article 91

The Trusteeship Council shall, when appropriate, avail itself of the assistance of the Economic and Social Council and of the specialized agencies in regard to matters with which they are respectively concerned.

CHAPTER XIV

THE INTERNATIONAL COURT OF JUSTICE

Article 92

The International Court of Justice shall be the principal judicial organ of the United Nations. It shall function in accordance with the annexed Statute, which is based upon the Statute of the Permanent Court of International Justice and forms an integral part of the present Charter.

Article 93

1. All Members of the United Nations are *ipso facto* parties to the Statute of the International Court of Justice.

0267

2. A State which is not a Member of the United Nations may become a party to the Statute of the International Court of Justice on conditions to be determined in each case by the General Assembly upon the recommendation of the Security Council.

Article 94

1. Each Member of the United Nations undertakes to comply with the decision of the International Court of Justice in any case to which it is a party.

2. If any party to a case fails to perform the obligations incumbent upon it under a judgment rendered by the Court, the other party may have recourse to the Security Council, which may, if it deems necessary, make recommendations or decide upon measures to be taken to give effect to the judgment.

Article 95

Nothing in the present Charter shall prevent Members of the United Nations from entrusting the solution of their differences to other tribunals by virtue of agreements already in existence or which may be concluded in the future.

Article 96

1. The General Assembly or the Security Council may request the International Court of Justice to give an advisory opinion on any legal question.

2. Other organs of the United Nations and specialized agencies, which may at any time be so authorized by the General Assembly, may also request advisory opinions of the Court on legal questions arising within the scope of their activities.

CHAPTER XV

THE SECRETARIAT

Article 97

The Secretariat shall comprise a Secretary-General and such staff as the Organization may require. The Secretary-General shall be appointed by the General Assembly upon the recommendation of the Security Council. He shall be the chief administrative officer of the Organization.

Article 98

The Secretary-General shall act in that capacity in all meetings of the General Assembly, of the Security Council, of the Economic and Social Council, and of the Trusteeship Council, and shall perform such other functions as are entrusted to him by these organs. The Secretary-General shall make an annual report to the General Assembly on the work of the Organization.

Article 99

The Secretary-General may bring to the attention of the Security Council any matter which in his opinion may threaten the maintenance of international peace and security.

Article 100

1. In the performance of their duties the Secretary-General and the staff shall not seek or receive instructions from any government or from any other authority external to the Organization. They shall refrain from any action which might reflect on their position as international officials responsible only to the Organization.

2. Each Member of the United Nations undertakes to respect the exclusively international character of the responsibilities of the Secretary-General and the staff and not to seek to influence them in the discharge of their responsibilities.

Article 101

1. The staff shall be appointed by the Secretary-General under regulations established by the General Assembly.

2. Appropriate staffs shall be permanently assigned to the Economic and Social Council, the Trusteeship Council, and, as required, to other organs of the United Nations. These staffs shall form a part of the Secretariat.

3. The paramount consideration in the employment of the staff and in the determination of the conditions of service shall be the necessity of securing the highest standards of efficiency, competence, and integrity. Due regard shall be paid to the importance of recruiting the staff on as wide a geographical basis as possible.

CHAPTER XVI

MISCELLANEOUS PROVISIONS

0268

Article 102

1. Every treaty and every international agreement entered into by any Member of the United Nations after the present Charter comes into force shall as soon as possible be registered with the Secretariat and published by it.

2. No party to any such treaty or international agreement which has not been registered in accordance with the provisions of paragraph 1 of this Article may invoke that treaty or agreement before any organ of the United Nations.

Article 103

In the event of a conflict between the obligations of the Members of the United Nations under the present Charter and their obligations under any other international agreement, their obligations under the present Charter shall prevail.

Article 104

The Organization shall enjoy in the territory of each of its Members such legal capacity as may be necessary for the exercise of its functions and the fulfilment of its purposes.

Article 105

1. The Organization shall enjoy in the territory of each of its Members such privileges and immunities as are necessary for the fulfilment of its purposes.

2. Representatives of the Members of the United Nations and officials of the Organization shall similarly enjoy such privileges and immunities as are necessary for the independent exercise of their functions in connexion with the Organization.

3. The General Assembly may make recommendations with a view to determining the details of the application of paragraphs 1 and 2 of this Article or may propose conventions to the Members of the United Nations for this purpose.

CHAPTER XVII

TRANSITIONAL SECURITY ARRANGEMENTS

Article 106

Pending the coming into force of such special agreements referred to in Article 43 as in the opinion of the Security Council enable it to begin the exercise of its responsibilities under Article 42, the parties to the Four-Nation Declaration, signed at Moscow, 30 October 1943, and France, shall, in accordance with the provisions of paragraph 5 of that Declaration, consult with one another and as occasion requires with other Members of the United Nations with a view to such joint action on behalf of the Organization as may be necessary for the purpose of maintaining international peace and security.

Article 107

Nothing in the present Charter shall invalidate or preclude action, in relation to any State which during the Second World War has been an enemy of any signatory to the present Charter, taken or authorized as a result of that war by the Governments having responsibility for such action.

CHAPTER XVIII

AMENDMENTS

Article 108

Amendments to the present Charter shall come into force for all Members of the United Nations when they have been adopted by a vote of two-thirds of the members of the General Assembly and ratified in accordance with their respective constitutional processes by two-thirds of the Members of the United Nations, including all the permanent members of the Security Council.

Article 109

1. A General Conference of the Members of the United Nations for the purpose of reviewing the present Charter may be held at a date and place to be fixed by a two-thirds vote of the members of the General Assembly and by a vote of any nine members of the Security Council. Each Member of the United Nations shall have one vote in the conference.

2. Any alteration of the present Charter recommended by a two-thirds vote of the conference shall take effect when ratified in accordance with their respective constitutional processes by two-thirds of the Members of the United Nations including all the permanent members of the Security Council.

3. If such a conference has not been held before the tenth annual session

0269

of the General Assembly following the coming into force of the present Charter, the proposal to call such a conference shall be placed on the agenda of that session of the General Assembly, and the conference shall be held if so decided by a majority vote of the members of the General Assembly and by a vote of any seven members of the Security Council.

CHAPTER XIX

RATIFICATION AND SIGNATURE

Article 110

1. The present Charter shall be ratified by the signatory States in accordance with their respective constitutional processes.

2. The ratifications shall be deposited with the Government of the United States of America, which shall notify all the signatory States of each deposit as well as the Secretary-General of the Organization when he has been appointed.

3. The present Charter shall come into force upon the deposit of ratifications by the Republic of China, France, the Union of Soviet Socialist Republics, the United Kingdom of Great Britain and Northern Ireland, and the United States of America, and by a majority of the other signatory States. A protocol of the ratifications deposited shall thereupon be drawn up by the Government of the United States of America which shall communicate copies thereof to all the signatory States.

4. The States signatory to the present Charter which ratify it after it has come into force will become original Members of the United Nations on the date of the deposit of their respective ratifications.

Article 111

The present Charter, of which the Chinese, French, Russian, English, and Spanish texts are equally authentic, shall remain deposited in the archives of the Government of the United States of America. Duly certified copies thereof shall be transmitted by that Government to the Governments of the other signatory States.

IN FAITH WHEREOF the representatives of the Governments of the United Nations have signed the present Charter.

DONE at the city of San Francisco the twenty-sixth day of June, one thousand nine hundred and forty-five.

STATUTE OF THE INTERNATIONAL COURT OF JUSTICE

Article 1

The International Court of Justice established by the Charter of the United Nations as the principal judicial organ of the United Nations shall be constituted and shall function in accordance with the provisions of the present Statute.

CHAPTER I

ORGANIZATION OF THE COURT

Article 2

The Court shall be composed of a body of independent judges, elected regardless of their nationality from among persons of high moral character, who possess the qualifications required in their respective countries for appointment to the highest judicial offices, or are jurisconsults of recognized competence in international law.

Article 3

1. The Court shall consist of fifteen members, no two of whom may be nationals of the same State.

2. A person who for the purposes of membership in the Court could be regarded as a national of more than one State shall be deemed to be a national of the one in which he ordinarily exercises civil and political rights.

Article 4

1. The Members of the Court shall be elected by the General Assembly and by the Security Council from a list of persons nominated by the national groups in the Permanent Court of Arbitration, in accordance with the following provisions.

2. In the case of Members of the United Nations not represented in the Permanent Court of Arbitration, candidates shall be nominated by national groups appointed for this purpose by their governments under the same conditions as those prescribed for members of the Permanent Court of Arbitration by Article 44 of the Convention of The Hague of 1907 for the pacific settlement of international disputes.

3. The conditions under which a State which is a party to the present Statute but is not a Member of the United Nations may participate in electing the Members of the Court shall, in the absence of a special agreement, be laid down by the General Assembly upon recommendation of the Security Council.

Article 5

1. At least three months before the date of the election, the Secretary-General of the United Nations shall address a written request to the members of the Permanent Court of Arbitration belonging to the States which are parties to the present Statute, and to the members of the national groups appointed under Article 4, paragraph 2, inviting them to undertake, within a given time, by national groups, the nomination of persons in a position to accept the duties of a Member of the Court.

2. No group may nominate more than four persons, not more than two of whom shall be of their own nationality. In no case may the number of candidates nominated by a group be more than double the number of seats to be filled.

Article 6

Before making these nominations, each national group is recommended to consult its highest court of justice, its legal faculties and schools of law, and its national academies and national sections of international academies devoted to the study of law.

Article 7

1. The Secretary-General shall prepare a list in alphabetical order of all the persons thus nominated. Save as provided in Article 12, paragraph 2, these shall be the only persons eligible.

2. The Secretary-General shall submit this list to the General Assembly and to the Security Council.

Article 8

The General Assembly and the Security Council shall proceed independently of one another to elect the Members of the Court.

Article 9

At every election, the electors shall bear in mind not only that the persons to be elected should individually possess the qualifications required, but also that in the body as a whole the representation of the main forms of civilization and of the principal legal systems of the world should be assured.

Article 10

1. Those candidates who obtain an absolute majority of votes in the General Assembly and in the Security Council shall be considered as elected.

2. Any vote of the Security Council, whether for the election of judges or for the appointment of members of the conference envisaged in Article 12, shall be taken without any distinction between permanent and non-permanent members of the Security Council.

3. In the event of more than one national of the same State obtaining an absolute majority of the votes both of the General Assembly and of the Security Council, the eldest of these only shall be considered as elected.

Article 11

If, after the first meeting held for the purpose of the election, one or more seats remain to be filled, a second and, if necessary, a third meeting shall take place.

Article 12

1. If, after the third meeting, one or more seats still remain unfilled, a joint conference consisting of six members, three appointed by the General Assembly and three by the Security Council, may be formed at any time at the request of either the General Assembly or the Security Council, for the purpose of choosing by the vote of an absolute majority one name for each seat still vacant, to submit to the General Assembly and the Security Council for their respective acceptance.

2. If the joint conference is unanimously agreed upon any person who fulfils the required conditions, he may be included in its list, even though he was not included in the list of nominations referred to in Article 7.

3. If the joint conference is satisfied that it will not be successful in procuring an election, those Members of the Court who have already been elected shall, within a period to be fixed by the Security Council, proceed to fill the vacant seats by selection from among those candidates who have obtained votes either in the General Assembly or in the Security Council.

4. In the event of an equality of votes among the judges, the eldest judge shall have a casting vote.

Article 13

1. The Members of the Court shall be elected for nine years and may be re-elected; provided, however, that of the judges elected at the first election, the terms of five judges shall expire at the end of three years and the terms of five more judges shall expire at the end of six years.

2. The judges whose terms are to expire at the end of the above-mentioned initial periods of three and six years shall be chosen by lot to be drawn by the Secretary-General immediately after the first election has been completed.

3. The Members of the Court shall continue to discharge their duties until their places have been filled. Though replaced, they shall finish any cases which they may have begun.

4. In the case of the resignation of a Member of the Court, the resignation shall be addressed to the President of the Court for transmission to the Secretary-General. This last notification makes the place vacant.

Article 14

Vacancies shall be filled by the same method as that laid down for the first election, subject to the following provision: the Secretary-General shall, within one month of the occurrence of the vacancy, proceed to issue the invitations provided for in Article 5, and the date of the election shall be fixed by the Security Council.

Article 15

A Member of the Court elected to replace a member whose term of office has not expired shall hold office for the remainder of his predecessor's term.

Article 16

1. No Member of the Court may exercise any political or administrative function, or engage in any other occupation of a professional nature.

2. Any doubt on this point shall be settled by the decision of the Court.

Article 17

1. No Member of the Court may act as agent, counsel, or advocate in any case.

2. No Member may participate in the decision of any case in which he has previously taken part as agent, counsel, or advocate for one of the parties, or as a member of a national or international court, or of a commission of enquiry, or in any other capacity.

3. Any doubt on this point shall be settled by the decision of the Court.

Article 18

1. No Member of the Court can be dismissed unless, in the unanimous opinion of the other Members, he has ceased to fulfil the required conditions.

2. Formal notification thereof shall be made to the Secretary-General by the Registrar.

3. This notification makes the place vacant.

Article 19

The Members of the Court, when engaged on the business of the Court, shall enjoy diplomatic privileges and immunities.

Article 20

Every Member of the Court shall, before taking up his duties, make a solemn declaration in open court that he will exercise his powers impartially and conscientiously.

Article 21

1. The Court shall elect its President and Vice-President for three years; they may be re-elected.

2. The Court shall appoint its Registrar and may provide for the appointment of such other officers as may be necessary.

Article 22

1. The seat of the Court shall be established at The Hague. This, however, shall not prevent the Court from sitting and exercising its functions elsewhere whenever the Court considers it desirable.

2. The President and the Registrar shall reside at the seat of the Court.

Article 23

1. The Court shall remain permanently in session, except during the

0272

judicial vacations, the dates and duration of which shall be fixed by the Court.

2. Members of the Court are entitled to periodic leave, the dates and duration of which shall be fixed by the Court, having in mind the distance between The Hague and the home of each judge.

3. Members of the Court shall be bound, unless they are on leave or prevented from attending by illness or other serious reasons duly explained to the President, to hold themselves permanently at the disposal of the Court.

Article 24

1. If, for some special reason, a Member of the Court considers that he should not take part in the decision of a particular case, he shall so inform the President.

2. If the President considers that for some special reason one of the Members of the Court should not sit in a particular case, he shall give him notice accordingly.

3. If in any such case the Member of the Court and the President disagree, the matter shall be settled by the decision of the Court.

Article 25

1. The full Court shall sit except when it is expressly provided otherwise in the present Statute.

2. Subject to the condition that the number of judges available to constitute the Court is not thereby reduced below eleven, the Rules of the Court may provide for allowing one or more judges, according to circumstances and in rotation, to be dispensed from sitting.

3. A quorum of nine judges shall suffice to constitute the Court.

Article 26

1. The Court may from time to time form one or more chambers, composed of three or more judges as the Court may determine, for dealing with particular categories of cases; for example, labour cases and cases relating to transit and communications.

2. The Court may at any time form a chamber for dealing with a particular case. The number of judges to constitute such a chamber shall be determined by the Court with the approval of the parties.

3. Cases shall be heard and determined by the chambers provided for in this article if the parties so request.

Article 27

A judgment given by any of the chambers provided for in Articles 26 and 29 shall be considered as rendered by the Court.

Article 28

The chambers provided for in Articles 26 and 29 may, with the consent of the parties, sit and exercise their functions elsewhere than at The Hague.

Article 29

With a view to the speedy dispatch of business, the Court shall form annually a chamber composed of five judges which, at the request of the parties, may hear and determine cases by summary procedure. In addition, two judges shall be selected for the purpose of replacing judges who find it impossible to sit.

Article 30

1. The Court shall frame rules for carrying out its functions. In particular, it shall lay down rules of procedure.

2. The Rules of the Court may provide for assessors to sit with the Court or with any of its chambers, without the right to vote.

Article 31

1. Judges of the nationality of each of the parties shall retain their right to sit in the case before the Court.

2. If the Court includes upon the Bench a judge of the nationality of one of the parties, any other party may choose a person to sit as judge. Such person shall be chosen preferably from among those persons who have been nominated as candidates as provided in Articles 4 and 5.

3. If the Court includes upon the Bench no judge of the nationality of the parties, each of these parties may proceed to choose a judge as provided in paragraph 2 of this Article.

4. The provisions of this Article shall apply to the case of Articles 26 and 29. In such cases, the President shall request one or, if necessary, two of the Members of the Court forming the chamber to give place to the Members of the Court of the nationality of the parties concerned, and, failing such, or if they are unable to be present, to the judges specially chosen by the parties.

5. Should there be several parties in the same interest, they shall, for the purpose of the preceding provisions, be reckoned as one party only. Any doubt upon this point shall be settled by the decision of the Court.

6. Judges chosen as laid down in paragraphs 2, 3, and 4 of this Article shall fulfil the conditions required by Articles 2, 17 (paragraph 2), 20, and 24 of the present Statute. They shall take part in the decision on terms of complete equality with their colleagues.

Article 32

1. Each member of the Court shall receive an annual salary.
2. The President shall receive a special annual allowance.
3. The Vice-President shall receive a special allowance for every day on which he acts as President.
4. The judges chosen under Article 31, other than Members of the Court, shall receive compensation for each day on which they exercise their functions.
5. These salaries, allowances, and compensation shall be fixed by the General Assembly. They may not be decreased during the term of office.
6. The salary of the Registrar shall be fixed by the General Assembly on the proposal of the Court.
7. Regulations made by the General Assembly shall fix the conditions under which retirement pensions may be given to Members of the Court and to the Registrar, and the conditions under which Members of the Court and the Registrar shall have their travelling expenses refunded.
8. The above salaries, allowances, and compensation shall be free of all taxation.

Article 33

The expenses of the Court shall be borne by the United Nations in such a manner as shall be decided by the General Assembly.

CHAPTER II

COMPETENCE OF THE COURT

Article 34

1. Only States may be parties in cases before the Court.
2. The Court, subject to and in conformity with its Rules, may request of public international organizations information relevant to cases before it, and shall receive such information presented by such organizations on their own initiative.
3. Whenever the construction of the constituent instrument of a public international organization or of an international convention adopted thereunder is in question in a case before the Court, the Registrar shall so notify the public international organization concerned and shall communicate to it copies of all the written proceedings.

Article 35

1. The Court shall be open to the States parties to the present Statute.
2. The conditions under which the Court shall be open to other States shall, subject to the special provisions contained in treaties in force, be laid down by the Security Council, but in no case shall such conditions place the parties in a position of inequality before the Court.
3. When a State which is not a Member of the United Nations is a party to a case, the Court shall fix the amount which that party is to contribute towards the expenses of the Court. This provision shall not apply if such State is bearing a share of the expenses of the Court.

Article 36

1. The jurisdiction of the Court comprises all cases which the parties refer to it and all matters specially provided for in the Charter of the United Nations or in treaties and conventions in force.
2. The States parties to the present Statute may at any time declare that they recognize as compulsory *ipso facto* and without special agreement, in relation to any other State accepting the same obligation, the jurisdiction of the Court in all legal disputes concerning:

(*a*) the interpretation of a treaty;
(*b*) any question of international law;
(*c*) the existence of any fact which, if established, would constitute a breach of an international obligation;
(*d*) the nature or extent of the reparation to be made for the breach of an international obligation.

3. The declarations referred to above may be made unconditionally or on condition of reciprocity on the part of several or certain States, or for

0274

a certain time.

4. Such declarations shall be deposited with the Secretary-General of the United Nations, who shall transmit copies thereof to the parties to the Statute and to the Registrar of the Court.

5. Declarations made under Article 36 of the Statute of the Permanent Court of International Justice and which are still in force shall be deemed, as between the parties to the present Statute, to be acceptances of the compulsory jurisdiction of the International Court of Justice for the period which they still have to run and in accordance with their terms.

6. In the event of a dispute as to whether the Court has jurisdiction, the matter shall be settled by the decision of the Court.

Article 37

Whenever a treaty or convention in force provides for reference of a matter to a tribunal to have been instituted by the League of Nations, or to the Permanent Court of International Justice, the matter shall, as between the parties to the present Statute, be referred to the International Court of Justice.

Article 38

1. The Court, whose function is to decide in accordance with international law such disputes as are submitted to it, shall apply:

(a) international conventions, whether general or particular, establishing rules expressly recognized by the contesting States;
(b) international custom, as evidence of a general practice accepted as law;
(c) the general principles of law recognized by civilized nations;
(d) subject to the provisions of Article 59, judicial decisions and the teachings of the most highly qualified publicists of the various nations, as subsidiary means for the determination of rules of law.

2. This provision shall not prejudice the power of the Court to decide a case *ex aequo et bono*, if the parties agree thereto.

CHAPTER III
PROCEDURE

Article 39

1. The official languages of the Court shall be French and English. If the parties agree that the case shall be conducted in French, the judgment shall be delivered in French. If the parties agree that the case shall be conducted in English, the judgment shall be delivered in English.

2. In the absence of an agreement as to which language shall be employed, each party may, in the pleadings, use the language which it prefers; the decision of the Court shall be given in French and English. In this case the Court shall at the same time determine which of the two texts shall be considered as authoritative.

3. The Court shall, at the request of any party, authorize a language other than French or English to be used by that party.

Article 40

1. Cases are brought before the Court, as the case may be, either by the notification of the special agreement or by a written application addressed to the Registrar. In either case the subject of the dispute and the parties shall be indicated.

2. The Registrar shall forthwith communicate the application to all concerned.

3. He shall also notify the Members of the United Nations through the Secretary-General, and also any other States entitled to appear before the Court.

Article 41

1. The Court shall have the power to indicate, if it considers that circumstances so require, any provisional measures which ought to be taken to preserve the respective rights of either party.

2. Pending the final decision, notice of the measures suggested shall forthwith be given to the parties and to the Security Council.

Article 42

1. The parties shall be represented by agents.

2. They may have the assistance of counsel or advocates before the Court.

0275

3. The agents, counsel, and advocates of parties before the Court shall enjoy the privileges and immunities necessary to the independent exercise of their duties.

Article 43

1. The procedure shall consist of two parts: written and oral.

2. The written proceedings shall consist of the communication to the Court and to the parties of memorials, counter-memorials and, if necessary, replies; also all papers and documents in support.

3. These communications shall be made through the Registrar, in the order and within the time fixed by the Court.

4. A certified copy of every document produced by one party shall be communicated to the other party.

5. The oral proceedings shall consist of the hearing by the Court of witnesses, experts, agents, counsel, and advocates.

Article 44

1. For the service of all notices upon persons other than the agents, counsel, and advocates, the Court shall apply direct to the government of the State upon whose territory the notice has to be served.

2. The same provision shall apply whenever steps are to be taken to procure evidence on the spot.

Article 45

The hearing shall be under the control of the President, or, if he is unable to preside, of the Vice-President; if neither is able to preside, the senior judge present shall preside.

Article 46

The hearing in Court shall be public, unless the Court shall decide otherwise, or unless the parties demand that the public be not admitted.

Article 47

1. Minutes shall be made at each hearing and signed by the Registrar and the President.

2. These minutes alone shall be authentic.

Article 48

The Court shall make orders for the conduct of the case, shall decide the form and time in which each party must conclude its arguments, and make all arrangements connected with the taking of evidence.

Article 49

The Court may, even before the hearing begins, call upon the agents to produce any document or to supply any explanations. Formal note shall be taken of any refusal.

Article 50

The Court may, at any time, entrust any individual, body, bureau, commission, or other organization that it may select, with the task of carrying out an enquiry or giving an expert opinion.

Article 51

During the hearing any relevant questions are to be put to the witnesses and experts under the conditions laid down by the Court in the rules of procedure referred to in Article 30.

Article 52

After the Court has received the proofs and evidence within the time specified for the purpose, it may refuse to accept any further oral or written evidence that one party may desire to present unless the other side consents.

Article 53

1. Whenever one of the parties does not appear before the Court, or fails to defend its case, the other party may call upon the Court to decide in favour of its claim.

2. The Court must, before doing so, satisfy itself, not only that it has jurisdiction in accordance with Articles 36 and 37, but also that the claim is well founded in fact and law.

Article 54

1. When, subject to the control of the Court, the agents, counsel, and advocates have completed their presentation of the case, the President shall declare the hearing closed.
2. The Court shall withdraw to consider the judgment.
3. The deliberations of the Court shall take place in private and remain secret.

Article 55

1. All questions shall be decided by a majority of the judges present.
2. In the event of an equality of votes, the President or the judge who acts in his place shall have a casting vote.

Article 56

1. The judgment shall state the reasons on which it is based.
2. It shall contain the names of the judges who have taken part in the decision.

Article 57

If the judgment does not represent in whole or in part the unanimous opinion of the judges, any judge shall be entitled to deliver a separate opinion.

Article 58

The judgment shall be signed by the President and by the Registrar. It shall be read in open court, due notice having been given to the agents.

Article 59

The decision of the Court has no binding force except between the parties and in respect of that particular case.

Article 60

The judgment is final and without appeal. In the event of dispute as to the meaning or scope of the judgment, the Court shall construe it upon the request of any party.

Article 61

1. An application for revision of a judgment may be made only when it is based upon the discovery of some fact of such a nature as to be a decisive factor, which fact was, when the judgment was given, unknown to the Court and also to the party claiming revision, always provided that such ignorance was not due to negligence.

2. The proceedings for revision shall be opened by a judgment of the Court expressly recording the existence of the new fact, recognizing that it has such a character as to lay the case open to revision, and declaring the application admissible on this ground.

3. The Court may require previous compliance with the terms of the judgment before it admits proceedings in revision.

4. The application for revision must be made at latest within six months of the discovery of the new fact.

5. No application for revision may be made after the lapse of ten years from the date of the judgment.

Article 62

1. Should a State consider that it has an interest of a legal nature which may be affected by the decision in the case, it may submit a request to the Court to be permitted to intervene.
2. It shall be for the Court to decide upon this request.

Article 63

1. Whenever the construction of a convention to which States other than those concerned in the case are parties is in question, the Registrar shall notify all such States forthwith.

2. Every State so notified has the right to intervene in the proceedings; but if it uses this right, the construction given by the judgment will be equally binding upon it.

Article 64

Unless otherwise decided by the Court, each party shall bear its own costs.

0277

CHAPTER IV

ADVISORY OPINIONS

Article 65

1. The Court may give an advisory opinion on any legal question at the request of whatever body may be authorized by or in accordance with the Charter of the United Nations to make such a request.

2. Questions upon which the advisory opinion of the Court is asked shall be laid before the Court by means of a written request containing an exact statement of the question upon which an opinion is required, and accompanied by all documents likely to throw light upon the question.

Article 66

1. The Registrar shall forthwith give notice of the request for an advisory opinion to all States entitled to appear before the Court.

2. The Registrar shall also, by means of a special and direct communication, notify any State entitled to appear before the Court or international organization considered by the Court, or, should it not be sitting, by the President, as likely to be able to furnish information on the question, that the Court will be prepared to receive, within a time-limit to be fixed by the President, written statements, or to hear, at a public sitting to be held for the purpose, oral statements relating to the question.

3. Should any such State entitled to appear before the Court have failed to receive the special communication referred to in paragraph 2 of this Article, such State may express a desire to submit a written statement or to be heard; and the Court will decide.

4. States and organizations having presented written or oral statements or both shall be permitted to comment on the statements made by other States or organizations in the form, to the extent, and within the time-limits which the Court, or, should it not be sitting, the President, shall decide in each particular case. Accordingly, the Registrar shall in due time communicate any such written statements to States and organizations having submitted similar statements.

Article 67

The Court shall deliver its advisory opinions in open court, notice having been given to the Secretary-General and to the representatives of Members of the United Nations, of other States and of international organizations immediately concerned.

Article 68

In the exercise of its advisory functions the Court shall further be guided by the provisions of the present Statute which apply in contentious cases to the extent to which it recognizes them to be applicable.

CHAPTER V

AMENDMENT

Article 69

Amendments to the present Statute shall be effected by the same procedure as is provided by the Charter of the United Nations for amendments to that Charter, subject however to any provisions which the General Assembly upon recommendation of the Security Council may adopt concerning the participation of States which are parties to the present Statute but are not Members of the United Nations.

Article 70

The Court shall have power to propose such amendments to the present Statute as it may deem necessary, through written communications to the Secretary-General, for consideration in conformity with the provisions of Article 69.

0278

(I.2)

UNITED NATIONS NATIONS UNIES

POSTAL ADDRESS—ADRESSE POSTALE UNITED NATIONS, N.Y. 10017
CABLE ADDRESS—ADRESSE TELEGRAPHIQUE UNATIONS NEWYORK

REFERENCE: C.N.206.1991.TREATIES-1 (Depositary Notification)

ACCEPTANCE BY THE DEMOCRATIC PEOPLE'S REPUBLIC OF KOREA AND THE REPUBLIC OF KOREA OF THE OBLIGATIONS CONTAINED IN THE CHARTER OF THE UNITED NATIONS

The Secretary-General of the United Nations, acting in his capacity as depositary, communicates the following:

On 8 July and 5 August 1991, respectively, the Secretary-General received the declarations by the Governments of the Democratic People's Republic of Korea and the Republic of Korea to the effect that, in connection with their respective applications for membership in the United Nations, the Democratic People's Republic of Korea and the Republic of Korea accept the obligations contained in the Charter of the United Nations and solemnly undertake to fulfill them.

The Security Council, by resolution S/RES/702 adopted on 8 August 1991, recommended that the Democratic People's Republic of Korea and the Republic of Korea be admitted to membership in the United Nations. By resolution A/46/L.1, adopted by the General Assembly on 13 September 1991 at its forty-sixth session, the Democratic People's Republic of Korea and the Republic of Korea were admitted to membership in the United Nations.

The above-mentioned declarations were formally deposited on 13 September 1991 with the Secretary-General.

25 November 1991

0279

Attention: Treaty Services of Ministries of Foreign Affairs and of international organizations concerned

정 리 보 존 문 서 목 록					
기록물종류	일반공문서철	등록번호	2020080035	등록일자	2020-08-20
분류번호	731.12	국가코드		보존기간	영구
명 칭	남북한 유엔가입, 1991.9.17. 전41권				
생 산 과	국제연합1과	생산년도	1990~1991	담당그룹	
권 차 명	V.22 한국의 유엔가입 신청서 제출(8.5)				
내용목차	* 국내절차 진행 - 6.13 국무회의 심의 (유엔헌장 및 국제사법재판소(ICJ) 규정) - 7.13 국회비준동의 * 8.5 유엔사무총장 앞 가입 신청서 및 의무수락 선언서 기탁 * 8.7 동 신청서 유엔문서로 배포(A/46/296, S/22778)				

0001

관리 번호	91-530

	분류번호	보존기간

발 신 전 보

번 호 : WUN-1497 910528 1141 DQ 종별 : 지급

WUS -2328

수 신 : 주 수신처참조 대사. 총영사

발 신 : 장 관 (국연)

제 목 : 북한 외교부 성명

유엔가입문제에 관한 5.28자 북한 외교부 성명을 별첨 타전함.

첨부 : 북한, 유엔가입 의사표명-외교부 성명. 끝.

(국제기구조약국장 문동석)

91.12.31 의거 일반문서로 재분류

수신처참조 : 주유엔, 미국, ~~일본, 영국, 불란서, 카나다, 벨지움 대사~~

	보 안 통 제	

앙 고 재	91년 월 일	유엔과	기안자 성 명		과 장		국 장		차 관	장 관
							전결			

외신과통제

0002

관리 번호	91-528

분류번호	보존기간

발 신 전 보

번 호 : WUN-1499 910528 1145 DO 종별 :

수 신 : 주 유엔 대사. 총영사

발 신 : 장 관 (국연)

제 목 : 남북한 유엔가입

연 : WUN-1497 (북한외교부성명, 5.28.)

1. 연호 북한성명 내용에 비추어 볼때 북한은 5월중 중국이 안보리의장국 일때 가입신청을 할 가능성이 있다고 사료됨.

2. ~~북한이 신청하는 경우~~ 상기 상황하 우리도 조속 신청하여, 남북한의 신청이 동시에 처리되는 것이 좋을 것으로 보이는 바, 이에 대비코자 하니 귀관이 준비하고 있는 가입신청서(안)을 지급 타전바람. 끝.

19 91.12.31 에 예고문에 의거 일반문서로 재분류

(국제기구조약국장 문동석)

앙고재	91년 5월 28일	유엔과	기안자		과 장		국 장		차 관	장 관
			김상일		[signature]		전결			[signature]

보안통제	외신과통제

0003

관리번호	91-541

원 본

외 무 부

종 별 : 지 급

번 호 : UNW-1377 일 시 : 91 0528 1530

수 신 : 장관(문동석 국기국장 친전)

발 신 : 주 유엔 대사

제 목 : 남북한 유엔가입

대:WUN-1499 (1), 1501 (2)

1. 대호, 당관이 작성한 가입신청서 및 헌장의무 수락서(안)을 별첨 타전함.

2. 동 신청서(안)은 당관에서 그간 수차보고 및 건의한바와같이 ,49 년도 아국의 가입신청 재심 요청이 아닌 신규신청을 상정한것이며, 헌장의무수락서(안)은 동서독및 리히텐슈타인등의 가입신청서와같이 국가원수(정부수반)명의로 하였으나, 외무장관 명의로 서명해도 무방할것으로 사료함.(단, 이경우 국내 소정 절차를 밟았다는 내용을 포함시킬수 있을것임)

3. 이와관련, 문안도 과거 아국 가입신청서와 같은 긴 설명없이 통상적인(ROUTINE 한) 가입신청서 사용되는 일반적인 문구를 사용하였음.(리히텐슈타인 등최근 가입사례 및 동.서독 선례등을 감안함.)

4. 대호(1)관련, 금 5.28 오전 현재 북한의 가입신청서가 제출되지 않은바,중국의 안보리 의장국 수행시한이 3 일밖에 안남은점과 가입신청 심사에 소요되는 최소한의 기간등 시간적 측면및 동 사안의 중요성에 따른 안보리 이사국들의 관심등에 비추어, 설명 금주중 신청서가 제출되는 경우라 하더라도 동건이 중국의 안보리 의장 수행기간중 전격적으로 처리될 가능성은 매우 희박하다고봄.

5. 상기관련 , 당관으로서는 아측이 조속 신청하는 경우에도 전문가입신청등이 아닌 가급적 정상적인 절차를 밟는 것이 바람직하다고 보고있음. 끝

~~(대사 노창희)~~

일반문서로 재분류 예고:91.12.31. 까지

첨부:신청서및 의무수락서 (안)

별첨 1

28 MAY 1991

국기국

PAGE 1 91.05.29 06:15

외신 2과 통제관 BW

0004

YOUR EXCELLECNY

ON BEHALF OF THE GOVERNMENT OF THE REPUBLIC OF KOREA, I HAVE THE HONOUR TO INFORM YOU THAT THE GOVERNMENT OF THE REPUBLIC OF KOREA HEREWITH APPLIES FOR MEMBERSHIP OF THE REPUBLIC OF KOREA IN THE UNITED NATIONS.

I HAVE FURTHER THE HONOUR TO ATTACH HEREWITH A DECLARATION MADE IN ACCORDANCE WITH RULE 58 OF THE PROVISIONAL RULES OF PROCEDURE OF THE SECURITY COUNCIL.

I SHOULD BE GRATEFUL IF YOU WOULD PLACE THIS APPLICATION BEFORE THE SECURITY COUNCIL AT THE EARLIEST OPPORTUNITY.

PLEASE ACCEPT, EXCELLENCY, THE RENEWED ASSURANCES OF MY HIGHEST CONSIDERATION.

우측하단:SANG OCK LEE

MINISTER OF FOREIGN AFFAIRS.

좌측하단:HIS EXCELLENCY

MR.JAVIER PEREZ DE CUELLAR

SECRETARY-GENERAL

OF THE UNITED NATIONS

NEW YORK.

별첨 2

DECLARATION

ON BEHALF OF THE GOVERNMENT OF THE REPUBLIC OF KOREA, I, ROH TAE WOO, IN MY CAPACITY AS HEAD OF STATE, HAVE THE HONOUR TO SOLEMNLY DECLARE THAT THE REPUBLIC OF KOREA ACCEPTS THE OBLIGATIONS CONTAINED IN THE CHARTER OF THE UNITED NATIONS AND UNDERTAKES TO FULFILL THEM.

ROH TAE WOO

PRESEDENT

SEOUL, 28 MAY 1991 끝.

Your Excellency,

On behalf of the Government of the Republic of Korea, I have the honour to inform you that the Government of the Republic of Korea herewith applies for membership of the Republic of Korea in the United Nations.

I have further the honour to attach herewith a declaration made in accordance with rule 58 of the provisional rules of procedure of the Security Council.

I should be grateful if you would place this application before the Security Council at the earliest opportunity.

Please accept, Excellency, the renewed assurances of my highest consideration.

LEE Sang-Ock
Minister of Foreign
Affairs

His Excellency
Mr. Javier Perez de Cuellar
Secretary-General
of the United Nations
New York

0006

Declaration

On behalf of the Government of the Republic of Korea, I, Roh Tae Woo, in my capacity as head of state, have the honour to solemnly declare that the Republic of Korea accepts the obligations contained in the Charter of the United Nations and undertakes to fulfill them.

Roh Tae Woo
President

Seoul, 28 May 1991

0007

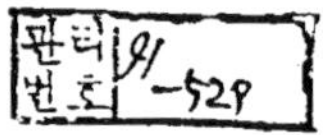

	분류번호	보존기간

발 신 전 보

번 호 : WUN-1501 910528 1415 FH 종별 :

수 신 : 주 유엔 대사.총영사

발 신 : 장 관 (국연)

제 목 : 남북한 유엔가입

연 : WUN-1499

연호 신청서(안)는 국기국장 친전으로 타전키 바람. 끝.

91.12.31 일반문서로 재분류

(국제기구조약국장 문동석)

보 안 통 제	

앙 고 재	년 5월 28일	유엔 과	기안자 성 명		과 장		국 장		차 관	장 관

외신과통제

0008

공　　　란

공 란

공 란

공 란

공　　　란

공 란

공 란

국제연합헌장 수락에 관한 관계부처회의자료

1991. 6. 4.

국 제 기 구 조 약 국
외 무 부

0016

I. 안전보장이사회 및 총회의 군사적 및 경제적 제재조치의 수락 및 이행상 국내법적 문제점 存無검토

1. 국제연합헌장 규정상 집단안전보장 조치

가. 안전보장이사회의 조치

ㅇ 잠정조치(제40조)

제39조에 의거한 권고조치, 또는 제41,42조에 의거한 강제조치를 결정하기 전에 관계당사국에 대하여 잠정조치에 따르도록 요청 (call upon) 가능

ㅇ 권고조치(제39조)

평화에 대한 위협, 평화의 파괴 또는 침략행위가 있는 경우, 국제평화와 안전의 유지, 회복을 위하여 권고조치(recommendations) 가능

ㅇ 비군사적강제조치(제41조)

경제관계, 교통통신수단 및 외교관계의 단절을 포함하는 비군사적 조치결정(제41조)

ㅇ 군사적강제조치(제42조)

- 비군사적 조치가 불충분한 경우, 국제연합회원국의 육.해.공군에 의한 시위.봉쇄 및 다른 작전을 포함하는 군사적 조치를 실시

ㅇ 국제연합군구성을 위한 특별협정 체결(제43조)

- 안보리와 회원국간 체결

(현재까지 특별협정이 체결되어진바 없어, 본래 헌장이 예정한 진정한 의미의 국제연합군은 설치된 바 없음.)

0017

나. 총회의 조치

o 총회는 평화유지에 관한 일반적 권한 보유(제10, 12조)

o 안보리가 그 책임을 다하지 못한 경우에는 「평화를 위한 단결결의」(1950년 총회결의 377호 A1항)에 따라 국제평화.안전의 유지 또는 회복을 위하여 제재조치 권고가능

다. 평화유지활동(Peace-Keeping Operation)

o 총회 및 안전보장이사회는 집단적 제재조치가 아닌, 정전, 휴전의 보장 및 실시, 국경감시, 법질서유지등의 현상유지를 목적으로 하는 평화유지활동을 위하여 회원국에 권고가능

2. 국제연합군의 실례

가. 집단적 제재조치성격

o 派韓 국제연합군

- 설치근거: 헌장 제39조에 의한 안전보장이사회의 권고결의 (50.6.27.)

나. 평화유지활동성격

o 안전보장이사회의 결의에 의한 경우

- ONUC (콩고사태, 60.7.14. 결의)
UNICYP (키프로스사태, 64.3.4. 결의)
UNDOF (제4차 중동전, 74.5.31. 결의)
UNIFIL (레바논, 78.3.19.) 등

o 총회의 결의에 의한 경우

- UNEF (수에즈사태, 56.7.26.) 등

0018

3. 아국의 국제연합헌장 수락시 발생의무

가. 안전보장이사회의 강제조치 이행의무

회원국은 안보리의 결정수락 및 이행의무(제25조)

o 안전보장이사회의 비군사적 강제조치(제41조) 및 군사적 강제조치(제42조) 이행의무

- 군사적 강제조치 이행을 위하여는 특별협정체결이 선행되어야 함.

나. 안전보장이사회의 권고 및 잠정조치에 대한 협력의무
(제재조치 및 평화유지활동)

o 국제평화와 안전의 유지.회복을 위한 안전보장이사회의 권고(제39조) 및 사태의 악화방지를 위한 잠정조치(제40조)에 대하여 헌장상 이를 이행할 법적의무는 없음.

다. 총회의 권고에 대한 협력의무(제재조치 및 평화유지활동)

o 「평화를 위한 단결결의」에 따른 집단적 제재조치의 권고 및 평화유지활동을 위한 총회의 권고를 이행할 법적의무는 없음.

4. 안전보장이사회 및 총회의 조치의 수락 및 이행상 국내법적문제점 有無

가. 안전보장이사회 및 총회의 군사적 조치의 경우

o 우리 헌법관련규정(전문 및 제4조)는, 우리나라의 국제평화 수호의 결의와 침략전쟁의 부인원칙, 국군의 국가안전보장의무등을 규정하고 있으므로, 국제평화와 안전의 유지를 위한 안전보장이사회 및 총회의 군사적 조치의 결정 또는 권고를 이행하는 것은 헌법규정과 합치

0019

o 다만, 헌법 제60조 2항상, 국회는 국군의 외국에의 파견에 대한 동의권을 가지므로 안전보장이사회 및 총회의 군사적 조치의 결정 또는 권고이행을 위하여 국군을 해외 파견하는 경우 국회의 사전 동의가 필요

o 군사적조치에 관한 안보리 또는 총회의 권고는 강제적 성격을 띄고 있지 않으므로 동 권고를 이행하지 않더라도 헌장 위반 행위는 아님.

o 제42조에 의한 군사적 강제조치의 결정은 이행의 법적의무가 있으나 특별협정의 체결이 전제 조건임.

- 특별협정체결을 위하여는 국회비준동의 필요

※ 관련헌법규정

전 문: 항구적인 세계평화와 인류공영에 기여

제4조1항: 국제평화의 유지에 노력하고 침략적 전쟁을 부인

제4조2항: 국군은 국가의 안전보장과 국토방위의 신성한 의무수행

제60조2항: 선전포고, 국군의 외국파견, 외국군대의 한국 주류에 대한 국회의 동의권

나. 안전보장이사회의 비군사적조치의 경우

o 회원국은 다른 국제협정상의 의무에 우선하여 헌장상 의무를 이행하여야 함. (제103조)

o 비군사적 제재조치 대상국이 국제연합회원국인 경우:
아국과 국제연합회원국인 제3국간 양자조약상 의무가 헌장상 의무와 상충되는 경우 헌장상 의무가 동 양자협정상 의무에 우선하므로 법적문제점 없음.

0020

o 비군사적 제재조치대상국이 국제연합 비회원국이고 아국이 동국과 양자협정상 의무를 부담하고 있는 경우:
아국이 안전보장이사회의 비군사적 조치의 결정에 따라 경제 관계를 단절하는 것은 기존 양자협정상의 의무와 상충될 가능성 존재

o 대외무역법, 외자도입법, 대외경제협력기금법등 국내법상 특정국가에 대한 국제연합헌장에 의한 경제제재조치의 근거 규정 존무 검토필요. 끝.

0021

공 란

공 란

Ⅳ. 국제사법재판소규정 선택조항 수락문제

1. 선택조항의 내용

o 선택조항(Optional Clause)이라고 통칭되고 있는 국제사법재판소규정(規程) 제36조 제2항은 동일한 의무의 수락을 선언한 규정당사국들 사이에서는 특별한 합의가 없어도 동 재판소의 강제관할권이 성립된다고 규정하고 있음.

- 강제관할권 성립대상 분쟁: ① 조약의 해석 ② 국제법 문제 ③ 국제의무의 위반이 되는 사실의 존재 ④ 국제의무위반에 대한 배상의 성질 및 범위와 관련된 모든 법적분쟁

2. 선택조항 수락의 시기 및 방법

가. 수락의 시기

o 재판소규정의 당사국이 됨과 동시에 또는 당사국이 된 이후에 어느때(at any time)라도 수락할 수 있음.

o 당사국들의 수락시기는 유엔가입후 짧게는 1년 길게는 40년후에 수락을 하는등 일정하지 않으나 최근에 유엔에 가입한 국가들은 통상가입 1-2년후에 수락선언을 하는 경향을 나타내고 있음.

나. 방법

o 선택조항수락 선언은 무조건부로 또는 일정한 유보를 달아서 할 수 있으며 일정한 기간을 정해서 할 수도 있음.

3. 선택조항 수락현황 및 평가

가. 수락현황

o 159개 유엔회원국과 3개 비회원국등 162개 규정당사국중 선택조항을 수락하고 있는 국가는 총 49개국으로 전체 당사국의 1/3에 미달함.

0024

- 안보리 5대 상임이사국중 현재 선택조항을 수락하고 있는 국가는 영국이 유일하며, 미국과 불란서는 과거에 행한 수락선언을 74년과 86년에 각각 철회한 바 있음.
- 또한 선택조항을 무조건부로 수락한 국가는 코스타리카 · 하이티 · 니카라과 · 리히텐슈타인 · 스위스등 5개국에 불과함.

o 일본은 58.9.15.자로 선택조항을 수락하였으나 수락일 이후에 발생한 사실 또는 상황에 관한 분쟁에 대해서만 관할권을 인정한다는 유보를 행함.

나. 평가

o 선택조항(강제관할권)의 취지가 임의관할(합의관할) 원칙에 기초하고 있는 국제사법재판소의 기능을 보완하기 위한 것이나, 대다수 당사국들이 선택조항을 수락하지 않고 있으며 수락한 당사국의 경우도 거의 대부분 자국에게 불리한 사항에 관하여 유보를 하고 있어 국제사법재판소의 강제관할권은 사실상 본래의 기능을 수행하지 못하고 있음.
- 국제사법재판소 설립이후 강제관할권에 기해 제소된 사건은 12건뿐.

4. 대처방향(안)

가. 선택조항 수락여부

o 수락선언이 의무적이 아님에 따라 당사국 대다수가 선택조항을 수락하지 않고 있으며, 수락국의 대부분도 유보를 달고 있어 아국이 수락하더라도 실익은 별무하다고 봄.
* 예컨대 대한항공기 격추사건 제소를 위해 아국이 선택조항을 수락하는 경우에도 소련의 미수락으로 인해 국제사법재판소의 강제관할권성립이 불가능

o 그러나 유엔가입을 계기로 분쟁의 평화적 해결에 관한 아국의 의지를 새롭게 천명한다는 차원에서 적절한 유보를 달아 수락하는 방안을 긍정적으로 검토할 필요는 있다고 사료됨.

0025

나. 선택조항 수락시기(유엔가입과 동시 또는 그이후)

o 유엔가입 일정기간후에 수락하는 것이 수락국들의 일반적인 관행이며, 수락에 앞서 유보내용등에 대한 면밀한 검토가 필요한 만큼, 유엔 가입과 동시에 선택조항을 수락하는 것은 바람직하지 않다고 봄.

- 특히 아국의 중대한 이해가 걸려있는 인접국가와의 잠재적 분쟁사항(독도문제, 한·중대륙붕 경계획정문제등)의 제소가능성에 대비한 철저한 검토가 선행되어야 함.

o 따라서 선택조항 수락여부, 수락시 구체적인 유보내용 및 수락시기등에 관한 결정은 유엔가입이후에 충분한 시간적 여유를 갖고 관련부처 및 학계전문가와 긴밀한 협의를 거쳐 행하는것이 적절하다고 사료됨.

첨부: 국제사법재판소규정 주요골자

0026

(첨부)

국제사법재판소규정 주요골자

1. 이 규정은 5장 70개조로 구성되어 있음.

2. 주요내용

가. 재판소의 지위: 국제연합의 주요한 사법기관(제1조)

나. 재판소의 조직 (제1장)

(1) 재판관의 구성 및 선출

- 9년 임기의 15인의 독립적 재판관단으로 구성됨.
- 국별재판관단이 지명한 명부중 총회 및 안전보장이사회에서 절대다수를 얻은자가 선출됨.
- 총회와 안전보장이사회에 선출에 실패할 경우에는 이미 선출된 재판관들이 선출함.

(2) 재판관의 직무수행

- 재판관은 직무외에 다른 어떠한 업무에도 종사할 수 없음.

(3) 정족수

- 재판소 구성을 위한 정족수는 9인임.

(4) 소재판부 운영

- 특정부류의 사건처리를 위한 3인이상의 소재판부 설치가 가능함.

다. 재판소의 관할(제2장)

- 국가만이 재판소에 제기되는 소송의 당사자가 될 수 있음.
- 재판소의 관할은 임의관할(합의관할)이 원칙이나 제36조 제2항 (선택조항)을 수락한 당사국사이에서는 강제관할권이 성립함.
- 일반적 또는 특별한 국제협약, 국제관습, 법의 일반원칙, 사법판결과 학설등이 재판소의 재판준칙이 됨.

0027

라. 소송절차(제3장)

- 재판소의 공용어는 불어와 영어이며 재판소서기에 대한 특별합의의 통고 또는 서면 신청으로 소송이 제기됨.
- 소송절차에는 서면소송절차와 구두소송 절차가 있음.
- 판결은 사건 당사국과 특정사건에만 구속력을 가짐.
- 단심으로 상소가 인정되지 않으나 새로운 사실이 발견될때에는 재심 청구도 가능함.

마. 권고적의견(제4장)

- 유엔기관의 요청시 권고적의견을 제시 할 수 있음.

바. 개정(제5장)

- 헌장과 동일한 절차에 따라 개정됨.
- 재판관들도 규정 개정 제안권을 가짐.

0028

관리 번호	91-3792

	분류번호	보존기간

발 신 전 보

번 호 : WUN-1634 910607 1938 ED 종별 : 지급

수 신 : 주 유엔 대사. 총영사 (서대원 참사관님)

발 신 : 장 관 (이규형 배상)

제 목 : 가입신청서 처리

남북한이 각각 신청서를 제출하고, 안보리에서 동처리를 하나의 결의안으로 채택하는 방식을 취하더라도, 남북한의 유엔가입 신청(본문의 남북한 각각)에 대하여 각각 표결에 부칠 것을 안보리 이사국이 제안할 수 있는지에 관하여 알려주시기 바랍니다. 끝.

예고문에 의거 관리 19 예고 : 독후 파기

보안 통제	

앙 고 재	91년 6월 7일	UN과	기안자 성명		과 장		국 장		차 관	장 관

외신과통제

0029

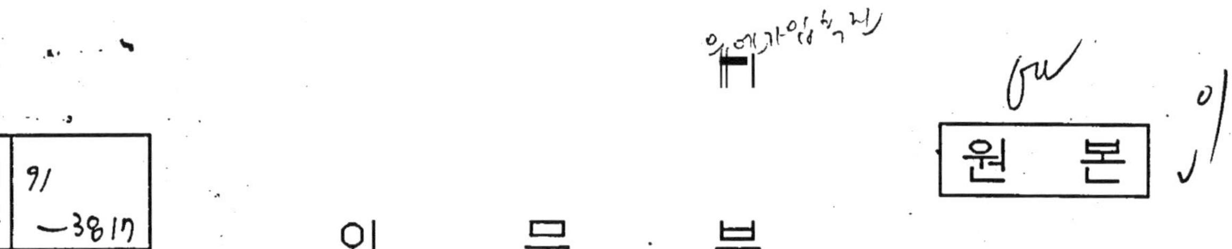

관리번호	91-3817

원 본

외 무 부

종 별 :

번 호 : UNW-1517 일 시 : 91 0610 1930

수 신 : 장관(이규형 유엔과장)

발 신 : 주 유엔 서 대원

제 목 : 가입신청서처리, 서독국명표기

대:WUN-1634,1613

1. 안보리에서 단일 결의안으로 처리한다는것은 남북한간의 합의는 물론 중.소를 포함한 5 개 상임이사국의 합의, 안보리의 비공식 협의과정및 가입심사위를 통해 전이사국의 찬성내지 양해를 전제로 하는것임.또한 단일결의안의 CONSENSUS 채택에 대하여 기보고한바와 같이 중.소가 먼저 거론하고 있으며, 표결이 있는경우에도 상기와같은 전제에 비추어 항목별로 남북한의 가입권고 여부를 표결에 부칠 가능성은 희박(이론상으로 항목별표결이 불가능한것은 아니나) 하다고보아야 할것임.

2. 동서독 국명표기관련, 안보리및 총회결의문에는 공식국명(FRG 및 GDR) 을 사용하였으며 가입이후 유엔의 각종문서에도 상기 공식 국명을 계속 사용하였음. 좌석문제는 국명표기와는 별개의 문제임.(UNW-1484 로 보고한대로 좌석배치를 위한 국명표기는 회원국의 희망에 따르는바, 서독은 GERMANY, FEDERAL REPUBLIC OF 을 동독은 GERMAN DEMOCRATIC REPUBLIC 을 희망하여 나란히 앉게된것임.)

3. 독일대표부 LEONBERGER 수석참사관은 동서독 가입시 서독은 가입결의안(안보리 및 총회)의 순서에 있어 공식국명이 아닌 2 항 GERMANY 를 앞세운 표기의ALPHABET 순서를 택한것이라고 설명함.(당시 결의안 본문 순서에 관해 동서독간 합의내지 협의가 있었는지를 물은데 대해 동인은 서독으로서는 순서보다는 대승적 차원에서 ONE GERMANY 입장에 입각 문제를 처리한 것으로 안다고함.)

4. 이와관련 사무국 총회담당국(DIVISION OF G.A. AFFAIRS) 의 MALDONADO 담당관(SENIOR G.A. OFFICER)에게 재확인한바 사무국으로서는 의석배치를 위한 국명표기는 회원국 희망을 일일이 접수하여 그대로 조치할 뿐이라함.(대부분 회원국이 정식국명보다는 단축된 고유명칭 또는 고유명칭을 앞세운 형태를 선호하는 경향 감안) 동인은 신규가입국의 경우 총회 개막일 가입결정후 바로 좌석에 안내받아 착석하게

국기국

PAGE 1

91.06.11 08:51

외신 2과 통제관 BS

0030

되므로 사전에 아측희망 표기를 자신에게 통보하여 줄것을 요망함. 동 국명 표기 통보는 특별한 형식이나 절차는 없으며 자신에게 구두로 통보하면 된다함. (7 월중 좌석배치 LOTTERY 를 함으로 가급적 그때까지는 알려줄것을 요망)

5. 하절기가 다가오는데 계속 건강 유의하시기 바람. 끝

예고: 91.12.31. 일반

PAGE 2

0031

공 란

공 란

공 란

발 신 전 보

	분류번호	보존기간

번 호 : WUN-1767 910625 1911 CV 종별 : 지급

수 신 : 주 유엔 대사. 총영사

발 신 : 장 관 (국연)

제 목 : 제45차 유엔총회 Verbatim Record

1. 제45차 유엔총회 회의록(Verbatim Record)중 PV. 1-4, 6, 7, 9-30, 37, 69, 70, 72 미접이니 파편 송부바람.

2. 상기중 PV. 1은 지급 FAX 송부바람. 끝.

(국제기구조약국장 문동석)

보안 통제	

앙 고 재	91년 6월 25일	UN과	기안자 성명		과 장		국 장		차 관	장 관
							전결			

외신과통제

0035

II

	분류번호	보존기간

발 신 전 보

번 호 : WUN-1778 910626 1734 FO 종별 :

수 신 : 주 유엔 대사. 총영사

발 신 : 장 관 (국연)

제 목 : 제45차 총회 회의록

연 : WUN-1767

금 6.26. FAX 접수한 회의록은 제44차 총회 회의록(A/44/PV.1)인 바, 리히텐슈타인의 가입결정 및 토의내용이 수록된 제45차 총회 회의록을 (A/45/PV.1) 지급 FAX 송부바람. 끝.

(국제기구조약국장 문동석)

보 안 통 제	

앙 고 재	91년 6월 26일	과	기안자 성 명		과 장		국 장		차 관	장 관
							전결			

외신과통제

0036

공 란

공 란

공 란

공　　　란

공 란

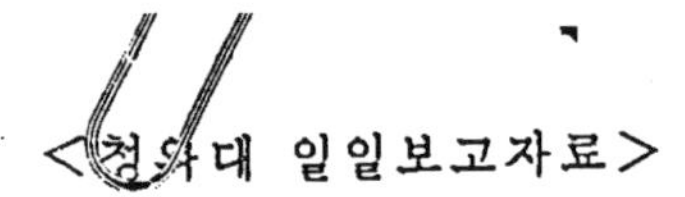

<청와대 일일보고자료>

주유엔 북한대사 유엔사무총장 면담

1991.6.27.
국제연합과

6.26(수) 주유엔 북한대사 박길연의 「케야르」유엔사무총장 면담시(20분), 주요 언급내용은 다음과 같음.

o IAEA 와의 협정체결을 위해 북한전문가를 비엔나에 파견할 계획임.

o 한반도가 비핵지대화 되어야 함.

o 한반도 신뢰구축 방안의 일환으로 남북한간 불가침선언 채택이 시급함.

  - 이는 노대통령의 88년 유엔총회 연설시 제안내용을 수용할 것임.

o 7월말전 유엔가입신청서를 제출할 것으로 보며, 동 신청서 처리는 동서독의 선례를 따르게 될 것을 희망함.

양고재	91년 6월 27일	담당	과장	국장
		(서명)	(서명)	(서명)

0042

관리번호	91-3984

외 무 부

원본

종 별 :

번 호 : UNW-1667 일 시 : 91 0627 1845

수 신 : 장관(국연,기정)

발 신 : 주 유엔 대사

제 목 : 유엔가입 신청

1. 금 6.27 SAFROCHUK 정치및 안보리담당 사무차장실 VLADIMIR GORYAYEV 보좌관은 본직에게 전화로 남북한의 유엔가입이 순조롭게 처리되도록 가입신청서 제출시기를 사전조정(COORDINATE) 해보는것이 좋겠다는 사무총장의 지시가 있었다고 하고 현재 SAFRONCHUK 차장이 MOSCOW 출장중 (7.17 귀임예정)이라 자신이 연락하는 것이라고 하면서 아측 신청 예정시기를 문의하여 왔음.

2. 본직은 이에대해 아직 구체적인 일자는 결정되지 않았으나 대체로 7 월말 또는 8 월초로 예상하고 있다고한바 동인은 북한대표부측에도 알아볼것이라고한후 다시 본직에게 전화로 북한측과 협의를 가졌다고 하면서 SAFRONCHUK 차장이 귀임하는 7.17 이후까지 북한측이 가입신청서를 제출하지 않고 기다리는 것으로 양해하였다고 알려왔음.

동인은 이를 SAFRONCHUK 차장에 즉시 보고할 것이며 동 차장이 귀임후 남북한 대사와 각기 접촉 , 신청서 제출시기 문제를 조정예정이라함.

3. 상기관련 당관 서참사관이 안보리의 NORMA CHAN 담당관을 접촉한바 작 6.26 북한 박길연대사의 사무총장 면담후 사무총장으로 부터 아래와같은 지침 하달이 있었다함.

0. 남북한의 가입신청서 제출시기를 사전조정(COORDINATE)함.

0. 한쪽이 먼저 신청서를 제출하더라도 한쪽만의 별도 심의는 하지 않음.

0. 양측의 신청서가 모두 접수되면 안보리 절차는 조속 진행함.(FACILITATE)

0. 독일방식 처리(단일결의안)가 최선책 임.(BEST FORMULA)

CHAN 담당관은 상기 지침하달은 박길연이 사무총장 면담시 신청서 제출시기에 대해 일체 언급하지 않은것과 관련 사무총장으로서 신청서 제출문제 포함 절차 문제에 대해 불필요한 잡음의 소지를 없앨 필요가 있다는 생각을 갖게 된것으로 본다고 하고 자신이

국기국 장관 차관 1차보 정와대 안기부

PAGE 1

91.06.28 08:33

외신 2과 통제관 BS

0043

상기 사무총장 지침에 따라 내부 MEMO 를 기안 총장실에 보고 예정이라함. 끝

(대사 노창희-장관)

예고:91.12.31. 일반

공 란

공 란

관리번호 91-4017

원 본

외 무 부

종 별 :

번 호 : UNW-1696　　　　일 시 : 91 0701 1840

수 신 : 장 관 (국연)

발 신 : 주 유엔 대사

제 목 : 유엔가입 신청 처리

대: WUN-1797

대호건 PICKERING 대사의 해외출장으로 WATSON 대사대리 면담을 추진중이며동협의결과 추보하겠음. 끝

(대사 노창희-국장)

예고:91.12.31 일반

1991.12.31.에 예고문에 의거 일반문서로 재분류됨

국기국 1차보

PAGE 1

91.07.02 07:59

외신 2과 통제관 BS

0047

관리 번호	91-4020

원 본

외 무 부

종 별 :

번 호 : UNW-1697 일 시 : 91 0701 1840

수 신 : 장 관 (이규형 유엔과장)

발 신 : 주 유엔 대사 (서대원)

제 목 : 업 연

1. WUN-1797 미측과의 협의는 PICKERING 대사의 장기 해외출장, RUSSEL 담당관의 휴가 (6.25-7.16. 간)로 WATSON 대사대리와 노대사님의 면담을 추진중인바, 노대사님의 D.C 출장(7.1-7.3), 당지 공휴등으로 7.8. 시행 예정임.

2. 유엔인사 방한초청 관련 SAFRONCHUK 의 방한이 갑자기 결정됨에 따라 SCHLITTLER 국장 (CHAN 담당관) 방한시기와 시기적으로 다소 중첩될 가능성이 있는바 (SCHLITTLER 도 8 월하순 9 월초 희망) 본부 업무형편상 무리가 있는지 알려주시기 바람. 건승기원. 끝

예고문에 의거 파기
19 독후파기 . .

국기국

PAGE 1

91.07.02 07:59
외신 2과 통제관 BS

0048

관리 번호	91-4012

분류번호	보존기간

발 신 전 보

번 호 : EM-0022 910701 1709 DN 종별 :

수 신 : 주 EM 대사. ~~총영사~~

발 신 : 장 관 (국연)

제 목 : 유엔가입 추진경과 및 계획

5.28. 북한의 유엔가입 신청결과 발표이후, 금년 가을 총회개막일 (9.17) 가입을 목표로 그동안 본부가 추진해온 가입추진 경과등을 아래 통보하니 귀업무에 참고바람.

1. 국내절차 및 신청서 제출시기

   o 6.13. 국무회의 통과후 국회동의 절차 대기중

   o 7.8.부터 임시국회 개원 예정이며, 늦어도 7.24까지 국회동의 절차 완료 예상

   o 국회동의후 가입신청서 및 의무수락 선언서 작성, 8월초 (늦어도 8.9.이전) 유엔사무총장에게 제출예정

     * 현재로서 북한은 7월중.하순경 신청서제출 전망됨.

2. 안보리 및 총회 처리방안

   o 우방국 및 안보리이사국들과의 협의를 거칠 예정이나, 그동안 안보리내 가입신청서 처리 관행을 참고, 처리코자 함.

/ 계속 /

보안 통제	(서명)

앙 고 재	91년 7월 1일	유엔과	기안자 성명		과 장		국 장	1차보	차 관	장 관
			(서명)		(서명)		(서명)	(서명)	(서명)	

외신과통제

0043

o 본부는 동.서독의 가입선례도 참고, 남북한의 가입신청이 안보리에서 단일 권고 결의안 형태로 처리되는 것이 무난하다고 보고 있음.(이점은 귀하의 참고로만 하기바람.)

o 총회에서는 안보리에서 통과된 권고결의안을 토대로 공동 제안국에 의한 총회 가입결의안을 제출, 처리하게 되는 바, 아국의 총회가입 결의안 제출관련, 앞으로 귀주재국에게 결의안 공동제안국으로서의 역할을 요청할 가능성도 있으니 평소 귀주재국과의 협조관계를 계속 유지하기 바람.

o 남북한의 가입문제 처리와 관련 중국측과 유엔사무총장이 큰 관심을 가지고 있으며, 우리로서도 순조롭게 처리할 방침임을 참고바람.

3. 남북대사 협의

o 5.27. 아측이 제의한 바 있는 유엔주재 남북대사간 회담 제의가 북한의 유엔가입 신청결정 발표후에도 계속 유효함을 북측에 상기, 호응해 올 것을 수차 권유

o 북측의 희망에 따라, 6.19. 유엔주재 남북한 참사관급 접촉이 있었는 바, 북측은 이미 유엔가입 신청결정한 현시점에서 남북대사간 특별히 논의할 사항이 없지 않겠느냐는 반응을 일단 보임.

o 그러나 북측이 가입신청 처리방식등과 관련 주요 관련국의 입장 및 유엔내 분위기등에 관해 지대한 관심을 갖고있는 것으로 파악됨에 따라, 앞으로 그들의 내부입장이 정해지는대로 우리와의 직접 협의 또는 제3자를 통한 간접적인 방법으로라도 협의를 하려할 것으로 예상됨. 끝.

(장 관 대 리)

예고 : 1991.12.31. 일반

0050

관리번호 91-4019

협조문용지

분류기호 문서번호	국연 2031-260	(2179-80)	결재	담 당	과 장	국 장
시행일자	1991. 7. 2.					
수 신	각실.국장	발신	국제기구조약국장 (서명)			
제 목	유엔가입 추진경과 및 계획					

표제관련, 재외공관에 타전한 전문사본을 별첨 송부하니 업무에 참고하시기 바랍니다.

첨부 : 동전문사본 1부. 끝.

예고 : 91.12.31.일반

19 . . . 에 예고문에 의거 일반문서로 재분류됨

0051

관리 번호	91-4022

	분류번호	보존기간

발 신 전 보

번 호 : WUN-1826 910702 1920 ED 종별 :

수 신 : 주 유엔 대사. 총영사 (서대원 참사관님)

발 신 : 장 관 (이규형 배상)

제 목 : 업 연

대 : UNW-1697

1. 여러가지 숙제를 드려서 죄송합니다.

2. 루마니아 대사방한(7.26-30)이후, Safronchuk 차장(8.26이후) Schlittler 국장 및 Chan 담당관(8월말)의 방한이 연이어 다소 부담되는 것은 사실이지만, 체한기간이 완전히 중첩되지만 않으면 괜찮습니다. 다만 예산상 금년중 더이상의 방한인사는 불가능한 실정입니다.

3. 한편, 국명표기와 관련, 본부 실무입장은 Rep. of Korea가 원칙이나 북한측 움직임에 대비, KOREA, Rep. of로도 적극 검토할수있다는 생각임을 참고바랍니다.

4. 건안 기원합니다. 끝.

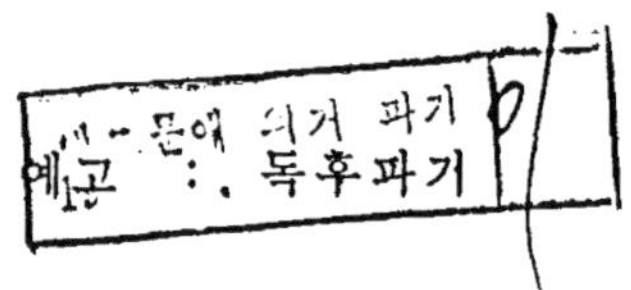

보안 통제	

앙 고 재	91년 7월 2일	유엔 과	기안자 성명		과 장		국 장		차 관	장 관

외신과통제

0052

관리 번호	91 —4054

	분류번호	보존기간

발 신 전 보

번 호 : WUN-1845 910705 1401 FN 종별 :

수 신 : 주 유엔 대사. 총영사

발 신 : 장 관 (국연)

제 목 : 유엔가입신청

금후 가입신청과 관련한 하기사항에 대하여 사무국등을 접촉, 상세 조사하여 보고바람.

1. 사무총장 일정

   o 8월초(8.2/8.5) 사무총장이 유엔에 있을지 여부 (가능한한 귀직이 신청서를 직접 사무총장에게 제출할 것을 검토중)

2. 총회 가입승인시 참석할 대표단과 금후 기조연설시 및 각위원회 참석 대표단 통보문제

   o 3개 그룹의 구성원이 동일하지 않을 것으로 예상되는 바, 신임장 별도 제출여부등 필요조치사항

3. 총회의 가입승인에 따른 관련행사

   가. 총회통과전 남북한 대표단 대기장소 및 대기인원 (통과후 에스코트되는 인원수)

   나. 가입승인후 연설시 사용언어에 관한 귀견 (생중계 될 예정임도 고려)

/계속/

보안 통제	

앙 고 재	91년 7월 5일	국연 과	기안자 성명		과 장		국 장		차 관	장 관

외신과통제

0053

다. 국기게양식

o 사무국의 주관책임자 및 전체적인 진행내용

o 국기제작 필요여부. 필요시 동 규격 및 매듭종류등 참고필요사항

o 남북한의 국기게양식이 동일장소에서 열리는지 여부

o 동일장소에서 북한-남한 순서로 열릴 경우 우리측 대표단 및 참가인원이 북측 국기게양시 취해야 할 태도에 관한 귀견(국내 생중계될 것으로 예상됨에 따라 관계부처와 사전대비책 검토예정)

4. 가입이후 조치사항

o 주유엔 상주대표의 신임장을 새로이 사무총장에게 제출해야 하는지 여부

o 대표부의 현판 변경필요여부

5. 기타 참고사항

o 귀관에서 판단하여 참고 필요한 사항이 있을경우 아울러 파악 보고바람. 끝.

(국제기구조약국장 문동석)

예고문에 의거 일반문서로 재분류 91.12.31.

0054

관리 번호	91-4067

원 본

외 무 부

종 별 :

번 호 : UNW-1759　　　　일 시 : 91 0708 2030

수 신 : 장관(국연,기정)

발 신 : 주 유엔 대사

제 목 : 유엔가입 신청처리

본직은 금 7.8 16:00 VORONTSOV 소련대사의 요청으로 동인과 면담한바 아래보고함.(소련측 ILITCHEV 참사관, 아측 서참사관 배석)

1. VORONTSOV 대사는 금일 본직을 만나자고 한 이유는 남북한 가입문제 처리방식에 있어 독일방식을 따르는데에 남북한 모두 이의가 없는것으로 알고있으나다만 신청서 제출및 처리시기등에 있어 다소 명확치 않은점이 있어 이에대한 한국측입장을 알고자하는 것이라고함.

2. 본직은 이에대해 그간 아측의 대북접촉 노력등을 포함 아측입장을 설명한후 북한의 금일 일방적 가입신청서 제출을 참고로 알려줌.

3. VORONTSOV 대사는 본직의 설명에 사의를 표한후 소련으로서도 모든 절차문제가 가장 순조롭게 처리되기를 바라고 있다고하고 북한이 가입신청서를 금일 제출하더라도 한국이 신청서를 제출한후 동시에 처리될것이므로 서둘러서 제출한의도가 무엇인지 이해하기 어렵다고 부언함. 끝.

(대사 노창희-국장)

예고:91.12.31. 일반

국기국　장관　차관　1차보　청와대　안기부

PAGE 1　　　　91.07.09　10:23

외신 2과　통제관 BS

0055

가입신청서 처리

원 본

관리번호	91-6066

외 무 부

종 별 :

번 호 : UNW-1760 일 시 : 91 0708 2030

수 신 : 장 관(국연,기정)

발 신 : 주 유엔 대사

제 목 : 유엔가입 신청처리

대:WUN-1797

본직은 금 7.8 오후 WATSON 미국대사와 면담 대호 협의를 가진바, 동인의 주요 언급내용을 아래보고함.(미측 MANSO 담당관, 아측 서참사관 배석)

1. 6 월말경 안보리 P-5 간 이락문제에 관한 비공식협의 계제에 중국의 JIN차석대사가 남북한 유엔가입문제를 잡자기 거론, 독일의 선례에 따라 처리하는것이 어떻게느냐는 의견을 제시하였는바 이에대해 참석국들로 부터 이견이 제시되지 않았음. 자신도 JIN 대사에게 미국으로서도 독일방식처리에 이의가 없음을 적의 피력하였음.

2. 상기 독일방식추진에 대한 중국측의 적극적 입장에 비추어 한국측이 중국측과 적극적으로 협의를 시도해 보는것도 좋을것으로 봄.

3. 총회 결의안 공동제안국 문제는 좀더 시간을 두고 신중히 검토해보는 것이 좋겠음.(P-5 가 공동제안하는 방식은 P-5 중 참여를 원하지 않는 국가가 있을수 있음.)

4. 국명 표기문제등 관련 미측으로서도 법적 측면을 포함하여 관련 사항을 검토해 보겠음. 끝.

~~(대사 노창희-장관)~~

예고:91.12.31 일반

국기국 장관 차관 1차보 청와대 안기부

PAGE 1

91.07.09 10:23

외신 2과 통제관 BS

0056

관리 번호	91-703

	분류번호	보존기간

발 신 전 보

번 호 : WUN-1865 910709 1642 DN 종별 :

수 신 : 주 유엔 대사. 총영사

발 신 : 장 관 (국연)

제 목 : 가입신청서 및 의무수락서

본부업무 참고에 필요하니 하기 국가 가입신청시 신청서 및 헌장 의무수락서가 누구 명의로 작성 제출되었는지 조사, 지급 회보바람.(동문건 FAX 송부바람)

일본, 나미비아, 리히텐스타인, [illegible]. 끝.

(국제기구조약국장 문동석)

91.12.31. 일반문서로 재분류

보안 통제	

앙 고 재	91년 7월 9일	유엔과	기안자 성명		과장	심의관	국장		차관	장관
							전결			

외신과통제

0057

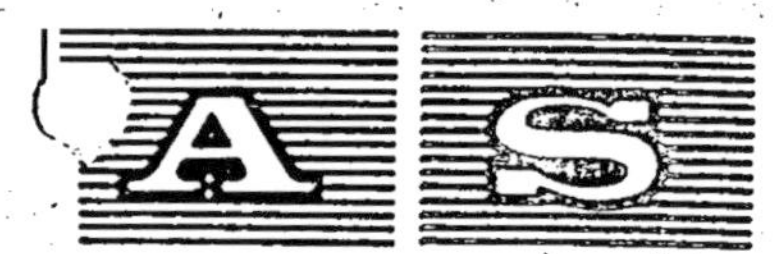

UNITED NATIONS

GENERAL ASSEMBLY  SECURITY COUNCIL

Distr.
GENERAL

A/9069
S/10945
12 June 1973

ORIGINAL: ENGLISH

GENERAL ASSEMBLY
Twenty-eighth session
Item 27 of the preliminary list*
ADMISSION OF NEW MEMBERS TO THE UNITED NATIONS

SECURITY COUNCIL
Twenty-eighth year

Application of the German Democratic Republic for admission to membership in the United Nations

Note by the Secretary-General

In accordance with rule 137 of the rules of procedure of the General Assembly and rule 59 of the provisional rules of procedure of the Security Council, the Secretary-General has the honour to circulate herewith the application of the German Democratic Republic for admission to membership in the United Nations contained in a letter dated 12 June 1973 from the Minister for Foreign Affairs of the German Democratic Republic to the Secretary-General.

* A/9000.

73-12119

/...

0058

Letter dated 12 June 1973 from the Minister for Foreign Affairs of the German Democratic Republic to the Secretary-General

I have the honour to send you, on behalf of the Council of Ministers of the German Democratic Republic, the application of the German Democratic Republic for admission to membership in the United Nations.

In taking this step, the Council of Ministers of the German Democratic Republic is guided by the conviction that the admission of the German Democratic Republic to the United Nations will contribute to strengthening European and international security and promoting world-wide international co-operation on the basis of the principle of sovereign equality of States.

It welcomes the fact that the Governments of the Union of Soviet Socialist Republics, the United States of America, the United Kingdom of Great Britain and Northern Ireland and France agreed in a joint declaration of 9 November 1972 to support the applications of the German Democratic Republic and the Federal Republic of Germany for membership in the United Nations.

The German Democratic Republic is aware of the fact that the United Nations emerged in the wake of the sacrificial struggle of the peoples of the anti-Hitler coalition against German fascism and its allies in the Second World War. The foremost aim, as proclaimed in its Charter, is to prevent new aggression and to save mankind from the scourge of war.

The German Democratic Republic is willing and, thanks to its internal development, also in a position to help attain these lofty aims. As a member of the United Nations, it will unreservedly stand up for fulfilling its mission of peace and of promoting the economic and social advancement of all peoples.

I request Your Excellency to submit the application of the German Democratic Republic for admission to membership in the United Nations and the present letter to the members of the Security Council.

(Signed) Otto WINZER
Minister for Foreign Affairs of the
German Democratic Republic

/...

0059

Letter of 12 June 1973 from the Chairman of the Council of Ministers of the German Democratic Republic to the Secretary-General

On behalf of the Council of Ministers of the German Democratic Republic, I apply for the admission of the German Democratic Republic as a member of the United Nations.

In accordance with rule 58 of the provisional rules of procedure of the Security Council, I transmit to you also the Declaration required in connexion with the admission.

(Signed) STOPH
Chairman of the Council of Ministers
of the German Democratic Republic

Declaration

On behalf of the Council of Ministers of the German Democratic Republic, I solemnly declare that the German Democratic Republic is willing to accept and conscientiously carry out the obligations contained in the Charter of the United Nations.

(Signed) STOPH
Chairman of the Council of Ministers
of the German Democratic Republic

Berlin, 12 June 1973

UNITED NATIONS

GENERAL ASSEMBLY SECURITY COUNCIL

Distr.
GENERAL

A/9070
S/10949
15 June 1973

ORIGINAL: ENGLISH

GENERAL ASSEMBLY
Twenty-eighth session
Item 27 of the preliminary list*
ADMISSION OF NEW MEMBERS TO THE UNITED NATIONS

SECURITY COUNCIL
Twenty-eighth year

Application of the Federal Republic of Germany for admission to membership in the United Nations

Note by the Secretary-General

In accordance with rule 137 of the rules of procedure of the General Assembly and rule 59 of the provisional rules of procedure of the Security Council, the Secretary-General has the honour to circulate herewith the application of the Federal Republic of Germany for admission to membership in the United Nations contained in a letter dated 13 June 1973 from the Minister for Foreign Affairs of the Federal Republic of Germany to the Secretary-General.

* A/9000.

73-12358 /...

Letter dated 13 June 1973 from the Minister for Foreign Affairs of the Federal Republic of Germany to the Secretary-General

I have the honour to inform you that the Government of the Federal Republic of Germany herewith applies for membership of the Federal Republic of Germany in the United Nations.

Under rule 58 of the provisional rules of procedure of the Security Council, I have the honour to attach herewith a declaration made in accordance with that rule.

I would be grateful if you would place this application for membership before the Security Council at the earliest opportunity.

(Signed) Walter SCHEEL
Minister for Foreign Affairs
of the Federal Republic of Germany

Declaration

The Charter of the United Nations, opened for signature in San Francisco on 26 June 1945, the text of which is attached hereto, having been approved in due statutory form in accordance with constitutional provisions, I herewith declare that the Federal Republic of Germany accepts the obligations contained in the Charter of the the United Nations and solemnly undertakes to carry them out.

Bonn, 12 June 1973

(Signed) Gustav HEINEMANN
Federal President

(Signed) Walter SCHEEL
Federal Minister
for Foreign Affairs

0062

관리 번호 91-707

원 본

외 무 부

종 별 : 지 급

번 호 : UNW-1776 일 시 : 91 0709 2210

수 신 : 장 관(국연)

발 신 : 주 유엔 대사

제 목 : 가입신청서및 의무수락서

대:WUN-1865

1. 표제건, 아래보고하며 관련문서 별첨 FAX 송부함.

가. 리히텐스타인

0. 신청서:BRUNHART 수상(정부수반)

0. 의무수락서:HANS-ADAM II 국가원수 (BRUNHART 수상이 연명)

나. 나미비아

0. 신청서 겸 의무수락서:NUJOMA 대통령

2. 일본의 경우, 일본대표부측은 신청서 및 수락도 모두 외상명의로 제출된것으로 알고있으나, 오래된문서이므로 확인하는데 다소 시일이 걸릴것 갑다고 하며, 이와 별도로 당관에서 유엔사무국및 유엔문서실을 통해서도 확인중에 있으므로 상세 팡가되는대로 지급 보고예정임.

첨부:1. 리헤텐스타인(유엔문서, 가입신청서 및 수락서 서명본 사본),

2. 나미비아(유엔문서):UNW(F)-315

끝

(대사 노창희-국장)

예고:91.12.31. 까지

국기국 장관 차관 청와대 안기부

PAGE 1

91.07.10 12:24

외신 2과 통제관 BS

0063

UNITED NATIONS

HNW(F7)-315 10709 22=
(국연)

총5매

A S

General Assembly Security Council

Distr.
GENERAL

A/45/408
S/21486
10 August 1990

ORIGINAL: ENGLISH

GENERAL ASSEMBLY
Forty-fifth session
Item 19 of the provisional agenda*
ADMISSION OF NEW MEMBERS TO THE
UNITED NATIONS

SECURITY COUNCIL
Forty-fifth year

Application of the Principality of Liechtenstein for admission to membership in the United Nations

Note by the Secretary-General

In accordance with rule 135 of the rules of procedure of the General Assembly and rule 59 of the provisional rules of procedure of the Security Council, the Secretary-General has the honour to circulate herewith the application of the Principality of Liechtenstein for admission to membership in the United Nations, contained in a letter dated 10 August 1990 from the Head of Government of the Principality of Liechtenstein to the Secretary-General.

* A/45/150 and Corr.1.

90-18758 1663i (E) /...

5-1

0064

ANNEX

Letter dated 10 August 1990 from the Head of Government of the Principality of Liechtenstein to the Secretary-General

On behalf of the Government of the Principality of Liechtenstein and in my capacity as Head of Government, I have the honour to inform you that the Principality of Liechtenstein wishes herewith to make application for membership in the United Nations, with all the rights and duties attached thereto.

I should accordingly be grateful if Your Excellency would arrange for this application to be placed before the Security Council and the General Assembly at their next meetings.

For this purpose, a declaration made in pursuance of rule 58 of the provisional rules of procedure of the Security Council and rule 134 of the rules of procedure of the General Assembly is set out hereunder.

Declaration

In connection with the application by the Principality of Liechtenstein for membership in the United Nations, I have the honour, on behalf of the Principality of Liechtenstein and in my capacity as Head of State, to declare that the Principality of Liechtenstein accepts the obligations contained in the Charter of the United Nations and solemnly undertakes to fulfil them.

(Signed) Hans BRUNHART
Head of Government

(Signed) Hans-ADAM II
Reigning Prince of Liechtenstein

5-2

0065

JUL 09 '91 20:45 KOREAN MISSION P.3

REGIERUNG DES FÜRSTENTUMS LIECHTENSTEIN

S/21486
A/45/408

His Excellency
Mr. Javier Pérez de Cuéllar
Secretary-General of the
United Nations
United Nations
New York, N.Y. 10017

Vaduz, August 10, 1990

Your Excellency,

On behalf of the Government of the Principality of Liechtenstein and in my capacity as Head of Government, I have the honour to inform you that the Principality of Liechtenstein wishes herewith to make application for membership in the United Nations, with all the rights and duties attached thereto.

I should accordingly be grateful if your Excellency would arrange for this application to be placed before the Security Council and the General Assembly at their next meetings.

For this purpose I attach a declaration made in pursuance of rule 58 of the provisional rules of procedure of the Security Council and rule 134 of the rules of procedure of the General Assembly.

Please accept, your Excellency, the assurances of my highest consideration.

Hans Brunhart
Head of Government

5-7

0066

DECLARATION

In connection with the application by the Principality of Liechtenstein for membership in the United Nations, I have the honour, on behalf of the Principality of Liechtenstein and in my capacity as Head of State, to declare that the Principality of Liechtenstein accepts the obligations contained in the Charter of the United Nations and solemnly undertakes to fulfil them.

Vaduz, August 10, 1990

Hans Brunhart
Head of Government

Hans-Adam II
Reigning Prince of Liechtenstein

5-4

0067

UNITED
NATIONS

S

Security Council

Distr.
GENERAL

S/21241*
10 April 1990

ORIGINAL: ENGLISH

LETTER DATED 6 APRIL 1990 FROM THE PRESIDENT OF THE REPUBLIC
OF NAMIBIA ADDRESSED TO THE SECRETARY-GENERAL

Following Namibia's accession to independence on 21 March 1990 and in keeping with the constructive consultations we had in Windhoek on a number of urgent matters, including in particular Namibia's membership in the United Nations, I would like, by this letter, to submit an application, in accordance with Article 4 of the Charter of the United Nations.

Convinced of the acceptance of the application, the Republic of Namibia undertakes to make a solemn pledge to accept and carry out the obligations contained in the present Charter.

In this context, the Government of the Republic of Namibia would be most grateful if Your Excellency could ensure that the application is given consideration on a priority basis, so as to enable the Namibian delegation to participate in the work of the special session of the General Assembly devoted to economic development, to be held from 23 to 28 April 1990.

(*Signed*) Sam NUJOMA
President of the Republic of Namibia

-----

* Reissued for technical reasons.

90-09461 1593b (E)

5-5

0068

3. 유엔加入 申請案 提出時期

o 여러분도 잘 아시다시피 유엔加入 申請을 위하여 憲章上의 義務 受諾이 必要하며, 이를 위한 國內節次로서 지난 6.13(木) 國務會議 審議를 마치고, 이제 國會 同意節次가 남아 있음.

o 내달중 國會에서 "유엔憲章 受諾 同意案"이 豫定대로 處理된다면, 國內的으로 加入申請書와 宣言書(Declaration)를 作成, 署名하여 유엔事務總長에게 보내는 일만 남아있게 됨.

o 그간 몇번 말씀드렸듯이 安保理의 議事規則에 따르자면 늦어도 8.9. 까지는 申請書를 提出하게 되어 있는 만큼, 이미 말씀드린 諸般 國內 節次를 마친후, 美國等 友邦國과 協議를 거쳐 提出케 될 것인 바, 現在로서는 7月末 또는 8月初라고만 말씀드리고자 함을 양해바람.

(北韓과의 接觸與否)

o 잘아는 바와같이 지난 5.27. 우리側의 駐유엔 南北大使會談 提議에 아직 北側이 呼應해 오지 않고 있음. 現時點에서 우리로서는 北韓의 反應을 좀더 기다려 보겠다는 立場임.

o 앞으로 南北大使 會談에 北側이 呼應해 오면 南北韓 加入申請書 處理와 관련된 問題를 協議코자 하는 우리의 당초 立場에는 변함이 없음.

0069

大統領 말씀資料(案)

- 유엔憲章 義務遵守 宣言書 署名時 -

<인사말씀>

o 우리의 유엔加入 推進은 1948년 大韓民國 政府樹立以來 일관된 外交政策 目標중의 하나였음. 그간 努力한 보람이 있어, 오늘 本人이 政府와 國民을 代表하여 유엔加入申請에 필요한 유엔憲章義務 受諾宣言書에 署名하게 되었음을 매우 뜻깊게 생각함.

o 우리는 앞으로 유엔會員國으로서 유엔憲章上의 제반 義務를 성실히 履行하고, 世界平和와 安全의 維持 및 人類繁榮과 發展을 위하여 우리의 能力에 합당한 寄與와 役割을 다해나갈 것임.

<유엔加入 意味>

o 和解와 協力의 새로운 國際秩序가 창출되고 있는 가운데 國際舞臺에서 유엔의 役割이 그 어느때보다도 高揚되고 있음. 이러한 時期에 우리가 유엔에 加入, 國際問題에 관한 主要 意思決定에 能動的이고도 完全한 參與를 통하여 우리의 國際的 位相과 能力에 합당한 몫을 할수있게

0070

되었음은 큰 意味를 지닌다고 봄. 우리 온국민은 國際情勢의 흐름에 關心을 가지고 相互依存이 날로 심화되고 있는 國際化時代에 걸맞게 우리의 視野와 活動舞臺를 全世界를 對象으로 더욱 넓혀 나가야 할 것임.

<유엔加入과 南北韓 關係>

o 北韓도 今番 總會를 계기로 우리와 함께 유엔의 正會員國이 되기 위하여 加入申請書를 제출한 것은 다행스러운 일로서, 南北韓은 유엔의 會員國으로서 유엔내 諸般活動에 積極 參與하고, 유엔의 고귀한 目標達成에 誠心誠意껏 寄與하므로써 韓民族의 力量을 온세계에 발휘해야 한다고 믿음.

o 특히 南北韓은 금번 유엔加入을 계기로 서로 돕는 和解와 協力의 關係를 發展시켜 궁극적인 祖國의 平和的 統一을 促進할 수 있도록 함께 努力해 나가야 할것이며, 이와관련 外務部는 關係部處와도 協力, 유엔테두리내에서 南北韓이 協調하는 綜合的인 計劃을 樹立바람.

<外務部에 대한 當付말씀>

o 우리의 유엔加入申請이 앞으로 유엔 安保理 및 總會에서 원만히, 그리고 차질없이 處理될 수 있도록 外務部에서 잘 대처하기 바람. - 끝 -

0071

대통령 말씀자료(안)

- 유엔헌장 의무준수 선언서 서명시 -

o 우리의 유엔가입 추진은 1948년 대한민국 정부수립이래 일관된 외교정책 목표중의 하나였음. 이제 그간 노력한 보람이 있어, 오늘 본인이 정부와 국민을 대표하여 유엔가입신청에 필요한 선언서에 서명하게 되었음을 매우 뜻깊게 생각함.

o 우리는 앞으로 유엔회원국으로서 유엔헌장상의 제반 의무를 성실히 이행하고, 세계평화와 안전의 유지 및 인류번영과 발전을 위하여 우리의 능력에 합당한 기여와 역할을 다해나갈 것임.

o 최근 상호의존이 날로 심화되고 있는 국제화 시대에 국제무대에서 유엔의 역할이 그 어느때보다도 고양되고 있는 차제에, 우리가 유엔에 가입, 각종 국제문제에 관한 의사결정에 능동적이고도 완전한 참여를 통하여 우리의 국제적 위상과 능력에 합당한 몫을 할수있게 되었음은 큰 의미를 가짐. 우리 온국민은 국제정세의 흐름에 관심을 가지고 우리의 활동무대를 전세계로 더욱 넓혀 나가야 할것임.

o 그리고 금번 총회를 계기로 북한도 우리와 함께 유엔에 가입신청하기로 결정한 것을 다행스러운 일로서, 남북한은 유엔의 회원국으로서 유엔내 제반활동에 적극 참여하고, 유엔의 고귀한 목표달성에 성심성의껏 기여하므로써 한민족의 역량을 온세계에 발휘해야 한다고 믿음.

0072

o 특히 남북한은 금번 유엔가입을 계기로 대결과 반목의 관계를 하루속히 청산하고, 서로돕고 돕는 화해와 협력의 관계를 발전시켜 궁극적인 조국의 평화적 통일을 촉진할 수 있도록 함께 노력해야 할것이며, 본인은 이를 위하여 온국민과 더불어 최선의 노력을 다할것임.

o 우리의 유엔가입 신청이 앞으로 유엔안보리 및 총회에서 원만히, 그리고 차질없이 처리될 수 있도록 외무부에서 잘 대처바람.

- 끝 -

0073

報 告 畢

長 官 報 告 事 項

1991. 7. 10.
國際機構條約局
國際聯合課 (44)

題 目 : 유엔 加入申請書 및 義務受諾書 事例 報告

東.西獨, 나미비아 및 리히텐슈타인이 유엔에 提出한 加入申請書 및 義務受諾書의 署名者 및 形式을 아래 報告드립니다.

1. 西 獨(73.6.12字)
   - ○ 署 名 者 : 申請書(外相), 義務受諾書(大統領, 外相이 연명)
   - ○ 形 式 : 申請書 및 受諾書를 別途의 문서로 작성

2. 東 獨(73.6.12字)
   - ○ 署 名 者 : 申請書 및 義務受諾書(각료회의 의장 : 국가원수)
   - ○ 形 式 : 申請書 및 受諾書를 別途의 문서로 작성

3. 나미비아(90.4.6字)
   - ○ 署 名 者 : 申請書 兼 義務受諾書(大統領)
   - ○ 形 式 : 申請書 및 受諾書를 하나의 문서로 작성

4. 리히텐슈타인(90.8.10字)
   - ○ 署 名 者 : 申請書(首相), 義務受諾書(國王, 首相이 연명)
   - ○ 形 式 : 申請書 및 受諾書를 別途의 문서로 작성

5. 日本(56.12.18.加入) : 추후 파악 별도보고 예정임. 끝.

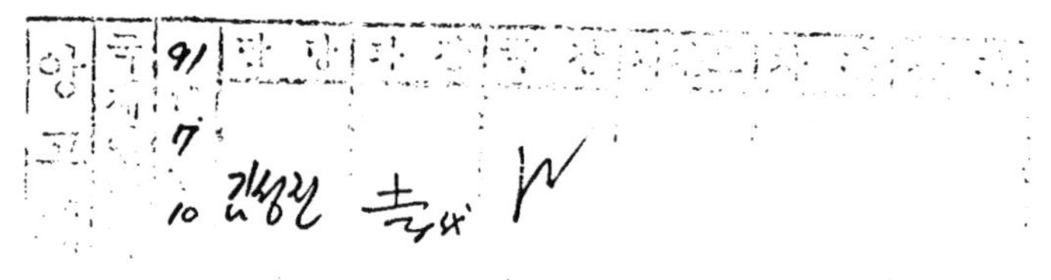

0074

심의관:

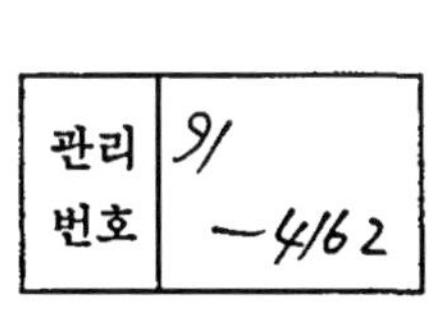

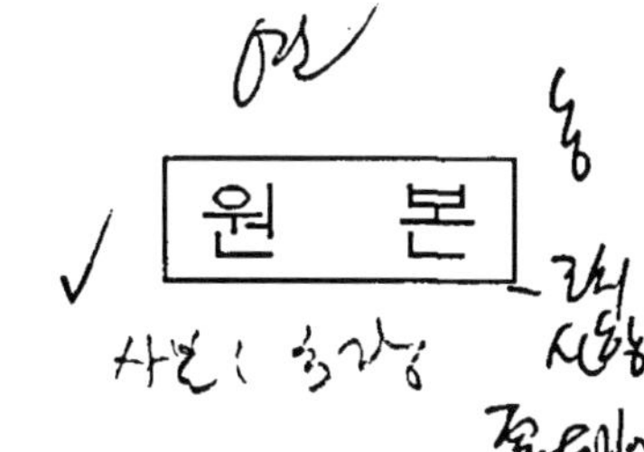

외 무 부

종 별 :

번 호 : UNW-1782 일 시 : 91 0710 1930

수 신 : 장 관(국연)

발 신 : 주 유엔 대사

제 목 : 유엔가입 신청

대:WUN-1845

1. 본직은 7.10 TEYMOUR 유엔의전장을 면담, 대호건을 상세협의 하였는 바,결과 다음보고함.

가. 총회 가입승인에 따른 관련행사

1)좌석착석

-결의안 통과전 아측 대표단은 연단에서 바라보는 우측 예약석에 착석대기(총 착석좌석수는 10-15 정도이며 기타 인원은 각국대표단 좌석뒷편의 방청석 중앙에 필요좌석수 확보예정)

-결의안이 통과되면 유엔의전장은 알파벳 순서에 따라 북한대표단을 지정좌석에 우선 안내하고 그후 아측대표단을 아국 지정석에 안내함. 에스코트되는 인원수는 6명(전열 3 석, 후열 3 석)임.

-좌석배치관련, 동 의전장은 아국의 국명표기 방법을 알려줄것을 요청함.

2)국기 게양식

-결의안이 통과되고 각지역 그룹대표 연설과 신규가입국대표 연설등이 행해진후 총회회의장 입구 맞은편에 있는 국기게양식 행사장으로 이동

-국기게양식에서 사무총장의 간단한 REMARKS 가 있음. 이에대해 아측의 답사여부는 아측 임의이나 북한측이 답사할 경우에 대비, 사전준비 필요.

-국기게양대는 남북한 양국 국기게양용으로 사전 두개를 준비할것이며 게양순서는 가입순서에 따라 각각 하는것이 원칙이나 금번에는 남북한이 함께 가입하므로 동시게 게양하는것이 바람직할 것으로 본다고 동 의전장은 의견을 제시함.

-게양 순서관련, 북한측에서 각각 게양토록 이의 제기할것에 대비, 동서독 가입시의 절차에 대한 과거기록을 확인한바, 순서에 대한 구체적인 언급은 없으므로

국기국 장관 차관 1차보 정와대 안기부

91.07.11 09:13

외신 2과 통제관 BS

0075

동 의전장은 북측에 대해서도 동시 게양토록 권유하겠다고함.

-게양행사 시간은 9.17 총회개막시간이 오후 3 시 이므로 개막후의 의장단 선출, 가입 결의안 통과 및 연설등을 고려 오후 5-6 시경으로 예상된다고 하고 더이상 지체되지 않도록 총회 사무국(SPIERS 차장담당)에 사전 협조 요청하기로함.

-국기는 아측에서 견본및 설명서를 제공하고 유엔에서 제작함.

2. 대호 기타 준비사항 다음보고함.

가. 신임장 제정

-상주대표 신임장 제정이 필요하며 유엔 의전장은 총회 개막후 적절한 시기에 신임장 제정을 주선하겠다고 한바, 신임장 송부 가능일자 사전 통보바람.

나. 가입승인 연설시 사용언어

-지구촌행사시 한국어로 하는점과 외무장관의 연설인점을 고려 금번 연설에는 영어를 사용할것을 건의함.(생중계시 한국자막 사용)

다. 사무총장 일정

- 8.2-5 기간중 사무총장은 당지 체류 예정이라고함.

라. 대표단 통보

-기조연설시 대표단은 총회대표단과는 별도로 통보 가능하며 방문기간중 3-4 일간의 임시 패스를 발급함.

-가입승인시 각 위원회 참석대표단은 원칙적으로 총회 개막전 일괄통보하여야 하나 추가인원이 있을경우 추후 명단 제출도 가능함.

-아국의 경우 9.17 정식 회원국이 되나 대표단이 9.15 도착하는 점을 고려 사전에 정회원국 패스를 발급하여 주기로 함.(고위직급인 경우 사전 사진 2 매 송부요망)

마. 대표부 현판

현재는 REPUBLIC OF KOREA MISSION TO U.N. 으로 되어있으나 본부에서 동판으로된 재외공관용 표준 현판을 제작, 당관으로 송부건의함.

-문안

"주국제연합 대한민국대표부

PERMANENT MISSION OF THE REPUBLIC OF KOREA

TO THE UNITED NATIONS."

바. 지구촌 일정(안)은 별전 보고함. 끝

(대사 노창희-국장)

PAGE 2

0076

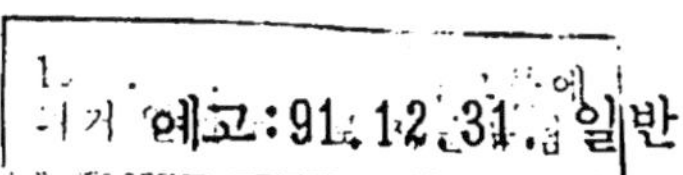

PAGE 3

0077

관리번호 91-717

원 본

외 무 부

종 별 :

번 호 : UNW-1788 일 시 : 91 0710 2100

수 신 : 장관(국연)

발 신 : 주 유엔 대사

제 목 : 가입신청서 및 의무수락서

연:UNW-1776

1. 연호 2 항 관련, 안보리 CHAN 담당관은 금 7.10 서참사관에게 전화, 일본의 경우 가입신청서및 의무수락서 모두 외상명의로 작성제출되었음을 확인해줌.

2. 상기문서는 안보리 사무국측에도 보관되어 있지않아 유엔문서실을 통해 파악중임.끝

(대사 노창희-국장)

예고:91.12.31. 일반

국기국 장관 차관 1차보 청와대 안기부

PAGE 1

91.07.11 10:16

외신 2과 통제관 BS

0078

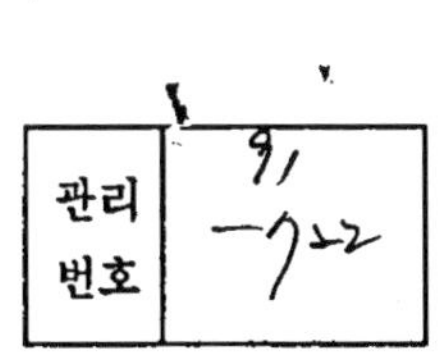

관리번호 91-722

원 본

외 무 부

종 별 :

번 호 : UNW-1804 일 시 : 91 0711 1900

수 신 : 장 관(국연)

발 신 : 주 유엔 대사

제 목 : 가입신청서 및 의무수락서

연:UNW-1776,1788

대:WUN-1865

1. 동서독의 가입신청시 동서독이 사무총장에게 제출한 신청서및 의무수락서 사본을 유엔문서실로 부터 입수, 별첨 FAX 송부함.

가. 동독:신청서 및 의무수락서(영문번역본)

나. 서독:신청서(영문원본) 및 의무수락서(영문 번역본)

2. 한편, 나미비아및 리히텐스타인의 유엔가입후 유엔문서로 회람된 의무수락서 기탁 통보서를 아울러 송부함.

첨부:상기문서 사본각 1 부:UNW(F)-320

끝

(대사 노창희-국장)

예고:91.12.31. 일반

국기국 장관 차관 1차보 청와대 안기부

PAGE 1

91.07.12 08:16

외신 2과 통제관 BS

0079

UNW(FT)-320 10711 1900
(국연) 총 904

Unofficial translation

A/9069
S/10945

COUNCIL OF MINISTERS OF THE GERMAN DEMOCRATIC REPUBLIC
The Minister of Foreign Affairs

H.E. Dr. Kurt Waldheim
Secretary-General of the United Nations

UN Headquarters
New York

Distribué le 12 juin
(A/9069 - S/10945)

Berlin, June 12, 1973

Excellency,

I have the honour to send you, on behalf of the Council of Ministers of the German Democratic Republic, the application of the German Democratic Republic for admission to membership in the United Nations Organization.

In taking this step, the Council of Ministers of the German Democratic Republic is guided by the conviction that the admission of the GDR to the United Nations will contribute to strengthening European and international security and promoting world-wide international cooperation on the basis of the principle of sovereign equality of states.

It welcomes that the Governments of the USSR, the USA, Great Britain and France agreed in a joint declaration of 9 November 1972 to support the applications of the GDR and the FRG for membership in the United Nations.

별첨

9-1

0080

JUL 11 '91 17:23 KOREAN MISSION P.2

The German Democratic Republic is aware of the fact that the United Nations Organization emerged in the wake of the sacrificial struggle of the peoples of the anti-Hitler coalition against German fascism and its allies in World War II. The foremost aim, as proclaimed in its Charter, is to prevent new aggressions and to save mankind from the scourge of war.

The German Democratic Republic is willing and, thanks to its internal development, also in a position to help attain these lofty aims. As a member of the United Nations Organization it will unreservedly stand up for fulfilling its mission of peace and of promoting the economic and social advancement of all peoples.

I request Your Excellency to submit the application of the German Democratic Republic to membership in the United Nations and the present letter to the members of the Security Council.

Accept, Excellency, the assurances of my highest consideration.

s./ Otto Winzer

9-2

0081

Unofficial translation

COUNCIL OF MINISTERS OF THE GERMAN DEMOCRATIC REPUBLIC

His Excellency
Dr. Kurt Waldheim
Secretary-General of
the United Nations

UN Headquarters
New York

Excellency,

On behalf of the Council of Ministers of the German Democratic Republic I apply for the admission of the German Democratic Republic as a member to the United Nations Organization.

In accordance with Rule 58 of the Rules of Procedure of the Security Council, I transmit to you also the Declaration required in connection with the admission.

Accept, Excellency, the assurances of my highest consideration.

s./ Stoph
The Chairman of the Council
of Ministers of the German
Democratic Republic

9-3

0082

Berlin, June 12 1973

Unofficial translation

COUNCIL OF MINISTERS OF THE GERMAN DEMOCRATIC REPUBLIC

Declaration

On behalf of the Council of Ministers of the German Democratic Republic, I solemnly declare that the German Democratic Republic is willing to accept and conscientiously carry out the obligations contained in the Charter of the United Nations.

s./ Stoph

The Chairman of the Council of Ministers of the German Democratic Republic

Berlin, June 12, 1973

9-4

0083

JUL 11 '91 17:32 KOREAN MISSION

P.3

DER BUNDESMINISTER
DES AUSWÄRTIGEN

Bonn, 13 June 1973

Mr. Secretary General,

I have the honour to inform you that the Government of the Federal Republic of Germany herewith applies for membership of the Federal Republic of Germany in the United Nations.

Under rule 58 of the provisional rules of procedure of the Security Council, I have the honour to attach herewith a declaration made in accordance with that rule.

I would be grateful if you would place this application for membership before the Security Council at the earliest opportunity.

Walter Scheel

His Excellency
Mr. Secretary General of the United Nations
Dr. Kurt Waldheim
New York

9-5

Distribué le 15 juin

0084

DER BUNDESMINISTER
DES AUSWÄRTIGEN

Bonn, 13 June 1973

Mr. Secretary General,

In connection with the submission today of the application for membership of the Federal Republic of Germany in the United Nations, I have the honour, with regard to the application of the United Nations Charter to Berlin (West), to declare that, with the exception of matters concerning security and status, and in accordance with the authorization given to the Senat in the Allied Kommandantura Letter dated 13 April 1973 (BKC/L (73) 1), the Federal Republic of Germany accepts, from the date on which it is admitted to membership in the United Nations, the rights and obligations contained in the United Nations Charter also with respect to Berlin (West), and will represent the interests of Berlin (West) in the United Nations and its subsidiary organs.

I have the honour to request that this letter be circulated as an official document of the United Nations.

Walter Scheel

His Excellency
Dr. Kurt Waldheim
Secretary General of the United Nations
New York

9-6

Distribuée 15 juin
(A/9070 - S/10950)

0085

Translation

The Charter of the United Nations, opened for signature in San Francisco on 26 June 1945, the text of which is attached hereto, having been approved in due statutory form in accordance with constitutional provisions, I herewith declare that the Federal Republic of Germany accepts the obligations contained in the Charter of the United Nations and solemnly undertakes to carry them out.

Bonn, 12 June 1973

The Federal President

The Federal Minister
for Foreign Affairs

0086

9-7

JUL 11 '91 17:33 KOREAN MISSION

P.6

(I.2)

UNITED NATIONS  NATIONS UNIES

POSTAL ADDRESS—ADRESSE POSTALE: UNITED NATIONS, N.Y. 10017
CABLE ADDRESS—ADRESSE TELEGRAPHIQUE: UNATIONS NEWYORK

REFERENCE: C.N.88.1990.TREATIES-1 (Depositary Notification)

DECLARATION OF ACCEPTANCE BY NAMIBIA OF THE OBLIGATIONS CONTAINED IN THE CHARTER OF THE UNITED NATIONS

The Secretary-General of the United Nations, acting in his capacity as depositary, communicates the following:

On 17 April 1990, the Secretary-General received a declaration by the Government of Namibia to the effect that, in connection with the application by Namibia for membership in the United Nations, Namibia accepts the obligations contained in the Charter of the United Nations and solemnly undertakes to fulfill them.

By resolution S-18/1 adopted by the General Assembly on 23 April 1990 at the Eighteenth special session, Namibia was admitted to membership in the United Nations. The declaration was formally deposited on that date with the Secretary-General.

22 May 1990

Attention: Treaty Services of Ministries of Foreign Affairs and of international organizations concerned

0087

JUL 11 '91 17:34 KOREAN MISSION

P.7
(1.2)

POSTAL ADDRESS—ADRESSE POSTALE UNITED NATIONS, N.Y. 10017
CABLE ADDRESS—ADRESSE TELEGRAPHIQUE UNATIONS NEWYORK

REFERENCE: C.N.290.1990.TREATIES-2 (Depositary Notification)

DECLARATION OF ACCEPTANCE BY LIECHTENSTEIN OF THE OBLIGATIONS CONTAINED IN THE CHARTER OF THE UNITED NATIONS

The Secretary-General of the United Nations, acting in his capacity as depositary, communicates the following:

On 10 August 1990, the Secretary-General received a declaration by the Government of Liechtenstein to the effect that, in connection with the application by Liechtenstein for membership in the United Nations, Liechtenstein accepts the obligations contained in the Charter of the United Nations and solemnly undertakes to fulfill them.

By resolution A/RES/45/1, adopted by the General Assembly on 18 September 1990 at its forty-fifth session, Liechtenstein was admitted to membership in the United Nations. The above-mentioned declaration was formally deposited on that date with the Secretary-General.

5 December 1990

Attention: Treaty Services of Ministries of Foreign Affairs and of international organizations concerned

0088

유엔加入申請書 提出에 즈음한 政府代辯人 聲明(案)

1991.7.13.
國際聯合課

ㅇ 政府는 우리의 유엔加入申請을 위한 소정의 國內節次를 完了하고 91.8. XX.( ) 00:00시 (뉴욕現地時刻 : 서울時刻은 8. XX. 00:00時) 노창희 駐유엔大使를 통하여 「페레즈 데 꾸에야르」 유엔事務總長에게 유엔加入 申請書를 提出하였다.

ㅇ 돌이켜보면 우리나라만큼 유엔과 깊은 인연을 가진 나라는 없다. 1948년 8월 15일 大韓民國 政府의 수립~~으로부터~~ 1950년 6월 북한의 南侵으로부터 國權을 守護하는데 있어, 그리고 戰後에는 우리經濟의 부흥과 개발 노력에 있어, 또한 40년 가까이 韓半島에서 唯一한 平和維持裝置로서의 休戰協定 體制를 維持,履行함에 있어, 유엔의 役割과 寄與는 재론의 여지가 없다.

ㅇ 오늘날 유엔은 크게 변모하고 있다. 새로운 國際秩序下에서 유엔은 1945년 유엔創設者들이 "샌프란시스코"에 모여서 구상했던 國際平和와 安全을 恒久的으로 보장하고, 人類의 繁榮과 福祉를 增進시키고자 했던 꿈을 실현시키기 위해 그 중심적 役割을 더욱 强化하고 있다.

0083

o 이와같이 유엔의 國際的 位相과 役割이 제고되고 있는 시점에 우리나라가 북한과 함께 유엔에 加入할수 있게 된것은 매우 의미있는 일이다. 남북한이 유엔에 가입할 수 있게된데에는 6共和國 출범이후 노태우 대통령께서 信念을 가지고 온국민들의 끊임없는 關心과 聲援을 바탕으로 새로운 國際潮流를 능동적으로 활용하면서 꾸준히 推進해오신 積極的인 對外政策의 結實이다.

o 政府는 앞으로 유엔會員國이 됨으로써 國際社會의 당당한 一員으로서의 맡은 바 任務와 責任을 다해 나갈 것이며, 특히 國際平和와 安全의 維持 및 人類共同의 繁榮과 發展을 위한 유엔의 고귀한 目標達成에 最大한 寄與해 나가고자 한다.

o 政府는 오늘 우리의 유엔加入 申請書를 유엔事務總長에게 提出함에 있어 그간 누차에 걸쳐 밝힌 바와 같이 우리의 유엔加入이 統一時까지의 暫定措置임을 다시한번 분명히 하며, 南北韓의 유엔加入이 韓半島의 緊張緩和와 平和定着에 寄與하고, 나아가 궁극적인 祖國의 平和的 統一을 促進하는데 크게 寄與할 것으로 期待한다. 끝.

0090

가입신청서제출

기안용지

분류기호 문서번호	국연 2031 -	(전화:)	시행상 특별취급	
보존기간	영구·준영구. 10. 5. 3. 1	차관		장관
수신처 보존기간				
시행일자	1991.7.15.			

보조기관			협조기관		문서통제
	국장			제1차관보	
	심의관				
	과장				
기안책임자		이수택			발송인

경유 수신 참조	내부결재	발신명의		
제목	유엔가입 신청서 제출 건의			

유엔가입신청과 관련, 「유엔헌장 수락 동의안」이 91.7.13. 국회에서 처리완료됨에 따라 아래와 같은 일정으로 우리의 가입신청서를 유엔사무총장에게 제출코자 하오니 재가하여 주시기 바랍니다.

o 91.7.19. 가입신청서 및 유엔헌장 의무수락서 서명

/ 계속 /

0091

(2)

o 91.7.24. 가입신청서 및 의무수락서 (사본별첨)

파우치편 송부

o 91.8.2. 주유엔대사, 유엔사무총장에게 가입신청서 (또는 8.5)

제출 (단, 뉴욕 현지시간)

첨 부 : 가입신청서 및 의무수락서 사본 각 1부. 끝.

예 고 : 91.12.31. 일반.

0092

MINISTER OF FOREIGN AFFAIRS
SEOUL. KOREA

19 July 1991

Excellency,

On behalf of the Government of the Republic of Korea, I have the honour to inform you that the Government of the Republic of Korea herewith applies for membership of the Republic of Korea in the United Nations.

I have further the honour to attach herewith a declaration made in accordance with rule 58 of the provisional rules of procedure of the Security Council.

I should be grateful if you would place this application before the Security Council at the earliest opportunity.

Please accept, Excellency, the renewed assurances of my highest consideration.

LEE Sang Ock

His Excellency
Mr. Javier Perez de Cuellar
Secretary-General
of the United Nations
New York

0093

President of the Republic of Korea

Declaration

On behalf of the Government of the Republic of Korea, I, Roh Tae Woo, in my capacity as Head of State, have the honour to solemnly declare that the Republic of Korea accepts the obligations contained in the Charter of the United Nations and undertakes to fulfill them.

Roh Tae Woo

Seoul, 19 July 1991

0094

유엔가입신청서 제출 및 처리관련 조치사항

91. 7. 16.
국제연합과

구 분	세 부 조 치	조치시기	비 고
1. 국내조치	가. 국회동의 o 유엔가입을 위한 유엔헌장 및 ICJ 규정 수락동의	7.13. 기조치	유엔과, 조약과
	나. 기타 검토사항		
	o ICJ 규정 선택조항 수락문제 검토 - 선택조항 수락여부, 시기 및 유보 내용 (각국 재량사항)등 검토 * ICJ 규정당사국 162개국 49개국만 선택 조항 수락	유엔가입 후	국제법규과
	o ILO 가입문제 검토 - 관련부처와 협의 - ILO 헌장 수락시 국무회의 심의 및 국회동의 필요	유엔가입 후	국제기구과
	o 유엔가입에 따른 회원국 분담금 예산 확보 - 유엔기여금 위원회, 아국의 분담율을 0.69% 결정 - 유엔총회(제5위) 심의이전 및 회의 기간중 아국정부의 의견 적극 개진 필요 * 92년의 경우, 유엔에 납부해야 할 분담금 액수는 약 350-1,000만불로 예상	7-9월중	유엔과, 기획관리실

0095

<table>
<tr><th>구 분</th><th>세 부 조 치</th><th>조치시기</th><th>비 고</th></tr>
<tr><td></td><td>- 아국 분담율에 따른 유엔분담금 내역

<table>
<tr><th>분담율
구 분</th><th>0.24%</th><th>0.69%</th></tr>
<tr><td>유엔예산분담금
(10억불 기준)</td><td>약 250만불</td><td>약 700만불</td></tr>
<tr><td>평화유지활동
경비 분담금
(4억불 기준)</td><td>약 70만불</td><td>약 200만불</td></tr>
<tr><td>사업자금
(1억불 기준)</td><td>24만불</td><td>69만불</td></tr>
<tr><td>계</td><td>약 344만불</td><td>약 969만불</td></tr>
</table>

- 상기와는 별도로 자발적 기여금도
약 300만불 추가 소요될 전망</td><td></td><td></td></tr>
<tr><td>2. 유엔가입
신청</td><td>가. 미국 및 CG와의 협의

o 안보리에서의 가입신청서 처리대책
- 남북한대표 참여문제
. 참가만하고 발언않는 방안
- 표결 또는 콘센서스 채택문제
- 남북한의 일괄 가입권고 (단일결의안 또는 별도결의안) 채택문제
- 결의안 표결후 관계국 발언문제
. 기본적으로 관례를 존중하는 선에서 대처
o 총회에서의 결의채택
- 공동제안국 확보문제
- 전회원국의 박수로 결의 채택
- 표결시 대책</td><td>7.22-26중

8월중</td><td>유엔과,
유엔대표부</td></tr>
</table>

0096

구 분	세 부 조 치	조치시기	비 고
	나. 재외공관에 기본입장 통보	7월중	유엔과
	o 금추 추진계획 통보		
	다. 가입신청서 및 유엔헌장 수락서 작성		
	o 신청서 및 수락서 작성 (기조치)	7월중순	유엔과
	o 대통령의 수락서 서명행사	7.19	청와대, 유엔과
	- 행사계획 협의 (청와대의전, 외교안보) (기조치)		
	- 대통령 말씀자료 작성 (기조치)		
	- 대외보도자료 준비 (기조치)		
	라. 주유엔대사 일시 귀국	7.14-21	
	o 정무협의 목적		
	마. 가입신청서 제출		
	o 주유엔대사, 유엔사무총장에게 직접 제출	8.2.	유엔대표부
	- 안보리의장에게 사전 통보		
	- CG, 중.소에 사전 통보		
	- 북한에도 사전 통보 검토		
	o 정부대변인 명의 성명발표	8.2.	유엔과, 공보처
	o 보도자료 작성, 배포	8.2.	유엔과
3. 남북한 유엔대사 회담	가. 현상황 및 기본입장		
	o 북한의 남북대사급 회담 계속 불응에 따라 회담개최 가능성 희박		
	- 아국 가입신청서 제출전 회담 재촉구		

0097

구 분	세 부 조 치	조치시기	비 고
	o 북한이 회담에 응할시 대비 검토 - 사전교육 (관계부처 전문가 파견) 검토 - 보도자료 배포 (회담일자 확정시)		
	나. 회담개최시 구체적 논의사항 o 가입신청서 처리방안 - 안보리 및 총회의 결의 형태 (단일 또는 별개 결의안) - 결의안 채택방식(표결 또는 콘센서스) - 총회 결의안 공동제안국 문제 o 기 타 (필요시) - 국명표기 문제 및 회장내 Seating - 북한측의 총회개막일 및 기조연설 시행자 탐문		유엔과, 유엔대표부, 관계부처
	다. 회담개최 결과 홍보 o 회담 상세내용 국내외 언론홍보 - 보도자료 배포 o 재외공관 전파		유엔과, 유엔대표부
	라. 기 타 o 회담 불개최시 미.중간 및 한.중간 협의채널 활용 - 금후 안보리 및 총회에서의 처리방안 협의		유엔대표부

0098

구 분	세 부 조 치	조치시기	비 고
4. 신청서 처리방향	가. 안보리 심의		
	o 미국 및 CG와의 협의를 토대로 안보리 심의 시나리오 작성	7월하순	유엔과, 유엔대표부
	- 기본적으로 일괄 가입권고 방식		
	(단일 또는 별개결의) 채택 추진		
	- 컨센서스(또는 전원찬성 표결) 처리 유도		
	* 북측에 대해서는 최후순간에 언질		
	o 안보리에서의 표결시 대책검토	7월하순	유엔과, 유엔대표부
	- 개별 결의 또는 단일결의의 남북한 가입문제를 별도 표결할 경우 상정 (단, 가능성 희박)		
	o 남북한 대표의 안보리 초청 발언대비 (단, 가능성 희박)	7월중	유엔과, 유엔대표부
	o 안보리 결의안 공동제안국 문제	7월하순	유엔과, 유엔대표부
	- 최근 관행은 공동제안국 없음.		
	o 안보리 관련 본부관계관 파견검토	7월중	유엔과
	- 전원 찬성표결 또는 콘센서스 처리시 실무급 파견 검토		
	- 안보리의 표결시 고위간부 파견 검토		
	o 안보리의 권고결의 채택후 홍보	8월초	유엔과, 공보관실
	- 외무부 대변인 성명, 보도자료 작성, 배포		
	나. 총회대책		
	o 총회 결의추진 관련사항	8월중	유엔과, 유엔대표부
	- 남북한 가입권고 결의안 (단일 또는 별개) 추진		

0099

구 분	세 부 조 치	조치시기	비 고
	- 공동제안국 검토 (일반 남북한 동시 수교국을 고려)		
	. 안보리결의 채택후 북측에 협의 제의 검토		
	- 남북한의 가입에 관한 별도 결의안 제출시 대책 수립		
	. 표결시 대비, 전재외공관의 득표 교섭 시행		
	o 대표단 구성	8월중	청와대, 유엔과
	- 수석대표 : 장관		
	- 국회등 부외인사 포함여부 검토		
	- 청와대 및 당정협의		
	o 국명표기 조기결정	7월말	유엔과
	- 좌석배치 문제와 관련성 감안		
	- 사무국에 조기 통보요		
	o 가입결의 채택후 착석	8월중	유엔과, 유엔대표부
	- 좌석배치 사전 조정		
	- 총회 좌석안내시 참석자 6명 (전열 3명, 후열 3명) 선정		
	o 가입승인후 연설		유엔과, 정책기획실
	- 연설문 작성	7-8월	
	- 기조연설문 내용과 함께 청와대보고	8월중	
	o 가입결의 채택직후 Ceremony		
	- 국기게양식	9.17.	유엔과, 유엔대표부
	. 국기견본 및 설명서 사무국에 송부	8월중	
	. 간단한 치사준비	8월중	

0100

구 분	세 부 조 치	조치시기	비 고
	- 유엔대표부 현판식 개최	9.17.	유엔과, 유엔대표부
	. 현판제작, 유엔대표부에 송부 (현판제작 의뢰 기조치)	8월말	
	- 유엔사무총장에게 주유엔 상주대표 통보 및 신임장 제정문제 확인	9월중순	유엔과, 의전실, 유엔대표부
	o 홍보활동		
	- 안보리 및 총회의 결의채택 과정, 가입승인후 연설, 국기게양식등 TV 위성중계 및 국내 전송사진 조치	9월초	유엔과, 공보관실
	- 가입승인에 따른 대통령 (또는 정부대변인) 담화 발표	9.18.	유엔과, 청와대
	o 가입경축행사 개최	7-8월	청와대, 유엔과, 문화협력국, 문화부, 체신부
	- 관계부처 협조		
	- 청와대 주최 가입축하 리셉션 개최 또는 해외공연 경축 예술단의 서울 공연 (9.18. 저녁 잠실올림픽 스타디움 또는 세종문화회관)		
	- 기념우표 발행		
	관련성도 검토 - 유엔의 날(10.24) 기념행사와의		

0101

33557

기안용지

분류기호 문서번호	국연 2031-	(전화:)	시행상 특별취급	
보존기간	영구·준영구. 10. 5. 3. 1	장		관
수신처 보존기간				
시행일자	1991. 7. 17.			

보조기관			협조기관		문서통제
	국장	전결			1991. 7. 16
	심의관				
	과장				
기안책임자		이수택			발송인

경유 수신 참조	대통령비서실장 의전수석비서관, 외교안보보좌관	발신명의		발송 1991. 7. 16 외무부
제목	"유엔헌장 의무수락서" 서명			

1. 정부가 국회에 제출한 「유엔헌장 수락 동의안」이 91.7.13. 국회에서 만장일치로 통과됨에 따라 우리의 유엔 가입신청서 제출을 위한 국내절차가 완료되었습니다.

2. 이에따라 가입신청서와 「유엔헌장 의무수락 선언서」를 준비코자 하오니, 별첨 선언서(견본)에 대통령의 서명을 받아주시기 바랍니다.

첨부 : 상기 선언서(견본). 끝.

0102

President of the Republic of Korea

Declaration

On behalf of the Government of the Republic of Korea, I, Roh Tae Woo, in my capacity as Head of State, have the honour to solemnly declare that the Republic of Korea accepts the obligations contained in the Charter of the United Nations and undertakes to fulfill them.

Roh Tae Woo

Seoul, 19 July 1991

0103

관리번호

기 안 용 지

분류기호 문서번호	국연 2031-	(전화:)	시 행 상 특별취급	
보존기간	영구 · 준영구. 10. 5. 3. 1	차 관	장 관	
수 신 처 보존기간				
시행일자	1991. 7. 18.			

보조기관	국 장		협조기관	제1차관보	문서통제
	심의관				
	과 장				
기안책임자		송영완			발 송 인

경 유 수 신 참 조	내부결재	발신명의		
제 목	유엔안보리의 남북한 유엔가입심의 참석			

91.8.2.(또는 8.5) 아국의 유엔가입신청서를 유엔 사무총장에게 제출할 예정임에 따라, 안보리는 8월초순 남북한의 유엔가입문제를 심의할 것으로 예상되는 바, 남북한의 유엔가입문제에 관한 안보리 대책협의 및 안보리 심의시 회의참석을 위하여 아래와 같이 출장코자 하오니 재가하여 주시기 바랍니다.

0104

/계속/

(2)

\- 아 래 -

1. 출 장 자 : 국제기구조약국장 문동석

2. 출 장 지 : 뉴욕 유엔본부

3. 출장기간 : 91.8.4-9. (5박 6일)

4. 출장목적 : 안보리의 남북한 유엔가입 심의 대책협의

및 안보리 회의참석

5. 예산항목 : 국제회의 끝.

예고 : 19 91. 12. 31. 일반

0105

관리번호	91-4282

기 안 용 지

분류기호 문서번호	국연 2031-801	(전화 :)	시 행 상 특별취급	
보존기간	영구 · 준영구. 10. 5. 3. 1	장		관
수 신 처 보존기간				
시행일자	1991. 7. 19.			

보조기관	국 장	전 결	협조기관		문서통제
	심의관				
	과 장				
기안책임자		이수택			발송인

경 유	주유엔대사	발신명의		1991. 외무부
수 신				
참 조				
제 목	가입신청서 및 의무수락 선언서 송부			

「유엔가입 신청서」 및 「의무수락 선언서」 (원.사본 각 1매)를 별첨 송부하니 접수후 결과보고 바랍니다.

첨부 : 신청서 및 선언서 (원.사본) 각 1매. 끝.

예고 : 1991.12.31.일반

의거 일반문서로 재분류

0106

MINISTER OF FOREIGN AFFAIRS
SEOUL, KOREA

19 July 1991

Excellency,

On behalf of the Government of the Republic of Korea, I have the honour to inform you that the Government of the Republic of Korea herewith applies for membership of the Republic of Korea in the United Nations.

I have further the honour to attach herewith a declaration made in accordance with rule 58 of the provisional rules of procedure of the Security Council.

I should be grateful if you would place this application before the Security Council at the earliest opportunity.

Please accept, Excellency, the renewed assurances of my highest consideration.

LEE Sang Ock

His Excellency
Mr. Javier Perez de Cuellar
Secretary-General
of the United Nations
New York

0107

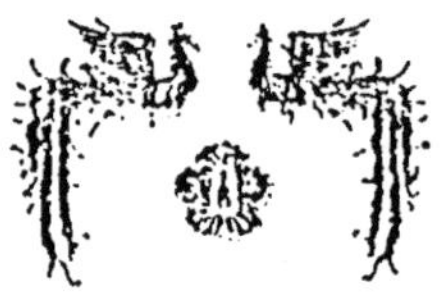

President of the Republic of Korea

Declaration

On behalf of the Government of the Republic of Korea, I, Roh Tae Woo, in my capacity as Head of State, have the honour to solemnly declare that the Republic of Korea accepts the obligations contained in the Charter of the United Nations and undertakes to fulfill them.

노태우

Roh Tae Woo

Seoul, 19 July 1991

0108

President of the Republic of Korea

Declaration

On behalf of the Government of the Republic of Korea, I, Roh Tae Woo, in my capacity as Head of State, have the honour to solemnly declare that the Republic of Korea accepts the obligations contained in the Charter of the United Nations and undertakes to fulfill them.

Roh Tae Woo

Seoul, 19 July 1991

0109

유엔헌장 의무수락서 서명식 및 청와대 오찬 참석자

(91.7.19(금) 12:00)

	성 명	연 락 처	수 화 자	차량번호	비 고
◎	이상옥(57)			서울 3611	외무장관
◎	김용식	784-7987/8(O) 457-1988(H)	권금희	서울1 가 5913	(한미협회 회장 한미우호협의회 위원장)
◎	이동원	357-2132/3(O)	미스 윤	서울 2590	국제학술원 이사장
◎	김동조	776-1761/2(O) 352-6464(H)	미스 홍	서울 5781	해오실업 고문
◎	박동진	550-3050(O) 543-6656(H)	유애령	서울2 오 7405	한국전력공사 이사장
×	~~노신영~~	~~793-2468(H)~~	~~박비서관~~		~~불참(외유)~~
◎	이원경	586-0586(H)	사모님	서울2 부 7090	
◎	최광수	545-5451(H) 784-3600(O)	본 인	서울 6730	현대경제사회연구원 회장
◎	최호중(61)	구내 2601	비서관	서울4 루 7027	부총리겸 통일원장관
◎	노창희(53)	540-5335(H)		202	주유엔대사
×	~~문덕주~~	~~763-2262(H)~~	~~본 인~~		~~불참(건강)~~
◎	윤석헌	754-0609(O) 735-2372(H)	김미	서울4 느 5554	(한국외교협회 회장 대우그룹 부회장 UNESCO 집행위원)
◎	김경원	774-9895(O) 453-5044(H)	박승예	서울4 구 8581	사회과학원 원장
◎	박 근	292-2111(O) 444-7036(H)	본인	서울2 두 9359	한양대학교 특대교수 석우
◎	박쌍용	740-5114(O)	미스 양	서울2 추 1297	한국국제협력단 부총재
◎	한표욱	793-6820(H)	사모님	~~서울~~ 경기3 너 ~~0132~~ 7650	경희대학교 평화복지대학원 교수

계 : 14명 참석

0110

나이, 학력, 재직기간 (외무장관 이후 대사)

유엔헌장 의무수락서 서명식 및 청와대 오찬 참석자

(91.7.19(금) 12:00)

	성 명	연 락 처	수 화 자	차량번호	비 고
57	○ 이상옥			서울 3611	외무장관 (90.12-)
78	김용식 (13.11)	784-7987/8(O) 457-1988(H)	권금희	서울1 가 5913	63.3-12 유엔대사 (64.5-70.12) 외무장관 (71.6-74.10)
65	○ 이동원 (26.9)	357-2132/3(O)	미스 윤	서울 2590	장관 (64.7-66.12)
73	○ 김동조	776-1761/2(O) 352-6464(H)	미스 홍	서울 5781	장관 (73.12-75.1
69	○ 박동진 (22.10)	550-3850(O) 543-6656(H)	유애령	서울2 오 7405	대사 (72.5-75.1 장관 75.12-80.9
X	X 노신영	793-2468(H)	박비서관		장관 (80.9-82.6) 불참(외유)
69	○ 이원경 (22.1)	586-0586(H)	사모님	서울2 부 7090	장관 (83.10-86.8
56	최광수 (35.2)	545-5451(H)	본 인	서울 6730	대사 (85.10-86.8 장관 (86.8-88.12
61	○ 최호중 (30.9)	구내 2601	비서관	서울4 루 7027	부총리겸 통일원장관 장관 (88.12-90.12)
53	○ 노창희 (38.2)	540-5335(H)		202	주유엔대사 (91.2-
X	X 문덕주	763-2262(H)	본 인		불참(건강)
69	○ 윤석헌 (22.11)	754-0609(O) 735-2372(H)	김미	서울4 느 5554	대사 (79.4-81.12)
55	○ 김경원 (36.6)	774-9895(O) 453-5044(H)	박승애	서울4 구 8581	대사 (81.12-85.1
64	○ 박 근 (27.4)	292-2111(O) 444-7036(H)	본인	서울2 두 9359	대사 (86.9-88.3)
59	○ 박쌍용 (32.4)	740-5114(O)	미스 양	서울2 추 1297	대사 (88.3-90.4)
76	○ 한표욱 (15.5)	793-6820(H)	사모님	서울 8132	대사 (71.1-73.5)

계 : 14명 참석

0111

공　　　란

공 란

공 란

	분류번호	보존기간

발 신 전 보

번 호 : WUN-1947 910720 1357. CV 종별 :

수 신 : 주 유엔 대사. 총영사

발 신 : 장 관 (국연)

제 목 : 기사송부

대통령의 유엔헌장 의무수락서 서명(6.19) 관련 국내기사를 FAX 송부하니 참고바람.

첨 부 : 상기 기사 5 매. 끝.

(국제기구조약국장 문동석)

보 안 통 제	

앙 고 재	년 7월 20일	유엔과	기안자 성 명		과 장	심의관	국 장		차 관	장 관

외신과통제

0115

Korea Times

President Roh Tae-woo signs a declaration pledging to abide by the United Nations Charter, completing all domestic procedures for the nation's U.N. membership application at Chong Wa Dae Friday, while Foreign Minister Lee Sang-ock, left, and U.N. Ambassador Roe Chang-hee look on.

ROK to Submit Application in Aug.

UN Entry to Bring About S-N Reconciliation: Roh

President Roh Tae-woo, after signing a declaration pledging to abide by the United Nations Charter, said yesterday that South and North Korea's joining the world body will help bring about reconciliation and cooperation between the two halves of the Korean peninsula.

Roh said, "The U.N. entry carries an important meaning as an end to South-North Korean confrontation and a beginning of reconciliation and cooperation."

With the President signing the bill that the National Assembly passed last week, all domestic procedures for Seoul's U.N. membership application were completed.

The declaration reads: "On behalf of the Government of the Republic of Korea, I, Roh Tae-woo, in my capacity as head of state, have the honor to solemnly declare that the Republic of Korea accepts the obligations contained in the Charter of the United Nations and undertakes to fulfill them."

The government plans to submit the application early next month to U.N. Secretary General Perez de Cuellar. North Korea already handed in its application July 8.

The applications of South and North Korea are expected to be handled as a single item at the U.N. General Assembly opening Sept. 17 in New York. The Security Council is likely to adopt a recommendation to accept the two Korea's entry into the world body in the middle of August.

On Sept. 24, Roh will deliver a speech at the U.N. General Assembly session on the occasion of Seoul's becoming a member country of the world organization.

After signing the bill, Roh had lunch with current and former foreign ministers and heads of the U.N. observer mission at Chong Wa Dae.

In the luncheon, Roh said, "The South and North on an international level must cooperate for the mutual benefit of the Korean people which, in the long run, will hasten the day of peaceful national unification."

He said South Korea would be playing a role corresponding to its ability and international status in the world body as a full member.

"Our entry into the U.N. is significant in that we will be able to work actively for world peace and common prosperity of the entire mankind," the President stressed.

타임즈 : 91. 7. 20.

0116

Roh signs declaration on U.N. Charter in prep for admission

President Roh Tae-woo, after signing a declaration pledging to abide by the United Nations Charter yesterday, said he expects that the entry of South and North Korea into the world body will help improve inter-Korean relations.

"I also believe that our U.N. membership will enable us to play a bigger role and make greater contributions in the international community," he told reporters after signing the declaration at Chong Wa Dae.

By signing the declaration motion passed by the National Assembly last week, Roh completed all domestic procedures for Seoul's membership application to the United Nations.

The declaration reads: "On behalf of the Government of the Republic of Korea, I, Roh Tae-woo, in my capacity as head of state, have the honor to solemnly declare that the Republic of Korea accepts the obligations contained in the Charter of the United Nations and undertakes to fulfill them."

Seoul is expetfd to submit its membership application to the U.N. secretary-general early next month, a government official said.

Pyongyang handed in its application earlier this month, breaking from its long-held opposition to both Koreas separately entering the world organization.

The two Koreas' applications are likely to be handled as a single item at the U.N. General Assembly opening Sept. 17, according to the officials.

"I am confident that inter-Korean relations will develop in a desirable way when the two sides enter the United Nations, whose major function is promoting peace and resolving conflicts," Roh stated.

While being presented credentials by President Roh, the new Nigerian ambassador asked for help regarding his country's bid to secure the next U.N. secretary-general's post. Roh said, "I can already feel the enhanced international prestige of our nation."

Roh said he hopes to visit New York with both opposition leader Kim Dae-jung and ruling party Executive Chairman Kim Young-sam in September when he is to address the U.N. General Assembly on Seoul's entry into it.

After signing the declaration, Roh had lunch with 14 present and former foreign ministers and heads of Korean U.N. observor missions.

"The U.N. entry will signal a starting point for South and North Korea to end their confrontational relations and move toward conciliation and cooperation," Roh was quoted as saying during the luncheon.

He said the two Koreas' separate U.N. membership is only a provisional step until the eventual unification of the divided Korean Peninsula.

해럴드 : 91. 7. 20

0117

2

3

0118

한국일보(91.7.20)

남북 2일 유엔加入 신청

安保理심의후 9월17일 總會의결 확실

정부는 19일 盧泰愚대통령이 「유엔헌장의무수락선언」에 서명함으로써 유엔가입 신청을 위한 국내절차를 모두 마침에 따라 수락선언서 및 신청서를 오는8월2일께 유엔사무총장에 제출키로 했다.

유엔안보리는 우리의 유엔가입 신청서가 접수되면 남북한가입을 단일안건으로 심의, 오는8월15일까지 총회에 권고할것으로 전망된다.

이에따라 남북한은 오는 9월17일 제46차 유엔총회 개회와 함께 사실상 동시가입하게될것이 확실시된다.

한국경제(91.7.20)

남북 UN가입 신청

盧대통령,「헌장수락선언서」에 서명

盧泰愚대통령은 19일상오 청와대에서 유엔가입신청에 필요한 유엔헌장 의무수락선언서에 서명했다.

지난 13일 국회에서 유엔헌장수락동의안이 통과되고 이날 盧대통령이 이를 재가함으로써 유엔가입을 위한 국내절차는 모두 마쳐지게 됐으며 이에따라 정부는 내달초 정식으로 가입신청서를 제출할 예정이다.

盧泰愚대통령은 이날 저녁 李相玉외무장관과 [illegible] 등 전외무장관및 전유엔대사 14명과 오찬을 함께했다.

"통일大長征 출발점"

盧대통령, 「유엔헌장의무수락」 서명

盧泰愚대통령은 19일 유엔가입 신청에 필요한 「유엔헌장 의무수락 선언서」에 서명하고 「우리는 앞으로 유엔에서 우리의 능력과 국제적 위상에 상응하는 역할과 기여를 적극적으로 해 나갈 것」이라고 밝혔다.

盧대통령은 이어 「이번 우리의 유엔가입과 함께 북한도 유엔에 가입하기 때문에 남북한이 대결과 대립에서 화해와 협력의 관계로 전환하는 출발점이 될 수 있을 것」이라고 말하고 「남북한의 유엔가입은 한반도통일이 이루어지기 전까지의 잠정조치인만큼 남북한은 국제무대에서 민족의 공동이익을 위해 협력하여 궁극적으로는 조국의 평화적 통일을 앞당길 수 있도록 노력해 나가야 할 것」이라고 강조했다.

盧대통령은 「東西獨의 유엔동시가입이 독일통일의 출발점이 되었다는 점을 교훈으로 삼아 남북한의 유엔가입이 남북한간의 신뢰회복과 교류·협력을 증진시켜 나가는 계기가 되도록해야 할 것」이라고 역설했다.

정부는 지난 13일 「유엔헌장수락동의안」이 국회에서 의결된데 이어 盧대통령의 유엔헌장의무수락선언서 서명으로 가입신청에 필요한 절차가 마무리됨에 따라 오는 8월2일 가입신청서를 유엔사무총장에게 제출키로 했다.

유엔安保理는 8월16일 우리측 신청서와 북한이 이미 제출한 유엔가입 신청서를 단일의제로 심사, 가입권고결의안을 채택해 총회에 회부할 예정이며 유엔총회는 총회개막일인 9월17일 南北韓동시가입안을 의결케 된다.

세계일보 : 91. 7. 20

盧대통령, 「유엔憲章의무수락서」 署名

盧泰愚대통령은 19일 상오 청와대집무실에서 『나는 대한민국을 대표하여 대한민국이 국제연합헌장에 규정된 제반의무를 수락하고 이를 이행할것임을 국가원수의 자격으로 엄숙히 선언합니다』라는 역사적인 「유엔헌장의무수락선언서」에 서명했다.

盧대통령은 이날 상오11시47분 서명절차를 지켜보던 기자들이 유엔가입에 대한 소감을 묻자 『건국후 43년동안 冷戰의 냉엄한 국제현실속에서 우리 국민의 소망은 유엔가입과 통일 두가지였다』고 말하고 『이제 그중 하나인 유엔가입이 실현되게 됐다』며 깊은 감회를 피력했다.

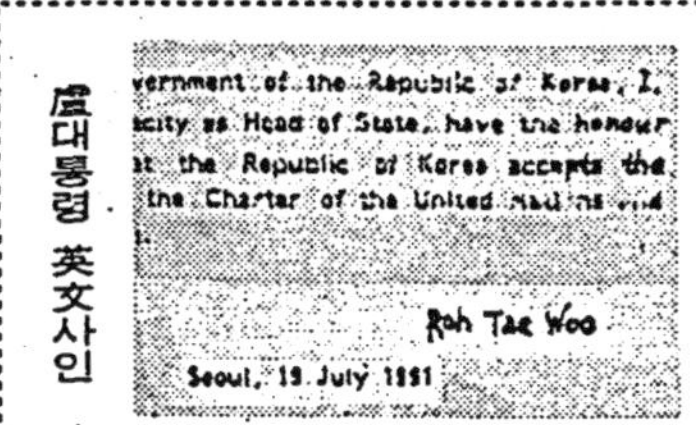
vernment of the Republic of Korea, I,
acity as Head of State, have the honour
at the Republic of Korea accepts the
the Charter of the United Nations and

Roh Tae Woo

Seoul, 19 July 1991

盧대통령 英文사인

盧대통령은 『우리의 유엔가입이 눈앞에 다가오자 오늘 아침 나에게 신임장을 제정한 어느나라대사가 유엔사무총장국으로 자기나라를 지원해줄것을 요청하더라』고 소개하면서 『이는 벌써부터 우리의 국제적 위상이 달라지고 있는것을 말하는것』이라고 흐뭇함을 표시했다.

盧대통령은 남북한유엔가입으로 한반도긴장완화와 통일여건에 어떤 변화가 올것이냐는 질문에 『유엔의 기능과 역할이 바로 분쟁당사국을 화해와 협력으로 이끌어나가는것』이라고 지적한뒤 『그러한 유엔의 권능과 분위기때문에 남북한간에도 지금까지 풀지못했던 화해와 신뢰및 동질성회복의 물결이 미쳐오게 될것으로 본다』고 기대와 함께 낙관적인 전망을 피력했다.

盧대통령은 金大中新民黨총재가 金泳三民自黨대표와는 유엔에 함께 갈 수 없다고 밝혔다는 말에 『金총재가 농담을 한것이겠지요』라고 조크로 받아넘기면서도 『유엔가입은 국민적 축제이므로 모두 함께 가는것이 좋지않겠느냐』며 여야대표의 유엔동행방문 의사를 거듭 확인했다.

盧대통령은 또 「43년만의 경사인데 우리의 유엔가입일을 임시공휴일로 하면 어떻겠느냐」는 질문에 『아직 거기까지는 생각해보지 않았다』면서 『언론이 국민여론을 잘 경청해 주기 바란다』고 덧붙였다.

盧대통령은 이어 본관대식당으로 자리를 옮겨 李相玉외무장관과 盧昌熹유엔대사가 배석한 가운데 金溶植·金東祚·韓豹頊씨 등 前職외무장관 및 유엔대사 14명과 오찬을 함께 했다.

盧대통령은 이 자리에서 『우리는 앞으로 유엔회원국으로서 우리의 능력과 국제적 위상에 상응하는 역할과 기여를 적극적으로 해 나갈 것』이라고 다짐했다.

盧대통령은 특히 『이번 우리의 유엔가입은 북한도 함께 유엔에 가입하는 것이기 때문에 남북한이 대결과 대립에서 화해와 협력의 관계로 전환하는 출발점이 될 수 있다는 중대한 의미가 있다』고 말하고 『남북한의 유엔가입은 한반도 통일이 이뤄지기전까지의 잠정적인 조치인만큼 남북한은 국제무대에서 민족의 공동이익을 위해 협력하여 궁극적으로는 조국의 평화적 통일을 앞당길 수 있도록 노력해나가야할 것』이라고 강조했다.

盧대통령은 『이제 남은 과제인 통일도 지금과 같은 상황에서 외교적 노력을 가속해나가면 90년대중반까지는 결정적인 시기가 도래할 것』이라고 말했다.

盧대통령은 이어 『우리의 유엔가입은 모든 국민의 참여와 지지속에 축복받아야 할 국민적 경사로서 국민적인 화해와 화합의 계기가 되어야 한다』고 말했다.

盧대통령은 이와함께 『유엔테두리에서 남북한이 대화의 폭을 넓히는 협력을 확대해 나갈 수 있는 방안에 대한 종합적인 계획을 수립, 보고하라』고李외무장관에게 지시했다.

〈李慶衡 기자〉

서울신문 91. 7. 20

0119

한국일보 (91·7·20)

0120

國益事案 결의안·발언 가능

—유엔가입후 달라지는 권리와 의무

盧泰愚대통령이 19일 유엔헌장 의무수락 선언서에 서명하고 李相玉외무장관이 유엔가입신청서에 서명함으로써 우리나라의 유엔가입을위한 국내절차는 모두 끝났다.

정부는 이 날짜로 된 신청서와 헌장수락선언서를 조만간 외교행낭을 통해 뉴욕 유엔대표부로 보낼 예정이며 오는 8월2일께 盧昌熙유엔대사가 케야르유엔사무총장에게 이를 직접 접수시킴으로써 가입신청절차를 끝내게 된다. 우리측의 가입신청서가 접수되면 유엔안보리는 즉시 가입심사위를 구성, 서류의 하자여부를 검토한 뒤 8월15일 이전에 본회의에서 남북한가입안을 단일안건으로 통과시킬 것이 예상된다.

9월17일 제46차 유엔총회개막과 함께 남북한 가입안이 만장일치로 통과되면 우리나라는 그동안 옵서버국으로 참여해온 「굴레」를 벗어던지고 정식회원국으로서의 당당한 권리를 행사하게 된다. 물론 그에 상응하는 의무가 늘어난다는것도 사실이다.

유엔가입국으로서 누리는 가장 큰 권리는 한반도문제를 비롯, 경제·사회등 국제적 관련된 각종 사안에대해 정정당당히 회원국으로서 우리입장을 개진할 수 있게됐다는 점이다. 우리나라는 그동안 유엔옵서버로서 총회등에서 참여하였으나 토의되는 의제가 아무리 우리와 관계가 깊은 내용이라 할지라도 옵서버국이라는 「당당한 권리가 아니다」라는 점을 동의없이는 다른 회원국들이 반대가 없어야 가까스로 발언할 기회를 얻었다. 결의안제출등은 할 수 없었다 비회원국이라는 이유로 우리입장을 자유롭게 밝힐 수 없었음은 물론이다.

그러나 유엔에 정식가입함에 따라 우리도 관심사안에 대해 발언, 결의안제출, 투표, 투표이유설명등을 자유롭게 할 수 있는 권리를 회복하게된다. 북한이나 한후 유엔회원국이 [illegible] 유엔총회, 분과위등 산하위원회 결정과정에 참여할 수 있는 기회를 부여받게 되었다.

특히 가입후 4~5년이 지나면 우리도 안보리의 비상임이사국에 선출될 가능성이 있다. 지난 73년 가입한 서독이 4년뒤인 77년, 함께가입한 동독이 7년뒤인 80년에 안보리 비상임이사국에 선출됐던 사실을 상기해보면 우리가 비상임이사국이 되는것도 그리 먼 이야기는 아니다. 이렇게 될 경우 자연히 한반도 문제가 없는 한편 의장국이라든가 중요위원회 위원장등 국제사회의 주요자리를 맡을 수 있게된다. 이와 함께 [illegible] 유엔회원으로 국제사회에서의 위상이 높아짐에 따라 유엔사무차장이나 총회의장, 더 나아가 사무총장에 우리의 주요인사가 선출될 수도있다.

유엔가입으로 달라지는 또 [illegible] 외교관의 신분이나 의전상 차등 사소한 부분까지도 포함된다.

우선 우리의 유엔대표부는 유엔가입과 동시 대표부 [illegible] 많은 점을 바꾸게된다. 이제까지 명칭으로 「옵서버」를 떼고 「대한민국대표부」라는 명칭을 사용해 온 우리대표부는 상주대표부 (Permanent Mission)」라는 명칭을 사용하게된다. 또한 [illegible] 있던 대표부직원들의 신분을 정식으로 외교관으로 바뀌며 [illegible] 특권 신분증을 외교관여권을 발급받는다.

이밖에 부임시 대표들이 추천서를 비망록형식으로 사무총장에 제출했던 유엔 대사는 정식으로 신임장을 다시 제출하게된다.

安保理 비상임理事國등 「주요자리」기회

분담금·기여금 수년내에 3배이상 늘듯

그러나 권리가 늘어나는 만큼 의무도 커진다.

의무중 가장 관심을 끄는 부분은 역시 분담금문제. 유엔은 각회원국의 GNP·인구·외채비율 등을 고려해 총회 경상비와 산하 기구의 운영비등을 부담시킨다. 또한 기금으로 운영되는 유엔기구는 회원국들로부터 자발적인 기여금을 받고있다.

우리나라는 현재 FAO(세계식량농업기구) WHO(세계보건기구) 등 유엔전문기구에는 정식회원국으로서, 총회에는 옵서버국으로서 모두 1천만달러정도를 분담금및 기여금으로 내고 있다. 유엔이 정한 우리나라의 유엔총회경비 (연간약15억달러) 분담률은 0·22%. 우리나라는 그동안 옵서버국이기때문에 다시 이 분담률의 15%를 냈었다. 유엔가입과 함께 우리나라는 분담금 1백%를 내야하는데 이때 예상되는 추가금액이 3백50만달러정도이다. 그러나 이 분담금비율도 우리의 국력에 비해 상당히 적게 책정됐다는게 유엔회원국들의 시각이어서 분담률은 금명간 유엔가입을계기로 상향조정될 것으로보인다.

현재 우리와 비슷한 분담률을 갖고있는 국가는 뉴질랜드(0·24%)이스라엘(0·21%) 헝가리 (0·21%) 등이며 이중 일본은 11·38%, 미국은 25%이다. 한편 북한은 0·05%로 책정돼있다.

이와 함께 우리나라는 자발적인 기여금도 더 늘려야 한다는 부담이 국제적압력으로 밀려왔다. 이에 따라 정부는 내년부터 UNDP(유엔개발계획)등에 대한 기여금을 최소한 3백만달러 증액할 계획이다. 따라서 유엔가입후 우리의 분담금및 기여금은 최소 6백50만달러가 추가돼 1천5백50만달러가 될 전망이며 수년내에 이 전체액의 2배가 넘는 3천만달러 이상으로 늘어날 것으로 보인다.

【[illegible]記者】

5

공 란

관리 번호	91 -4277

원 본

외 무 부

종 별 :

번 호 : UNW-1889 일 시 : 91 0723 1830

수 신 : 장 관(국연,아동,기정)

발 신 : 주 유엔 대사

제 목 : 유엔가입 신청(마이크로네시아,마샬군도)

연:UNW-1888

1. 연호 4 항 관련 당관에서 워싱톤의 양국 대사관에 구체적인 사항을 확인한바 마이크로네시아는 대통령이 가입신청서(수락서)에 이미 서명하였고, 마샬군도는 금주중 대통령이 서명 예정이라하며, 양국 모두 빠르면 금주중 가입신청서 제출 예정이라함.

2. 본직의 금일 SPIERS 사무차장 면담시 동인은 상기 양국의 가입신청서가 제출되면 아국의 신청서 제출을 기다려 8 월 둘째주중 안보리에서 모두함께 처리될 것으로 본다고 하였는바, 본직은 근일중 SAFRONCHUK 사무차장도 면담, 안보리의 구체적 처리계획을 파악예정임.끝

(대사 노창희-국장)

예고:91.12.31. 일반

국기국 장관 차관 1차보 아주국 청와대 안기부

PAGE 1 91.07.24 08:08

외신 2과 통제관 BS

0122

관리 번호	91-4323

	분류번호	보존기간

발 신 전 보

번 호 : WUN-1987 910725 1400 FO 종별 :

수 신 : 주 유엔 대사. 총영사

발 신 : 장 관 (국연)

제 목 : 국기조약국장 출장

우리의 유엔가입 신청서 제출에 따른 안보리 심의에 대비 문동석 국제기구국장이 다음 일정으로 귀지 방문 예정이니 8.4-8.8간 UN Plaza 호텔에 싱글 1실 예약바람.

o 귀지도착 : 8.4(일) 10:30 KE-026

o 귀지출발 : 8.8(목) 13:30 KE-025. 끝.

예 고 : 1991.12.31. 일반

(국제기구조약국장 문동석)

보안 통제	

앙 고 재	91년 7월 25일	과	기안자 성명		과 장	심의관	국 장		차 관	장 관
							전결			

외신과통제

0123

관리 번호	91 -4325

	분류번호	보존기간

발 신 전 보

번 호 : WUN-1997 910726 1436 FO 종별 :

수 신 : 주 유엔 대사. 총영사 (국연)

발 신 : 장 관

제 목 : 유엔가입문제

대 : UNW-1889

대호, 1984년 브루네이 가입시 총회개막일(9.18)에 처리되지 않고 9.21. 가입결의가 채택된 사례를 감안, 마이크로네시아, 마샬군도의 유엔가입 신청시 유엔가입 신청국이 4개국으로 증가됨에 따라 총회개막일 (9.17)에 가입신청이 처리되지 못할 가능성은 없는지 사무국 접촉시 탐문, 보고바람. 끝.

예 고 : 1991.12.31. 일반

(국제기구조약국장 문동석)

보 안 통 제	

앙 고 재	91년 7월 25일	UN 과	기안자 성 명		과 장	심의관	국 장		차 관	장 관
			송영완			김	문동석			h

외신과통제

0124

관리 번호 91 -4317

원 본

UNW-1937의 2가지에서 2장으로 넘김

외 무 부

종 별 : 지 급

번 호 : UNW-1938 일 시 : 91 0726 1730

수 신 : 장 관(국연,기정)

발 신 : 주 유엔 대사

제 목 : SAFRONCHUK 사무차장 면담

대:WUN-1909

본직은 금 7.26 SAFRONCHUK 사무차장을 면담한바 아래보고함.

1. 본직은 아국이 8.2 또는 8.5 중 신청서 제출예정임을 전제 안보리에서 가급적 8.7-8.8. 까지는 처리될수 있도록 사무국으로서의 협조를 요청한바, 동인은 안보리 계류안건중 8 월초에 급히 처리하여야할 안건은 없는 것으로 보인다고하고 아측 희망 일정대로 처리되도록 최대한 협조하겠다함.

2. 동인은 마샬군도 및 마이크로네시아의 가입신청 예정관련 이들 국가의 가입도 남북한 가입과같이 처리될 것으로 본다고하고 만약 이들의 가입처리에 문제가 발생하는 경우 (이의 제기등)에도 남북한 가입 처리일정에는 지장을 주지 않을것이라함.(SAN MERINO 도 연내 가입신청 가능성이 있는것으로 듣고있다함)

3. 동인은 이어 자신이 남북한 가입문제가 원만히 처리되도록 필요시 조정(COORDINATOR) 역할을 하도록 사무총장의 지시를 받은바 있으므로 북한대사와도접촉 남북한이 가입문제 처리관련 제반 사항에 대해 남북한간 대화를 갖도록 권유해 보겠다함.

4. 동인 방한관련 본직은 대호일정을 설명해준바 동인은 아측의 방한초청에대해 재삼 사의를 표하였음. 끝

(대사 노창희-장관)

예고:91.12.31. 일반

국기국 장관 차관 1차보 분석관 청와대 안기부

PAGE 1

91.07.27 07:13

외신 2과 통제관 BS

0125

관리 번호 91-4319

원 본

외 무 부

종 별 : 지 급

번 호 : UNW-1937　　　　일 시 : 91 0726 1730

수 신 : 장 관(국연,기정)

발 신 : 주 유엔 대사

제 목 : 가입신청서(유엔사무총장 면담)

대:국연 2031-807

대호 아국의 가입신청서 및 의무수락선언서를 금 7.26 무위 수령하였음.

본직의 사무총장 면담일시가 8.5(월) 15:30 으로 예정(아측은 8.2 또는 8.5중 면담을 요청한바 있음) 된바, 동 면담시 본직이 직접 신청서 및 의무수락서를 전달예정임.끝.

(대사 노창희-장관대리)

예고:91.12.31. 일반

국기국　장관　차관　1차보　청와대　안기부

PAGE 1

91.07.27　07:12

외신 2과　통제관 BS

0126

관리 번호	91 -4381

	분류번호	보존기간

발 신 전 보

번 호 : WDJ-0781 910727 1257 DN 종별 :

수 신 : 주 장 관 대사. 총영사 (국연) (주인니대사 경유)

발 신 : 차 관

제 목 : 유엔가입문제

1. 주유엔대사는 유엔사무총장과 8.5.(월) 15:30에 면담예정 (아측은 8.2 또는 8.5중 면담신청)이며 동 면담시 아국의 유엔가입 신청서 및 의무수락서를 전달할 ~~것임을 보고하여 왔습니다.~~ 예정임.

2. 또한 주유엔대사는 7.26. Safronchuk 유엔 정치.안보담당 사무차장을 면담한 바, 동 면담내용은 하기와 같음. ~~습니다~~

o 아국이 8.2.또는 8.5.중 가입신청서 제출 예정임을 전제로 안보리에서 가급적 8.7-8.까지는 처리될 수 있도록 사무국이 협조해 줄 것을 요청한 바, 동인은 안보리 계류안건중 8월초에 급히 처리해야 할 안건은 없는 것으로 보인다고 하고 아측 희망일정대로 처리 되도록 최대한 협조하겠다 함.

o 동인은 마샬군도 및 마이크로네시아의 가입신청 예정 관련, 이들 국가의 가입도 남북한 가입과 같이 처리될 것으로 본다고 하고 만약 이들의 가입처리에 문제가

/ 계속 /

보 안 통 제	

앙 고 재	91년 7월 27일	유엔과	기안자 성 명		과 장	심의관	국 장		차 관	장 관
			[signature]		[signature]		전결			[signature]

외신과통제

0127

발생하는 경우 (이의 제기등)에도 남북한 가입처리 일정에는 지장을 주지 않을 것이라 함. (SAN MARINO도 연내 가입신청 가능성이 있는 것으로 듣고 있다 함)

o 동인은 이어 자신이 남북한 가입문제가 원만히 처리되도록 필요시 조정(COORDINATOR) 역할을 하도록 사무총장의 지시를 받은 바 있으므로 북한대사와도 접촉, 남북한이 가입문제 처리관련 제반사항에 대해 남북한간 대화를 갖도록 권유해 보겠다 함. 끝

(차 관 유종하)

예 고 : 1991.12.31. 일반

0128

가입신청347

관리 번호	91-4383

	분류번호	보존기간

발 신 전 보

번 호 : WUN-2018 910730 1747 FO 종별 : 지급

수 신 : 주 유엔 대사. 총영사

발 신 : 장 관 (국연)

제 목 : 안보리 의장 면담

대 : UNW-1956, 1957

1. 대호와 같이 안보리에서 남북한의 가입권고 결의안 채택 후 이사국들의 발언문제는 안보리의 관행이며, 이사국들의 권한인 점에 비추어 7.30. 에쿠아돌대사 면담시 북한(및 중.소)측에서 이를 논란시 할 수는 없을 것이라는 우리의 입장을 사전설명해 두는 것이 좋을 것으로 봄.

2. 지난 6월 에쿠아돌 대사 방한시 동대사는 남북한의 가입신청이 ~~각각~~ 일괄 또는 별도로 처리되~~는 것이 자연스럽다는 견해를~~어도 무방하다는 반응을 표명한 바 있었음에 비추어, 필요시에는 아측의 최근 안보리 이사국들을 접촉한 결과, ~~몇~~ 다수 이사국들~~의 대부분~~은 남북한 관계의 특수성에 비추어 단일 결의안으로 처리하는 것이 좋겠다는 의견이었음을 적의 설명해 두기 바람.

(91.7.3자 국연 2031-1671 참조)

3. 대호 7-라항 관련 아측의 생각을 구두로 설명하는 것이 적절한 것으로 봄.

/계속/

보안 통제	(서명)

앙고재	91년 7월 30일	유엔과	기안자 성명		과 장	심의관	국 장		차 관	장 관
			(서명)		(서명)		(서명)			

외신과통제

0129

4. 대호 7-다항 휴전협정문제 관련 우방국들의 발언문제는 현재 이를 심각하게 검토하고 있는 것이 아니며, 하나의 가능한 아이디어로 거론된 것인 바, 더이상 동문제가 재론되지 않도록 적의 대처바람. 끝.

되었던

(국제기구조약국장 문동석)

예고 : 91.12.31. 일반
(기 일반문서로 재분류됨)

0130

관리 번호	91 -4394

원 본

외 무 부

종 별 :

번 호 : USW-3793 일 시 : 91 0730 2020

수 신 : 장관(국연,미일)사본:주유엔 대사(직송)

발 신 : 주 미 대사

제 목 : 제46차 유엔 총회

대 WUS-3442

1. 당관 안호영 서기관은 금 7.30. 국무부 유엔과 CAMPBELL 신임과장 (WILLIAMSON 전임과장은 주 예루살렘 총영사로 전보 발령됨) 과 면담, 대호 지시에 따라 PERM-5 공동 제안 문제, 가입권고 결의안에 휴전 체제에 대한 언급을 포함시키는 문제, 결의안 채택후 이사국들의 발언 문제등에 대한 본부 견해를 미측에전달하고, 7.29. UN 대표부에 개최된 CG 회의(UNW-1956)의 주요 내용에 대해서도 동인에게 설명하였음.

2. 대호 1 항 가입권고 결의안 채택 이후의 이사국발언시에 휴전 체제에 관하여 언급하는 방안에 대해서는 7.29. CG 회의시 미국및 영국이 이에 대해 소극적인 입장을 보였음을 감안하여, 이를 명시적으로 요청하지는 않고 미국이 가입권고 결의안 채택후 행할 발언에 어떤 내용을 포함시킬것인가를 사전에 알려달라고 요청하였는바, 추가 지시사항 있을경우 하시 바람.

(대사 현홍주- 차관)

91.12.31. 일반

국기국 장관 차관 1차보 미주국

PAGE 1

91.07.31 10:03

외신 2과 통제관 BN

0131

관리번호	91-8466

원 본

외 무 부

종 별 :

번 호 : UNW-1973　　　　일 시 : 91 0730 2030

수 신 : 장관(국연,기정)

발 신 : 주 유엔 대사

제 목 : 소련대사면담

1. 본직은 금 7.30 LOZINSKIY 소련차석대사 (VORONTSOV 대사는 본국휴가중)와 면담, 안보리에서의 가입처리와 관련된 제반사항 (신청서제출일시, 회의일정.결의안 형식.내용. 채택방식, 결의안 채택후 축하발언등)에 대해 아측입장을 설명하고 협조를 요청하였음.

2.LOZINSKIY 대사는 상기에 대해 소련측으로서는 다 찬동한다고 하고 다만 회의일정관련 아측에서 구상하는 8.6 오전 안보리소집, 동일중 가입심사위 개최,늦어도 8.8 오전중 안보리처리 일정은 통상 중요 정치문제처리시 48 시간전 본국에 청훈해온 소련대표부의 업무관행에 비추어 시간이 촉박한 점이 없지 않으나8.8 오후경은 가능하지 않을까 생각된다고 함.

3. 이에 대해 본직은 안보리의장과 협조, 효율적으로 회의진행을 도모할것인바 소련측으로서도 최대 협조할것을 당부하였음. 끝

(대사 노창희-장관)

예고:91.12.31 일반

국기국　장관　차관　1차보　2차보　분석관　청와대　안기부

PAGE 1　　　　91.07.31　10:07

외신 2과　통제관 FE

0132

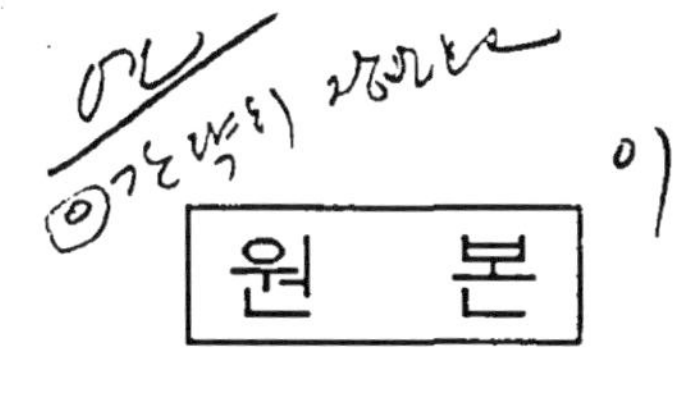

관리 번호	91 — 4465

원 본

외 무 부

종 별 :

번 호 : UNW-1974 일 시 : 91 0730 2030

수 신 : 장관(국연,기정)

발 신 : 주 유엔 대사

제 목 : 에쿠아돌 대사면담

본직은 금 7.30 8 월 안보리의장인 AYALA LASSO 에쿠아돌 대사와 오찬, 가입문제 안보리처리관련 협의를 가진바 주요내용 아래보고함.

1. 본직은 먼저 신청서제출 일시, 결의안 형식, 내용, 채택방식등 에 대해 아측입장및 요망사항을 상세히 설명해주고 특히 아측이 희망하는 안보리심의 일정으로서 8.6 오전 안보리 소집, 동일중 가입심사위 개최, 늦어도 8.8 오전중 안보리채택을 제시함.

2. 이에대한 동 대사의 반응은 아래와같음.

가.8.1 안보리 의장 자격으로 이사국들과 비공식협의를 가질예정인바 남북한 가입신청을 마이크로네시아 및 마샬군도의 가입신청과 함께 처리하도록 할것임.

(상기 양국이 45 차 총회중 가입을 희망한것과 관련 동인은 이는 문제가 있다고 보기때문에 남북한과 함께 46 차 총회에 가입하는것으로 추진할 생각이라하며 사무국도 같은 견해인것으로 본다함.

나. 안보리에서의 처리순서는 남북한(북한의 접수일자 감안), 그리고 상기 2개국(신청서 접수순)순으로 처리할것임.

동 2 개국 가입신청 심의시 문제제기 가능성관련 자신이 현재까지 각국대표와 접촉한바로는 아무런 이의가 없었으며 특히 CUBA 가 신탁통치이사회에서 양국의 독립을 반대했던것 관련 최근 CUBA 대사와 접촉한바 동문제와 가입문제는 별개이며 가입에 반대 안할것이라고 한바 동국의 가입도 남북한과 마찬가지로 문제없이 (ROUTINE) 처리가능시 됨.

다. 아측제시 안보리일정이 8.5 오후에 신청서가 접수됨에 비추어 다소 촉박한점은 없지 않으나 사무국측과 협조 8.6 오전중 신청서가 안보리(총회)문서로회람되도록 하고 가입심사위에서 검토할 단일 결의안도 초안을 미리 비공식 배포토록 조처하면

국기국 장관 차관 1차보 2차보 분석관 청와대 안기부 안기부

PAGE 1

91.07.31 10:08

외신 2과 통제관 FE

0133

별문제 없을것임.

라. 동서독 가입시 결의안 TEXT 등 관련자료를 충분히 검토해둔바 있음.

마. 결의안 본문의 순서는 알파벳순서 및 신청서 제출순에 따라 북한(DPRK),한국(ROK) 순으로 하게될것인바, 한국측이 이의가 없는지를 본직에게 문의한바아국으로서는 관행에 따른다면 특별한 이견이 없다고 하였음.

바. 결의채택후 이사국의 축하발언관련 의장으로서 축하발언 희망자는 발언을 하도록, 진행할것이며 자신도 의장자격으로 또한 에쿠아돌 대표로서 축하발언 할것임.다만 각이사국의 발언시 CONTROVERSIAL 한 내용은 피하도록 유의시킬것임.끝

(대사 노창희-장관)

예고:91 12.31. 일반

가입신청서 / AM件 (?)

관리 번호	91 -818

	분류번호	보존기간

발 신 전 보

번 호 : AM-0158 910731 1816 FO 종별 :

수 신 : 주 AM 대사. 총영사

발 신 : 장 관 (국연)

제 목 : 유엔가입신청서 제출

연 : EM-0022

1. 정부는 91.8.5(월) 15:30시 (뉴욕현지시각 : 서울시각은 8.6(화) 04:30시) 노창희 주유엔대사를 통하여 「페레즈 데 꾸에야르」 유엔 사무총장에게 유엔가입신청서 (유엔헌장 의무수락 선언서 첨부)를 제출할 예정임.

2. 우리의 가입신청서는 8.6경 안전보장이사회에 회부되어 지난 7.8. 제출된 북한의 가입신청서와 함께 안보리 가입심사 위원회 (committee on the admission of new member)의 심의를 거쳐, 8.9경까지는 남북한의 유엔가입을 권고하는 단일결의안~~(a joint resolution)~~을 (이 안보리에서) 채택될 것으로 전망되니 참고바람. 끝.

(국제기구조약국장 문동석)

1991.12.31. 에 일반문서로 재분류 됨

보안 통제	

앙 고 재	91년 7월 31일	유엔 과	기안자 성명		과 장	심의관	국 장		차 관	장 관

외신과통제

0135

관리 번호 91-4417

분류번호	보존기간

발 신 전 보

번 호 : WUN-2031 910731 1816 FO 종별 :

수 신 : 주 유엔 대사. 총영사 (서대원, 윤병세 참사관님)

(이규형 배상)

발 신 : 장 관

제 목 : 업 연

1. 제번하고, 안보리의 남북한 가입신청서 심의시 남북한 대표의 회의참석 여부 및 참석할 경우 참석가능 인원, 동 참석예정자의 사전 별도 통고 필요 여부등을 파악하여 알려주시기 바람.

2. CG 회의결과 잘 받았는데, 미국 대사는 현재 부재중인지요.

3. 문국장은 예정대로 8.4(일) 당지 출발하시는데 현재예상되는 안보리심의 일정상 뉴욕에 예정보다 하루 더 계셔야 하겠음. 총무더러 UN Plaza 1박 추가토록 조치바람. (귀지 8.9. 금. 13:30 KE-025편 출발)

4. 건안 기원합니다. 끝.

1. 예고 : 문서 독후파기

보안 통제	

앙고재	년월일	과	기안자 성명		과 장		국 장		차 관	장 관

외신과통제

0136

관리 번호	91-4405

	분류번호	보존기간

발 신 전 보

번 호 : WUN-2027 910731 1428 FO 종별 :

수 신 : 주 유엔 대사. 총영사

발 신 : 장 관 (국연)

제 목 : 외무장관 성명

우리의 가입신청에 대한 안보리의 가입권고 결의안이 채택된 후 아래 내용으로 외무장관 성명을 발표할 것을 실무적으로 준비중인바, 성명 내용관련 귀관의 특별한 의견이 있는 경우 업연으로 보고바람.

"안보리 가입권고 결의안 채택에 즈음한 외무장관 성명

o 정부는 91.8.XX. 00:00시(뉴욕현지시각 : 서울시각은 8.XX. 00:00시) 유엔안전보장이사회에서 우리의 유엔가입 신청이 이사국 전원의 찬성을 얻어 오는 9.17. 개막되는 제46차 총회에 가입권고키로 결의안이 채택된데 대하여 만족하며, 특히 남북한의 유엔가입 신청이 안보리에서 일괄처리된 것을 매우 뜻깊게 생각한다.

o 우리는 유엔회원국이 됨을 계기로 국제평화와 안전의 유지 및 인류의 번영과 발전을 위한 유엔의 고귀한 목표달성에 더욱 기여하고자 하며, 또한 남북한 관계의 개선과 발전을 도모하며, 나아가 궁극적인 조국의 평화통일을 촉진하기 위한 우리의 노력을 배가해 나가고자 한다.

/계속/

보 안 통 제	

앙 고 재	91년 7월 31일	유엔과	기안자 성명		과 장	심의관	국 장		차 관	장 관

외신과통제

0137

o 온국민과 더불어 오는 9.17. 제46차 유엔총회의 개막일에 국제사회의 축복속에서 정식으로 유엔회원국이 될 것을 고대하면서, 정부는 그간 우리의 가입노력에 제반지원과 협조를 아끼지 않은 우방을 위시한 전세계 평화애호국들에게 감사한다." 끝.

(국제기구조약국장 문동석)

Foreign Minister's Statement on the occasion of the Security Council's Adoption of a Resolution for ROK's UN Membership

o The Government of the Republic of Korea is pleased to note that the Security Council unanimously adopted a resolution at 00:00 on 0 August local time (at 00:00 on 0 August Seoul time) recommending ROK's admission to the United Nations. The resolution will be approved finally on 17 September, the opening day of the 46th General Assembly of the United Nations. In particular, the Government attaches great significance to the fact that North and South Korea's applications for UN membership were settled under a single resolution by the Security Council.

o As the Republic of Korea joins the UN, we intend to contribute as much as we can towards the lofty United Nations' ideals of international peace and security as well as towards human development and prosperity. We also intend to redouble our efforts to improve inter-Korean relations and to accelerate the process of peaceful reunification of our homeland.

o The Government of the Republic of Korea, together with all Korean people, looks forward to becoming a full-fledged member of the UN at the beginning of the 46th General Assembly with the blessing of the whole international community. We are deeply grateful to our close allies and all other peace-loving countries in the world for the staunch support and assistance they gave to our campaign for UN membership.

0133

Foreign Minister's Statement on the occasion of the Security Council's Adoption of a Resolution for ROK's UN Membership

o The Government of the Republic of Korea notes with satisfaction that the Security Council adopted a resolution at 00:00 on 0 August local time (at 00:00 on 0 August Seoul time) to recommend ROK's admission to the United Nations through unanimous consent, which would be finally approved on 17 September, the opening day of the 46th General Assembly of the United Nations. In particular, the Government attaches great significance to the fact that North and South Korea's applications for UN membership have been settled under a single resolution by the Security Council.

o As the Republic of Korea joins the UN, we intend to make as much contribution as we can towards the United Nations' lofty causes of international peace and security as well as human development and prosperity. We also intend to double our efforts in improving inter-Korean relations and accelerating the process of peaceful reunification of our homeland.

o The Government of the Republic of Korea, together with all the Korean people, looks forward to becoming a full-fledged member of the UN with the blessing of the whole international community at the beginning of the 46th General Assembly. We are deeply grateful to our close allies and all other peace-loving countries in the world for their unwavering support and assistance given to our hitherto campaign for UN membership.

0140

관리번호 91-4428

원 본

외 무 부

종 별 :

번 호 : UNW-1987 일 시 : 91 0731 2040

수 신 : 장관(국연,기정)

발 신 : 주 유엔 대사

제 목 : 안보리일정

금 7.31 SAFRONCHUK 사무차장이 금일 8 월 안보리의장인 AYALA LASSO 대사와 협의한 결과라고 하면서 본직에게 알려온 안보리의 가입문제 처리일정(안)을 다음과같이 보고함.

1. 심의일정(안)

0.8.6 (화) 남북한 및 마이크로네시아, 마샬군도 가입문제를 의제로 비공식협의개최

0.8.7 (수) 오전 본회의 (의제별 별개회의로 개최)

의제 1: 남북한 가입

의제 2: 마이크로네시아 가입

의제 3: 마샬군도 가입

0.8.7 (수) 오후 가입심사위 개최

0.8.8 (목) 오전 본회의에서 가입권고 결의 채택(의제별 별개회의로 개최하며 결의 채택후 이사국의 축하발언도 의제별로 별도 시행함. 동일 만약 다른 긴급한 토의의제가 있는경우 남북한 가입문제를 우선 처리하고 여타 가입문제는 다음날로 연기함)끝

(대사 노창희-장관)

19 . 예고:91.12.31. 일반
의거 일반문서로 재분류

국기국 장관 차관 1차보 2차보 분석관 청와대 안기부

PAGE 1 91.08.01 10:37

외신 2과 통제관 FE

0141

관리 번호 91-4432

원 본

외 무 부

종 별 : 지 급

번 호 : UNW-1988 일 시 : 91 0731 2200

수 신 : 장관(국연,기정)

발 신 : 주 유엔 대사

제 목 : 가입일정(북한동향)

1. 금 7.31 오후 4 시경 SAFRONCHUK 사무차장은 본직에게 전화, 금일 오후 북한 박길연대사가 자신을 찾아와 마이크로네시아 및 마샬군도가 45 차 총회중 가입을 희망하는 것으로 듣고있는바, 북한으로서는 가능하다면 이들국가와 같이 45 차 총회중 가입을 바란다고 하면서 협조를 요청하여 왔다고 알려왔음.

2. 본직은 이에대해 아국으로서는 유엔의 의사규칙, 관행등을 감안 46 차 총회개막일 가입을 추진하여 왔으며 이러한 대전제하에 안보리 및 총회에서 남북한 가입신청을 단일 결의로 실질토의나 표결없이 채택하는 방식으로 안보리 이사국, 사무국등과 합의내지 양해되어 있는 상태인바, 북한이 별도 단독가입을 희망하는 것이라면 모르겠으나 한국으로서는 45 차 총회가입은 생각하고 있지 않고 있다하고, 당초 가입일정에 따라 남북한이 46 차 총회개막일에 같이 가입토록 협조해 줄것을 당부하였음. 이에대해 동 사무차장도 동감임을 표시하면서 AYALA LASSO 대사와 협의가 예정되어 있는바 이문제도 협의해 보겠다 하면서 다시 연락하겠다 하였음.

3. 본건 경위등 관련 당관 서참사관으로 하여금 미국및 중국대표부와 접촉 파악토록한바는 아래와 같음.

0. 미대표부 RUSSEL 담당관

7.30 저녁 P-5 간 협의시 마이크로네시아 및 마샬군도의 45 차 총회가입 문제가 제기되었고 P-5 간에 긍정적인 분위기가 조성되었는바, 북한이 이를 중국으로부터 전해들은데 기인된 것으로 보이는바 미국으로서는 한국측 입장을 익히 알고있어 이에 적의 대처하고 있으며 만약 상기 2 개국이 45 차 총회에 가입하는 경우에도 남북한의 기존가입 일정에 전혀 차질이 없을 것임을 재확인 한다고함, 또한 이문제관련 중국측과도 긴밀히 협의하고 있다함.

0. 중국대표부 왕광아 참사관

국기국 장관 차관 1차보 2차보 외정실 분석관 청와대 안기부

PAGE 1 91.08.01 11:41

외신 2과 통제관 BN

0142

-한국이 원하지 않는 45 차 총회가입을 북한이 단독으로 추진하는 것은 바람직하지 않다고 보며 북한에 대해 이를 이해시킬 수 있을 것으로 본다고함.

4.SAFRONCHUCK 사무차장은 오후늦게 본직에게 재차 연락 AYALA LASSO 대사와 이 문제를 협의, 내일 동대사가 안보리 의장자격으로 직접 북한대사를 만나 동 희망 표시를 철회하도록 적극 설득하고 또한 마이크로네시아 및 마샬군도에 대하여도 불필요한 문제를 야기시키지 않도록 46 차 총회가입을권유할 것이라함. 또한 미국대사에게도 이에대한 협조를 구할 것이라함. 끝

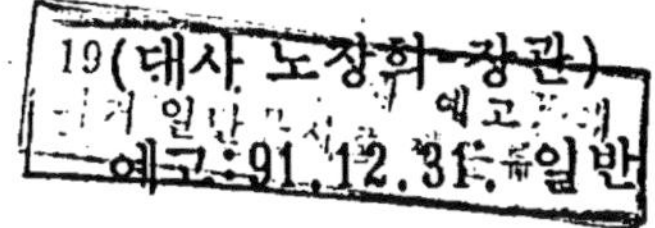
19(대사 노창희-장관)
예고:91.12.31 일반

PAGE 2

0143

관리번호	91-4433

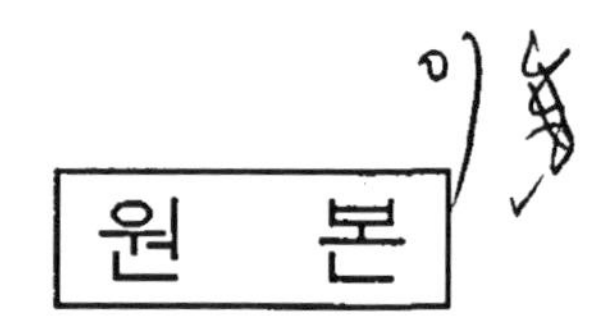

외 무 부

종 별 :

번 호 : UNW-1989 일 시 : 91 0731 2230

수 신 : 장관(이규형 유엔과장)

발 신 : 주 유엔 서 대원

제 목 : 업연

대:WUN-2031

1. 대호 1 항, 북한측이 참석초청을 추진하지 않아 아측으로서는 참석을 상정하지 않고있음.(CG 국도 같은 의견) 참고로 안보리에 비이사국 으로서 초청되면 TABLE 에 착석케되는바 앞줄에 대표자리 1 석, 동좌석바로 뒤에 교체대표 또는 수행원 좌석이 2 석씩 2 줄로 되어있어 (TANDEM) 총 5 인이 착석가능하며 대표의 인적사항은 사전에 사무국에 통보토록 되어있음.

2.PICKERING 대사는 해외출장 및 휴가후 귀임하였음.

3. 대호 3 항 조치하였음.

4. 방한초청관련, SAFRONCHUK 사무차장은 일본방문계획이 공식확정되지 않고있어 (일본측에서 사무총장의 행사참석을 요청해온바 사무총장의 참석여부가 미확정인 매문이라함) 동 확정후 방한일정을 논의하기를 원하고 있으니 참고바람.

SCHLITTLER 국장 및 CHAN 담당관은 지난주초 부터 금주말까지 해외출장중이나 방한일정은 사전 통보해 두었으니 본부안대로 항공권 조치바람. 건승기원함. 끝

예고:독후파기

국기국

PAGE 1

91.08.01 13:21

외신 2과 통제관 FE

0144

가입신청서 제출

유엔加入 申請書 提出

1991. 8. 1.

外 務 部

駐유엔大使는 8.5(月) 오후 (뉴욕시간) 「페레즈 데 꾸에야르」 유엔事務總長을 訪問, 우리의 加入 申請書를 直接 提出할 豫定인 바, 關聯事項을 아래 報告드립니다.

1. 加入申請書 提出日程

o 8.5(月) 15:30시 駐유엔大使, 유엔事務總長에게 우리의 加入申請書 提出 (서울시각 : 8.6(火) 04:30시)

~~* 北韓은 7.8(月) 加入申請書 旣提出~~

* 我側은 8.5(月) 오전중 北韓 參事官과 接觸, 我側의 加入申請書 提出 事前 通報豫定

※ 中·蘇에도 事前通報 예정

심의관 : [signature]

앙고재	국제연합과	91년 7월 31일	담 당	과 장	국 장	차관보	차 관	장 관
			[signature]	[signature]	[signature]			

0145

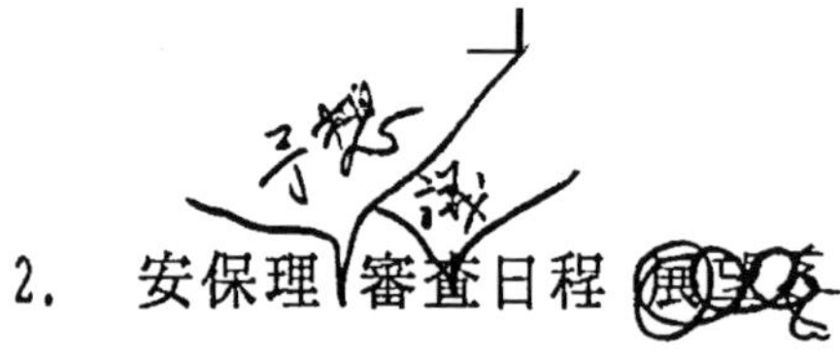

2. 安保理 審査日程 展望

ㅇ 8.6(火) 또는 8.7(水) 安保理 開催, 加入審査委員會에서 南北韓의 加入申請書를 一括 審議

ㅇ ~~8.7(水) 또는~~ 8.8(木) 또는 8.9(金) 安保理, 南北韓의 加入申請에 관한 勸告決議 採擇 豫想

* 安保理의 加入勸告決議 採擇後, 安保理理事國들의 加入歡迎 發言 豫想됨.

- 끝 -

0146

유엔加入 申請書 提出

1991. 8. 1.
外 務 部

> 駐유엔大使는 8.5(月) 오후 (뉴욕시간) 「페레즈 데 꾸에야르」 유엔事務總長을 訪問, 우리의 加入 申請書를 直接 提出할 豫定인 바, 關聯事項을 아래 報告드립니다.

1. 加入申請書 提出日程

o 8.5(月) 15:30시 駐유엔大使, 유엔事務總長에게 우리의 加入申請書 提出 (서울시각 : 8.6(火) 04:30시)

* 我側은 8.5(月) 오전중 北韓 參事官과 接觸, 我側의 加入申請書 提出 事前 通報豫定
* 中.蘇에도 事前通報 豫定

0147

2. 安保理 豫想 審議日程

o 8.6(火) 또는 8.7(水) 安保理 開催, 加入審査委員會에서 南北韓의 加入申請書를 一括 審議

o 8.8(木) 또는 8.9(金) 安保理, 南北韓의 加入申請에 관한 勸告決議 採擇 豫想

* 安保理의 加入勸告決議 採擇後, 安保理理事國들의 加入歡迎 發言 豫想됨.

- 끝 -

0148

安保理 加入勸告 決議案 採擇에 즈음한 外務部長官 聲明

1991. 8. 1.
국제연합과

o 政府는 91.8. XX 00:00時(뉴욕現地時刻 : 서울時刻은 8. XX 00:00時) 유엔安全保障理事會에서 우리의 유엔加入 申請이 理事國 全員의 贊成을 얻어 오는 9.17. 開幕되는 제46차 總會에 加入勸告키로 決議案이 採擇된데 대하여 만족하며, 특히 南北韓의 유엔加入 申請이 安保理에서 一括處理된 것을 매우 뜻깊게 생각한다.

o 우리는 유엔會員國이 됨을 契機로 國際平和와 安全의 維持 및 人類의 繁榮과 發展을 위한 유엔의 고귀한 目標達成에 더욱 寄與하고자 하며, 또한 南北韓 關係의 改善과 發展을 도모키 위하여 努力코저 한다.

o 온국민과 더불어 오는 9.17. 제46차 유엔總會의 개막일에 國際社會의 축복속에서 정식으로 유엔會員國이 될 것을 고대하면서, 정부는 그간 우리의 加入努力에 諸般支援과 協調를 아끼지 않은 友邦을 위시한 全世界 平和愛好國들에게 感謝한다. 끝.

0149

관리 번호	91-4429

분류번호	보존기간

발 신 전 보

번 호 : WUN-2041 910801 1810 FN 종별 : 지 급

수 신 : 주 유엔 대사. 총영사 (국연)

발 신 : 장 관

제 목 : 유엔가입일정

대 : UNW-1988

1. 대호, 미국, 영국, 호주대표부 및 유엔사무국과 접촉하기사항 파악 보고바람.

가. 마이크로네시아 및 마샬군도가 45차 총회기간중 가입을 희망하는 사유

나. 7.30. 저녁 P-5 협의시 동 2개국의 가입과 관련 긍정적인 분위기가 조성되었다는 미 Russel 담당관 언급사항의 구체적 내용

다. 상기 2개국이 45차 총회기간중 유엔가입을 시도할시,

o 총회 속개회의 소집가능 여부 및 45차 총회 폐막회의(9.16)시 가입문제가 처리될 수 있는지 여부

o 안보리 의사규칙(제59조 및 제60조)에 따라 상기 2개국의 가입문제가 금차 총회기간중 처리되기 어려움을 감안, 안보리가 상기 2개국의 가입을 조속처리하기 위하여 의사규칙을 Waiver할 것을 검토 중인지 여부

/ 계속 /

보안 통제	

앙고재	91년 8월 1일	과	기안자 성명		과 장	심의관	국 장		차 관	장 관

외신과통제

0150

2. 본부는 차기 총회를 45일 앞둔 현시점에 상기 2개국의 45차 총회 폐막전 가입문제가 거론되고 있는 것을 매우 이례적으로 보고 있음. 끝.

예고 : 1991.12.31. 일반.

(국제기구조약국장 문동석)

0151

관리 번호	91-4437

	분류번호	보존기간

발 신 전 보

번 호 : WHK-1125 910801 1820 FO 종별 : 지 급

수 신 : 주 장관 대사. 총영사 (주홍콩총영사) (국연)

발 신 : 차 관

제 목 : 유엔가입일정 (북한동향)

연 : WHK-1122

연호, 미국, 중국 입장 및 안보리의장(에쿠아돌대사)의 태도등에 비추어 남북한 가입문제처리에 관한 아측의 기존일정에 차질이 없을 것으로 사료되오나, 주유엔대사에게 본건관련 동향을 예의주시하고 필요시 안보리의장 (에쿠아돌대사) 및 미국대사를 직접 접촉, 확인토록 지시하였음을 보고드림. 끝.

예 고 : 1991.12.31. 일반

19 의거 일반문서로 재분류

(국제기구조약국장 문동석)

보안 통제	

앙 고 재	91년 8월 1일	과	기안자 성명		과 장		국 장		차 관	장 관
							전결			

외신과통제

0152

관리 번호	91-4438

분류번호	보존기간

발 신 전 보

번 호 : WUN-2042 910801 1906 FN 종별 : 지 급

수 신 : 주 유엔 대사. 총영사

발 신 : 장 관 (국연)

제 목 : 유엔가입일정 (북한동향)

대 : UNW-1988

연 : WUN-2041

대호, 미국, 중국입장 및 에쿠아돌 대사의 태도등에 비추어 남북한 가입문제(처리)에 관한 아측의 기존 일정에 차질이 없을 것으로 보이나, 본건관련 [blacked out] 동향을 (예의주시,) [blacked out] 보고바라며, 필요시 에쿠아돌(및 미국) 대사도 귀직이 직접 접촉, 확인바람. 끝.

(차 관 유종하)

19 . . . 에 예고
예고문에 의거 일반문서로 재분류 91.12.31. 일반

보안 통제	[signature]

앙고재	91년 8월 1일	과	기안자 성명		과 장	심의관	국 장	1차관보	차 관	장 관
			[signature]		[signature]		[signature]	[signature]	전결	[signature]

외신과통제

0153

관리 번호	91 -4454

	분류번호	보존기간

발 신 전 보

번 호 : WUN-2056 910802 1901 FN종별 :

수 신 : 주 유엔 대사. 총영사

발 신 : 장 관 (국연)

제 목 : 유엔가입일정

대 : UNW-1674

1. 주한 예멘대사는 8.2(금) 국제기구조약국장을 면담, Al-Ashtal 주유엔 예멘대사의 제46차 총회의장 입후보에 관한 아국 지지를 요청하는 내용의 아국 대통령 앞 예멘 대통령 친서를 전달하고, 동 입후보 지지협조를 요청해 옴.

2. 문국장은 예멘대사에게 예멘정부의 요청을 유념하여 가능한 지원방안을 모색하겠다고 언급하고, 다만 기술적으로 총회의장 선거가 아국의 유엔가입승인 전에 개최되므로 아국이 투표권을 행사할 수 없는 실정임을 참고로 설명함.

3. 이와관련, 아주그룹의 제46차 총회의장 후보조정이 실패할 가능성이 높은 현상황에서 금추 총회개막시에도 총회의장 경선이 예견되고 있는 바, 대호 81년 이락, 싱가폴, 방글라데쉬가 총회의장에 입후보하여 동의장 선출(Secret Ballot)에 1시간이상 소요된 사례가 있음을 감안, 금추 총회개막일 총회의장 선출에 과도히 시간이

/계속/

보안 통제	(서명)

앙 고 재	91년 8월 2일	과	기안자 성명		과 장	심의관	국 장		차 관	장 관
			(서명)		(서명)		(서명)			(서명)

외신과통제

0154

소요되는 경우 남북한의 유엔가입문제가 9.17. 저녁경 또는 2-3일후 (84년 브루네이 가입시)에나 처리될 가능성이 우려되는 바, 이는 언론 보도일정(국내TV 중계등)에도 차질을 초래할 것으로 봄.

4. 따라서 여사한 상황을 사전파악.대처코자 하니 총회의장 입후보에 관한 아주그룹 협의내용 및 예멘, 사우디, 사이프러스, PNG의 입후보 동향, 총회의장 경선시 선출절차등에 관한 사무국 의견등을 수시 파악.보고바람. 끝.

(국제기구조약국장 문동석)

0155

관리 번호 91-4448

원 본

외 무 부

종 별 : 지 급

번 호 : UNW-2000 일 시 : 91 0801 2130

수 신 : 장관 (국연,기정)

발 신 : 주 유엔 대사

제 목 : 유엔가입 일정

연:UNW-1988

대: WUN-2041

1. 금 8.1. 18:30 미대표부 RUSSEL 담당관이 당관 서참사관에게 알려온바, 금일 오후 AYALA 안보리의장 주재로 개최된 안보리 비공식협의 (양자협의) 결과,마이크로네시아, 마샬군도, 남북한 4 개국 모두 46 차 총회 (개막일)에 가입시키는 것으로 결론이 났다함.

2.RESSEL 담당관은 늦은시간인 관계로 PICKERING 대사로부터 우선 결론만 들었다고 하면서 상세한 경위는 추후 알려주겠다 하였음. 끝

(대사 노창희-장관)

예고:91.12.31 일반

국기국 장관 차관 1차보 2차보 청와대 안기부

PAGE 1

91.08.02 11:15

외신 2과 통제관 BN

0156

관리 번호	91 -4449

원 본

외 무 부

종 별 : 지 급

번 호 : UNW-2001 일 시 : 91 0801 2130

수 신 : 장관 (국연,기정)

발 신 : 주 유엔 대사

제 목 : 유엔가입 일정

연:UNW-2000

1. 금 8.1.19:00 AYALA 안보리의장은 본직에게 금일오후 대부분 안보리 이사국과 양자협의를 마쳤는바 마이크로네시아, 마샬군도, 남북한 4 개국 모두 46 차 총회에 가입시키기로 합의되었다고 알려왔음. 동의장은 북한측에게도 이를 알려줄것이라고 하고 북한측으로 부터 이의가 있을것으로는 보지않는다고 하였음.

2. 동의장은 이어 안보리 권고결의 채택후 각 이사국의 축하발언 문제와 관련 각국의향을 타진한바 몇몇국가로 부터 (국명은 밝히지 않음) 일단 발언을 하게되면 부득히 자국의 기존입장에 따라 몇가지 실질이슈를 제기하지 않을수 없게될것 이라는 반응이 있었다고 하면서 의장으로서는 아예 이사국들의 발언은 안하는것으로 하고 의장이 대표로 축하발언을 하고 끝냈으면 한다고함. 이와관련 자신이 미국측 의견을 타진한바, 미측도 한국의 의견이 어떤지 알아보아 달라고 하면서 워싱톤과도 협의할것이라 하였다함.

3. 본직은 이에대해 아측으로서는 안보리 가입심의시의 통상 관례대로 발언을 희망하는 모든나라가 자유롭게 발언하는것을 선호 (FIST PREFERENCE)하여 꼭 발언이 있어야 한다고 고집하는것은 아니나, 통상적인 축하발언까지 막는것 보다는 축하내용외의 발언을 안하도록 하면 될것이 아닌가라고 함.

4. 동의장은 이문제는 미측과도 협의후 다시 알려주겠다 하였음.

5. 동의장은 이어 양자협의시 한대표 (쏘련으로 추정됨)가 자국의 업무처리관행상 8.5. 오후 신청서 제출경우 8.8. 까지 본국훈령을 접수치 못할 가능성이 있다고 하였다고 하면서 8.6. 오전 09:00 까지 정식 안보리문서로 회람되도록아측에서도 사무국과 적극 협조해달라고 하였음. (안보리 비공식협의는 동일 11:00 로 예정한다함) 끝

국기국 장관 차관 1차보 2차보 청와대 안기부

PAGE 1

91.08.02 11:16

외신 2과 통제관 BN

0157

(대사 노창희-장관)

예고:91.12.31. 일반

PAGE 2

0158

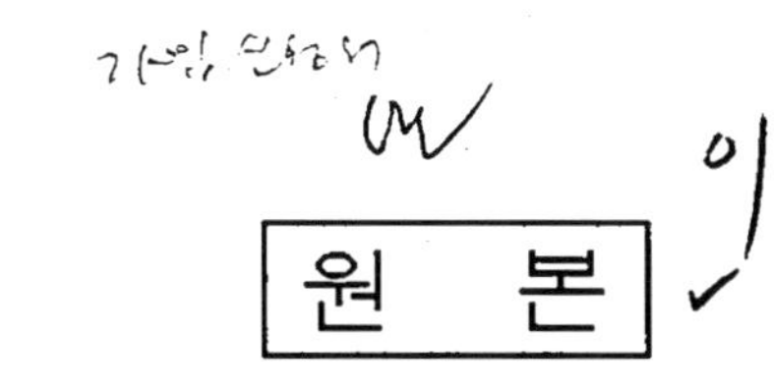

관리 번호	91-4470

원 본

외 무 부

종 별 :

번 호 : UNW-2006　　　　일 시 : 91 0802 1830

수 신 : 장관(국연,기정)

발 신 : 주 유엔 대사

제 목 : 유엔가입결정

연:UNW-2001

본직은 8.1 저녁 리셉션에서 AYALA 의장을 만나 연호건 재협의한바 아래보고함.

1.AYALA 대사는 북한 박길연대사에게 연호 1 항대로 4 개국 모두 46 차 총회에 가입시키기로 안보리 비공식협의에서 합의되었음을 알려주었다하며, 박대사는 FSM, MI 양국이 45 차에 가입되지 않는다면 북한측으로서도 이의가 없다고 하였다함.

2. 이어 동대사는 결의채택후 발언문제관련 각이사국들과 연호에 이어 비공식 협의를 계속 가진결과, 각국이 모두 개별적으로 발언하게될 경우 CONTROVERSIAL 한 내용이 제기될 소지가 있다는점과 남북한가입 처리후 여타 2 개국가의 가입처리관련 시간상의 제약등 감안, 의장이 이사국전체를 대표하여 축하발언을 하고 각이사국의 개별적인 발언을 안하는 것으로 양해되었다함.

(FSM 및 MI 의 경우도 같은 방식으로 처리키로 양해되었다함.)끝

(대사 노창희-장관)

예고:91.12.31.일반

19 . . . 의거 일반문서로 재분류

국기국	장관	차관	1차보	2차보	청와대	안기부	안기부

PAGE 1　　　　91.08.03 07:48

외신 2과 통제관 CA

0159

관리 번호	91 —823

	분류번호	보존기간

발 신 전 보

번 호 : WUN-2040 910801 1650 CO 종별 :

수 신 : 주 유엔 대사. 총영사 (국연)

발 신 : 장 관

제 목 : 유엔가입문제

대 : UNW-1821 (가입문제관련 안보리 결의, 7.12. 총)

대호, 안보리의 가입권고결의 채택후 사무총장의 신청국 정부수반 앞 축전발송과 관련, 답신에 관한 각국의 관행을 가능한 한 확인.회보바람. 끝.

(국제기구조약국장 문동석)

1991.12.31. 에 의거 일반문서로 재분류

보안 통제	

앙 고 재	91년 7월 31일	UN과	기안자 성명		과 장	심의관	국 장		차 관	장 관
							전결			

외신과통제

0160

원 본

관리번호	91-808

외 무 부

종 별 :

번 호 : UNW-2007 일 시 : 91 0802 1830

수 신 : 장관(국연)

발 신 : 주 유엔 대사

제 목 : 유엔가입문제

대:WUN-2040

대호, 사무국 CHAN 담당관에 의하면, 동인은 축전에 대한 답신은 받아 본적이 없으며 답신을 하지 않는것이 관행인것으로 알고있다함. 끝

(대사 노창희-국장)

예고:91.12.31. 까지

국기국

PAGE 1

91.08.03 07:49

외신 2과 통제관 CA

0161

가입신청61

관리번호	91-4469

원 본

외 무 부

종 별 :

번 호 : UNW-2019　　　　일 시 : 91 0802 2100

수 신 : 장관(이규형 유엔과장)

발 신 : 주 유엔 서 대원

제 목 : 안보리일정

연:UNW-1987,1997

1. 금 8.2 19:30 에쿠아돌 대표부에서 당관 원참사관에게 알려온바에 의하면, 연호 안보리 가입문제 처리일정이 이사국들과의 개별협의결과 일부 변경되었다고 하는바, 동변경일정은 아래와같음.

가.8.6(화) ← 8.7

0. 남북한, 마이크로네시아, 마샬군도가입문제에 관한 안보리비공식협의 (의제 1: 남북한가입, 의제2: 마이크로네시아가입, 의제 3: 마샬군도 가입)

0. 가입심사위 회부를 위한 안보리 공식회의 개최(의제별 별개회의:3 차례의 공식회의)

0. 가입심사위 회의개최(의제별 별개회의:3 차례회의)

나.8.8 (목)

0.11:00 가입신청처리를 위한 안보리 공식회의 개최(남북한 가입의제 처리)

2. 본건 월요일 오전 재확인 추보하겠음. 끝

19 . . 에 예고문에 의거 일반문서로 재분류 : 91. 12. 31. 일반

국기국

PAGE 1　　　　91.08.03 10:57

외신 2과 통제관 CA

0162

관리 번호	91 -4497

원 본

외 무 부

종 별 :

번 호 : UNW-2022 일 시 : 91 0805 1130

수 신 : 장관 (국연)

발 신 : 주 유엔 대사

제 목 : 출장 도착보고

문동석 국장은 예정대로 8.4.(일) 당지에 도착하였음. 끝

(대사 노창희-국장)

예고:91.12.31. 일반

국기국

PAGE 1

91.08.06 05:20

외신 2과 통제관 CA

0163

관리 번호	91 -4498

원 본

외 무 부

종 별 : 긴 급

번 호 : UNW-2029 일 시 : 91 0805 1830

수 신 : 장 관(국연,기정,해기)

발 신 : 주 유엔 대사

제 목 : 가입신청서 제출

금 8.5.15:30 본직은 DE CUELLAR 유엔 사무총장을 집무실로 방문, 아국의 유엔가입신청서를 수교하고 약 15 분간 면담한바 주요 내용을 아래와같이 보고함.

(사무국측 DAYAL 비서실장, 아측 문동석 국기국장, 서대원 참사관 배석)

1. 본직은 먼저 금번 아국의 유엔가입이 실현되도록 사무총장이 지원과 협조를 해준데 대해 사의를 표한후, 대한민국이 정부수립 이후 UN 과 맺어온 특수한 관계를 회고한후 특히 남북한이 동시에 유엔에 가입하게 된데 대해 전국민이 매우 뜻깊게 생각하고 있으며 이제 유엔의 정회원국이 됨으로써 남북한의 국제적지위 향상과 남북한간의 관계개선도 촉진되기를 기대하고 있다고함.

2. DE CUELLAR 사무총장은 이에대해 금번 남북한이 유엔가입을 신청하게 된것을 매우 기쁘게 생각한다고 하고 아래와같이 말함.

가. 금번 남북한이 유엔에 가입하게됨으로써 유엔의 오랜 목표인 완전한 보편성 원칙 실현에 기여하게 되었음.

나. 한국의 가입은 유엔의 정치, 경제, 사회등 제반분야 활동에 보탬이 될것임.

다. 남북한의 유엔가입은 통일의 공동목표 실현을 위한 유용한 대화의 광장을 제공하게 될 것인바 사무총장으로서 남북한간 건설적인 대화를 계속 고무해 나갈것임.

라. 남북한의 유엔가입은 한국민과 유엔을 위해 역사적인 의미가 있다고 보는바, 유엔 안보리 및 총회에서 남북한의 가입을 흔쾌히 수락할것으로 믿음.

3. 본직은 남북한 유엔가입이 남북관계개선을 위한 중요하고 실질적인 계기가 될것으로 보고있다고 하고 노태우 대통령의 대북한 교류촉구 선언등 평화통일을 위한 우리의 노력을 설명하였으며 국제환경의 변화및 우리의 이러한 노력에 부응한 북한의 태도변화를 기대하고 있으며 계속 북한에 대하여 이를 고무해 나갈것이라고 하였음.

4. 본직은 이어 안보리의 가입안건 심의일정에 언급, 사무총장으로서도 가급적

국기국	장관	차관	1차보	2차보	미주국	분석관	청와대	안기부
공보처								

PAGE 1 91.08.06 08:03

외신 2과 통제관 BS

0164

신속히 처리되도록 협조를 요청한바 자신도 내일(8.6)중 의제채택 8.8. 중 가입권고 결의를 채택하는 것으로 예정되어 있는것으로 알고있다고 하고 협조를 다짐함.

5. 본직은 아국이 9.17 제 46 차 총회개막일에 정식으로 가입하게 되면 외무장관이 수락연설을 행할 예정이며 이어 9.24 총회 일반토론시 노대통령께서 연설하실 예정임을 상기시키고 재반협조를 요청한바, 동 사무총장은 88 년도에 대통령께서 연설 하셨던 것을 언급하면서 다시 노대통령을 유엔에서 영접하게 된것을 매우 기쁘게 생각한다고 함.

6. 본직은 사무총장 면담후 유엔출입기자단과의 회견을 가졌음. 끝

(대사 노창희-장관)

예고:91.12.31. 일반
1거 일반문서로 재분류

0165

관리 번호 91-4506

원 본

외 무 부

종 별 : 지 급

번 호 : UNW-2031 일 시 : 91 0805 1945

수 신 : 장 관(국연,기정)

발 신 : 주 유엔 대사

제 목 : 안보리일정

연:UNW-2019

금 8.5 서참사관이 사무국 CHAN 담당관에게 확인한바, 연호 일정대로 처리될 예정이며 다만 8.6(화) 공식회의 (안건채택) 및 가입심사위의 정확한 개최시각(8.6 중 개최하는 것은 합의) 은 동일 11:00 개최예정인 비공식 전체협의 에서결정될 것이라함. (8.8 오전 공식회의에서의 가입권고 결의채택은 기합의).끝.

(대사 노창희-장관)

19 예고:91.12.31. 일반
의거 일반문서로 재분류

국기국 안기부

PAGE 1 91.08.06 09:12

외신 2과 통제관 BS

0166

보 도 자 료

외 무 부

제 호 문의전화 : 720-2408-10 보도일시 : 1991. 8. .

제 목 : 유엔가입신청서 제출

1. 정부는 우리의 유엔가입신청을 위한 소정의 국내절차를 완료하고 91.8.XX.( ) 00:00시 (뉴욕현지시각 : 서울시각은 8.XX. 00:00시) 노창희 주유엔대사를 통하여 「페레즈 데 꾸에야르」 유엔사무총장에게 유엔가입신청서를 제출하였다.

2. 돌이켜보면 우리나라만큼 유엔과 깊은 인연을 가진 나라는 없다. 1948년 8월 15일 대한민국 정부의 수립에서 시작하여 1950년 6월 북한의 남침으로부터 국권을 수호하는데 있어, 그리고 전후에는 우리경제의 부흥과 개발 노력에 있어, 또한 40년 가까이 한반도에서 유일한 평화유지장치로서의 휴전협정 체제를 유지, 이행함에 있어, 유엔의 역할과 기여는 재론의 여지가 없다.

3. 오늘날 유엔은 크게 변모하고 있다. 새로운 국제질서하에서 유엔은 1945년 유엔창설자들이 "샌프란시스코"에 모여서 구상했던 국제 평화와 안전을 항구적으로 보장하고, 인류의 번영과 복지를 증진 시키고자 했던 꿈을 실현시키기 위해 그 중심적 역할을 더욱 강화 하고 있다.

0167

4. 이와같이 유엔의 국제적 위상과 역할이 제고되고 있는 시점에 우리나라가 북한과 함께 유엔에 가입할 수 있게 된것은 매우 의미있는 일이다. 남북한이 유엔에 가입할 수 있게 된데에는 6공화국 출범이후 노태우 대통령께서 신념을 가지고 온국민들의 끊임없는 관심과 성원을 바탕으로 새로운 국제조류를 능동적으로 활용하면서 꾸준히 추진해오신 적극적인 대외정책의 결실이다.

5. 정부는 앞으로 유엔회원국이 됨으로써 국제사회의 당당한 일원으로서의 맡은 바 임무와 책임을 다해 나갈 것이며, 특히 국제평화와 안전의 유지 및 인류공동의 번영과 발전을 위한 유엔의 고귀한 목표달성에 최대한 기여해 나가고자 한다.

6. 정부는 오늘 우리의 유엔가입 신청서를 유엔사무총장에게 제출함에 있어 그간 누차에 걸쳐 밝힌 바와 같이 우리의 유엔가입이 통일시까지의 잠정조치임을 다시한번 분명히 하며, 남북한의 유엔가입이 한반도의 긴장완화와 평화정착에 기여하고, 나아가 궁극적인 조국의 평화적 통일을 촉진하는데 크게 기여할 것으로 기대한다. 끝.

0168

보 도 자 료

외 무 부

제91- 호 문의전화 : 720-2408-10 보도일시 : 1991. 8. 6. 05:00

제 목 : 유엔가입신청서 제출

1. 정부는 91.8.5.(월) 15:30시 (뉴욕현지시각 : 서울시각은 8.6(화) 04:30시) 노창희 주유엔대사를 통하여 「페레즈 데 꾸에야르」 유엔 사무총장에게 유엔가입신청서를 제출하였다.

2. 우리의 가입신청서는 곧 안전보장이사회에 회부될 것인 바, 안보리는 우리의 가입신청서를 지난 7.8. 제출된 북한의 가입신청서와 합께 심의, 8.9.경까지는 남북한의 유엔가입을 권고하는 단일결의안을 채택할 것으로 예상된다.

~~3. 이와 같이 안보리에서 소정의 절차를 마치게 되면 유엔총회는 안보리의 가입권고 결의에 의거, 제46차 총회 개막일인 91.9.17(화) 결의채택을 통하여 남북한의 유엔가입을 결정할 것이다.~~

첨 부 : 가입신청서 처리절차. 끝.

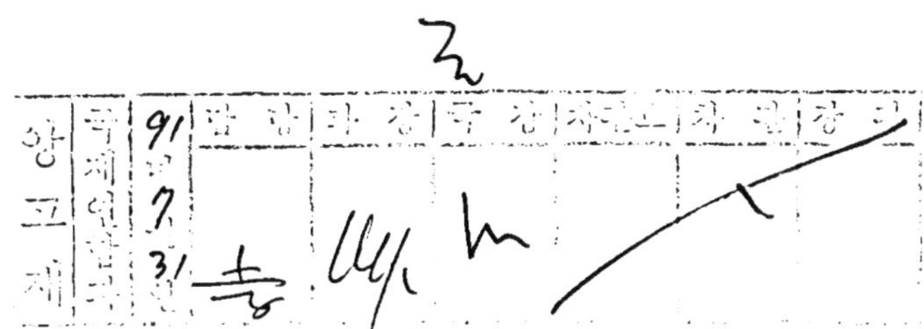

0169

가입신청서 안보리 처리절차

91. 7. 15
국제연합과

1. 사무총장, 가입신청서 접수

2. 사무총장, 가입신청서 안보리에 회부 (문서형태)

3. 안보리의장, 가입신청서 접수관련 각안보리 회원국과 쌍무협의 및 안보리회의 개최 일자 타진 (의장 발의 또는 회원국에 의한 발의시 가능)

4. 쌍무 협의 완료후, 의장은 안보리 전회원국이 참석하는 협의 개시
   - o 쌍무협의 결과보고 및 회원국의 의견 수렴
   - o 회원국으로부터 격렬한(violent) 반대가 없는 경우, 의장은 사무국에 가의제 회람 요청
   - o 의장은 공식 회의일자 및 협의일정 제시

5. 안보리 공식회의 개최 (통상 5분이내 처리)
   - o 통상 합의된 날짜의 오전에 개최
   - o 안보리는 가입신청서를 안보리 가입심사위에 회부

6. 가입심사위 개최 (상기 안보리회의 종료직후)
   - o 관례상 안보리 부의장에 의해 진행
   - o 사무국은 가입권고안 포함 보고서안 작성, 가입심사위에 제출
   - o 회원국의 발언가능
   - o 위원장은 가입심사위의 추천에 관한 결정을 내리기 위해 동일 오후 제2차 공식회의 개최 제의

0170

7. 안보리 공식회의 속개 (동일 오후)

o 사무국은 가입심사 위원회의 보고서를 배포

o 의장은 가입심사위의 보고서에 주의를 환기하고, 반대가 없을 경우, 보고서에 포함되어 있는 가입권고 결의안에 대한 표결 실시

8. 가입권고 결의안이 채택된 경우, 의장은 신청국에 축의를 표명하고, 발언희망국에 발언기회 제공

9. 공식회의 종료후, 의장은 사무국에 의해 준비된 서한에 서명

o 동 서한에서 의장은 안보리의 결정사항을 사무총장에게 통보하고 총회에 회부하여줄 것을 요청

o 사무총장은 가입신청국에 축의 표명 전문발송

10. 사무국은 상기 안보리의 의장 명의 서한을 총회문서로 발간 및 안보리 가입권고 결의를 문서로 발간

0171

보 도 자 료

외 무 부

제 91-184 호 문의전화 : 720－2408～10 보도일시 : 1991. 8. 6. 05:00 시

제 목 : 유엔가입신청서 제출

1. 정부는 91.8.5.(월) 15:30시 (뉴욕현지시각 : 서울시각은 8.6(화) 04:30시) 노창희 주유엔대사를 통하여 「페레즈 데 꾸에야르」 유엔 사무총장에게 유엔가입신청서를 제출하였다.

2. 우리의 가입신청서는 곧 안전보장이사회에 회부될 것인 바, 안보리는 우리의 가입신청서를 지난 7.8. 제출된 북한의 가입신청서와 함께 심의, 8.9.경까지는 남북한의 유엔가입을 권고하는 단일결의안을 채택할 것으로 예상된다.

첨 부 : 가입신청서 처리절차. 끝.

0172

(첨부)

가입신청서 처리절차

1. 유엔 사무총장에게 가입신청서 제출

2. 사무총장은 안보리 의장에게 문서형태로 동 사실을 통고, 안보리에서 가입심사 개시

   o 안보리 본회의 첫모임에서 정식의제 채택

   o 안보리내 가입심사위원회에 회부

     - 가입심사 결과보고서(안) 작성 및 가입권고 결의안 초안 채택

   o 안보리 본회의 개최, 가입심사위원회 보고서 검토, 회원국으로의 추천여부 최종결정

   (안보리 심사내용)

     - 신청국가의 평화애호성

     - 유엔헌장 준수 가능성

   o 안보리, 가입권고 결의 채택후 사무총장에게 총회에 회부토록 요청

3. 총회에서 안보리의 가입권고 결의를 토대로 가입여부 최종결정 (통상 총회 개막일에 처리, 결정)

0173

UNITED NATIONS **A S**

General Assembly **Security Council**

Distr.
GENERAL

A/46/296*
S/22778*
7 August 1991

ORIGINAL: ENGLISH

GENERAL ASSEMBLY
Forty-sixth session
Item 20 of the provisional agenda**
ADMISSION OF NEW MEMBERS TO THE UNITED NATIONS

SECURITY COUNCIL
Forty-sixth year

Application of the Republic of Korea for admission to membership in the United Nations

Note by the Secretary-General

In accordance with rule 135 of the rules of procedure of the General Assembly and rule 59 of the provisional rules of procedure of the Security Council, the Secretary-General has the honour to circulate herewith the application of the Republic of Korea for admission to membership in the United Nations, contained in a letter dated 19 July 1991 from the Minister for Foreign Affairs of the Republic of Korea to the Secretary-General.

---

* Reissued for technical reasons.

** A/46/150.

91-25416 2504g (E) /...

0174

Letter dated 19 July 1991 from the Minister for Foreign Affairs of the Republic of Korea addressed to the Secretary-General of the United Nations

On behalf of the Government of the Republic of Korea, I have the honour to inform you that the Government of the Republic of Korea herewith applies for membership of the Republic of Korea in the United Nations.

I have further the honour to attach herewith a declaration made in accordance with rule 58 of the provisional rules of procedure of the Security Council.

I should be grateful if you would place this application before the Security Council at the earliest opportunity.

(Signed) LEE Sang Ock
Minister for Foreign Affairs
of the Republic of Korea

/...

Declaration

On behalf of the Government of the Republic of Korea, I, Roh Tae Woo, in my capacity as Head of State, have the honour to solemnly declare that the Republic of Korea accepts the obligations contained in the Charter of the United Nations and undertakes to fulfil them.

(*Signed*) ROH Tae Woo
President of the Republic
of Korea

0176

외교문서 비밀해제: 남북한 유엔 가입 7

남북한 유엔 가입 국내 절차 진행 2

초판인쇄 2024년 03월 15일
초판발행 2024년 03월 15일

지은이 한국학술정보(주)
펴낸이 채종준
펴낸곳 한국학술정보(주)
주 소 경기도 파주시 회동길 230(문발동)
전 화 031-908-3181(대표)
팩 스 031-908-3189
홈페이지 http://ebook.kstudy.com
E-mail 출판사업부 publish@kstudy.com
등 록 제일산-115호(2000. 6. 19)

ISBN 979-11-6983-950-1 94340
979-11-6983-945-7 94340 (set)

책에 대한 더 나은 생각, 끊임없는 고민, 독자를 생각하는 마음으로 보다 좋은 책을 만들어갑니다.